ATLAS LINGUÍSTICO DO AMAPÁ

Abdelhak Ro...
Celeste Maria da Rocha Ribeiro
Romário Duarte Sanches

Abdelhak Razky
Celeste Maria da Rocha Ribeiro
Romário Duarte Sanches

ATLAS LINGUÍSTICO DO AMAPÁ

Labrador
UNIVERSITÁRIO

2017

Copyright © Abdelhak Razky; Celeste Maria da Rocha Ribeiro; Romário Duarte Sanches

Todos os direitos desta edição reservados à Editora Labrador.

Coordenação editorial

Beatriz Simões Araujo

Revisão

Perfekta Soluções Editoriais

Fernanda Batista

Projeto gráfico, diagramação e capa

Maiane de Araujo

Dados Internacionais de Catalogação na Publicação (CIP)
Andreia de Almeida CRB-8/7889

Razky, Abdelhak
   Atlas linguístico do Amapá / Abdelhak Razky, Celeste Maria da Rocha Ribeiro, Romário Duarte Sanches. — São Paulo : Labrador, 2017.
   286 p. : il., color

Bibliografia
ISBN 978-85-93058-23-3

1. Linguística 2. Levantamentos lingüísticos - Amapá 3. Antropologia linguística – Amapá 4. Geografia linguística – Amapá I. Título II. Ribeiro, Celeste Maria da Rocha III. Sanches, Romário Duarte

17-0779   CDD 469.798

Índices para catálogo sistemático:
1. Levantamentos linguísticos - Amapá

Editora Labrador
Rua Dr. José Elias, 520 – sala 1 – Alto da Lapa
05083-030 – São Paulo – SP
Telefone: +55 (11) 3641-7446
Site: http://www.editoralabrador.com.br/
E-mail: contato@editoralabrador.com.br

A reprodução de qualquer parte desta obra é ilegal e configura uma apropriação indevida dos direitos intelectuais e patrimoniais do autor.

Sumário

Prefácio 7

Introdução 11

O Estado do Amapá 13

Os Municípios de Pesquisa 21

Metodologia 35

Cartas Introdutórias 49

Cartas Fonéticas 55

Cartas Lexicais 73

Cartas Estratificadas 221

Referências 283

Agradecimentos 285

Prefácio

É com enorme e tríplice alegria que vejo vir à luz o *Atlas linguístico do Amapá– ALAP*: primeiro, por constatar que a Geolinguística no Brasil está dando frutos continuamente; segundo, porque em mais uma região geográfica vão sendo, pouco a pouco, preenchidas as lacunas provocadas pela ausência de trabalhos geolinguísticos; e, terceiro, por ter a honra de apresentá-lo à comunidade científica e aos demais leitores.

Desde que Nascentes, Silva Neto e Celso Cunha concentraram esforços disseminando por todos os cantos a necessidade da construção de um atlas linguístico do Brasil e, igualmente, a importância de elaborar atlas regionais ou estaduais, vimos acender a chama da Geolinguística em vários pontos da nação: Bahia, Sergipe, Minas Gerais, Paraíba, Paraná, Rio Grande do Sul, Santa Catarina, Pará, Mato Grosso do Sul, Ceará, Amazonas, Pernambuco, Amapá, Alagoas, Maranhão, Tocantins, Espírito Santo e Rondônia, que têm seus atlas publicados, finalizados ou bem consolidados. Além desses, há outros projetos em vários estágios de desenvolvimento nos demais estados. Muitos desses atlas ou projetos de atlas se inspiraram na metodologia do *Atlas linguístico do Brasil* que, desde 1996, vem se desenvolvendo com a contribuição de pesquisadores das mais diversas universidades brasileiras. O *ALAP* não ficou imune a essa influência e adotou os princípios teórico-metodológicos do ALiB.

O *ALAP* tem uma história muito interessante: não nasceu de trabalho acadêmico de pós-graduação, como ocorreu com alguns, como o *Atlas linguístico do Paraná* (AGUILERA, 1994) e o *Atlas linguístico do Amazonas* (CRUZ, 2002); também não é obra de apenas uma instituição, como o *Atlas prévio dos falares baianos* (ROSSI, 1963) e o *Esboço de um atlas de Minas Gerais* (ZÁGARI, M. *et al.* 1977), mas nasceu do trabalho conjunto de um docente da Universidade Federal do Pará e de uma equipe da Universidade Federal do Amapá. Não foi uma ideia que surgiu e logo se apagou diante dos riscos e das adversidades normais que cercam trabalhos dessa natureza, nem se esvaiu em razão de interesses obscuros de pesquisadores, mas veio de forma consciente, bem estruturada e finalizada em um prazo relativamente curto, se considerarmos a duração de projetos semelhantes.

Seu diretor, nosso querido colega e amigo Razky, logo que chegou ao Brasil e se estabeleceu na Universidade Federal do Pará, sentiu que havia muito o que fazer na área da Geossociolinguística com as fontes de dados ainda intocáveis da região Norte do país. Foi assim que, durante o período de Carnaval do ano de 1997, nos convidou para ministrar um curso para seus alunos com a finalidade de incentivá-los para as pesquisas regionais e sociais. Daquela semente, mediante o cuidado do semeador Razky e de sua equipe, nasceram o ALisPa e o ALiPa. Não satisfeito, Razky sentiu que poderia ir mais longe e foi para o estado vizinho do Amapá levar a sua competência e obstinação.

O *Atlas linguístico do Amapá* é, pois, uma realidade. Elaborado com todo o rigor científico, compõe-se de 16 cartas fonéticas que expõem a unidade e a diversidade dos principais fatos fonético-fonológicos que caracterizam os falares do Norte, tais como a realização das vogais médias pretônicas, do /S/ em coda silábica, dos ditongos decrescentes e da nasal palatal, entre outros. Na sequência, estão 73 cartas lexicais que exploram as denominações atribuídas a itens da natureza física, da flora, da fauna, dos artefatos, das partes do corpo, entre outros e, finalmente, 30 cartas que tratam das diferenças diastráticas, relativas às variáveis sexo e faixa etária.

Nesta oportunidade, cumprimento seus autores, Abdelhak Razky, Celeste Maria da Rocha Ribeiro e Romário Duarte Sanches, e lhes desejo, bem como a todos os seus colaboradores, muito sucesso e os parabenizo pela realização de uma obra da qual não só o estado do Amapá irá se orgulhar, mas toda a academia dos dialetólogos, geolinguistas e sociolinguistas do Brasil.

Carinhosamente,

Vanderci de Andrade Aguilera

Introdução

Pode-se dizer que os estudos de cunho geossociolinguístico apresentam dois momentos distintos na história das pesquisas dialetais no Brasil: um pré-Atlas linguístico do Brasil – ALiB e outro pós--Atlas linguístico do Brasil. Certamente, após o lançamento do Projeto ALiB em 1996, houve um aumento significativo de publicações de atlas regionais e estaduais por todo o país. Somados a esses, encontra-se um crescente acervo de teses, dissertações e artigos científicos cujos índices refletem a ampliação dos estudos geolinguísticos e a atividade plena da Dialetologia no Brasil que a cada dia vem ganhando espaço, expandindo-se e conquistando novos simpatizantes.

Todo o conjunto de atlas publicados, em andamento, além das pesquisas espalhadas em todas as universidades pelo país, evidenciam essa produtiva jornada que data de 1826 com o trabalho de Domingos Borges de Barros e Visconde da Pedra Branca que produziram uma espécie de glossário, em que mostravam algumas características das palavras da Língua Portuguesa em terras brasileiras, destacando algumas interferências do contato linguístico com as línguas indígenas.

Em 1963, é publicado o primeiro atlas linguístico brasileiro, o *Atlas prévio dos falares baianos – APFB*, de Nelson Rossi, que impulsionou o lançamento de outros por todas as regiões do país. Na região Norte, até o momento, há dois publicados, o *Atlas linguístico sonoro do estado do Pará – ALISPA* e o *Atlas linguístico do estado do Amazonas – ALAM*. Encontram-se em fase de realização os atlas dos estados do Acre e Rondônia, e agora soma-se ao grupo dos publicados o *Atlas linguístico do estado do Amapá – ALAP*.

Assim, é com grande satisfação que apresentamos à comunidade amapaense esse acervo linguístico que permite a visualização de um panorama da realidade linguística do Amapá, buscando contribuir para o entendimento mais coerente da língua e de suas variantes, visando também eliminar a visão distorcida que tende a privilegiar uma variante apenas e estigmatizar as demais, em que predominam somente as variantes preconizadas pela variedade culta, causando, segundo Cardoso (2010, p. 169), "consideráveis prejuízos ao ensino--aprendizagem da língua materna".

Além de que um atlas linguístico regional permite um conhecimento mais detalhado e circunstanciado do local que focaliza, explicitando variantes que, muitas vezes, são realizações peculiares ligadas à origem do lugar e à de seus moradores, refletindo que língua e cultura se juntam na história de vida das pessoas, de um lugar, de uma região e até de um país.

Assim, acredita-se que o *ALAP* cumprirá esse papel, contribuindo, sobretudo, para que se efetive um ensino pautado na variação linguística, visto que, com o conhecimento da realidade linguística regional, o professor torna-se mais capacitado para identificar parâmetros e peculiaridades sociais e geográficas da língua que estejam em consonância com os usos locais, os quais lhes servirão de modelo no processo ensino-aprendizagem da língua materna.

No entanto, vale lembrar que, de forma ampla, um atlas linguístico consiste em um conjunto de mapas que registram as diferentes variações por que passa uma língua: fônicas, morfossintáticas, léxico-semânticas, discursivo-pragmáticas. Seja qual for a finalidade do atlas, seu foco toma por base as evidências que caracterizam as realizações da língua viva, de uso real, preservando os dialetos e as manifestações características de uma região, os quais, muitas vezes, são ameaçados pela propagação exacerbada da variedade culta da língua.

O Estado do Amapá

Historicamente, a inclusão do território do Amapá ao Brasil começa em 1901, com o *Laudo Suíço*. A Suíça atuou como árbitro entre as disputas territoriais e diplomáticas (em especial pela disputa de ouro existente na região) da França e do Brasil. Ao final, foi decidido que o Brasil teria soberania sobre o território contestado e sua incorporação ao território brasileiro ocorreu, portanto, somente no início do século XX. No entanto, conforme Nunes Filho (2009), esse contexto de ocupação permeado de disputas e invasões é característica comum das origens territoriais de formação amazônica, no caso do Amapá, em razão do interesse por produtos silvestres coletados ou cultivados em terras amapaenses, o que tornou as disputas mais acirradas.

Outro fator também referente à formação amazônica é a descoberta de ouro na região, o que ocasionou grande fluxo migratório que, por sua vez, resultou na criação de novas vilas e aumentou a atividade extrativista. É em decorrência dessas invasões e disputas que Portugal inicia no século XVIII a construção de fortins, fortes, fortalezas, aldeamentos, povoados e vilas em vários pontos, entre os quais se encontra o Amapá hoje (NUNES FILHO, 2009). Para essas construções, foram trazidos muitos homens tanto para a mão de obra como para ocupar o território. Entre esses vieram algumas famílias (colonos) das ilhas de Açores, colonos degradados de Portugal, como prostitutas, presos políticos, negros africanos (oriundos da Bahia e do Rio de Janeiro), além dos índios que lá habitavam.

Após o período colonial, outro fator que impulsionou o reconhecimento do Amapá foi a sua legitimação como território federal, por meio do Decreto Federal n. 5.812, de 13 de setembro de 1943, que criava o Território Federal do Amapá, desmembrando-o do estado do Pará. Em 1988, pela promulgação da Constituição brasileira, o território é elevado à condição de estado. Segundo Andrade (2005), essa transformação do então território em estado, efetivado a partir de 1988, possibilitou que novas oportunidades de trabalho fossem ofertadas, principalmente na construção civil, o que influenciou o contingente populacional no estado. Desde essa época, a dinâmica migratória vem se consolidando de forma expressiva, pois, somente naquele ano, o estado recebeu cerca de 42.000 pessoas de outras unidades da federação, das quais 58% são oriundas do estado do Pará e 13,98% do Maranhão. Esse grande fluxo deve-se também à instalação de empresas de grande porte como a Indústria e Comércio de Minérios S/A – ICOMI e o projeto Jari; à abertura da exploração de ouro nos municípios de Calçoene, Tartarugalzinho, Amapá e Oiapoque; à criação da Área de Livre Comércio Macapá e Santana – ALCMS e às ações do governo federal, que impulsionaram obras de infraestrutura social e econômica, além da abertura de vagas para ocupação de novos postos de serviço na área de serviços públicos (ANDRADE, 2005, p. 94).

De acordo com Sanches (2015), é perceptível, diante da história do estado do Amapá, que a formação da sociedade amapaense foi construída gradativamente. As migrações foram bastante diversificadas etnicamente, resultando em uma mistura de hábitos, costumes, tradições, dialetos, formas de organização, de interação com o meio ambiente e com as pessoas. Certamente, esse contexto favoreceu a construção identitária do povo amapaense, refletindo seu passado e ao mesmo tempo acompanhando a dinâmica do mundo moderno.

Segundo o censo do IBGE (2010), a população no Estado do Amapá era de 669.526 habitantes, com a população projetada para o ano de 2030 de 983.304 pessoas, distribuídas em 16 municípios: Macapá, Santana, Mazagão, Laranjal do Jari, Vitória do Jari, Pedra Branca do Amapari, Serra do Navio, Porto Grande, Ferreira Gomes, Cutias, Tartarugalzinho, Amapá, Pracuúba, Itaubal, Calçoene e Oiapoque. O território amapaense ocupa uma área de 142.815 km², situado a nordeste da região Norte, sendo delimitado pelo estado do Pará, a oeste e sul; pela Guiana Francesa, ao norte; pelo oceano Atlântico, a leste; e pelo Suriname, a noroeste.

Macapá é a capital e maior cidade do estado, sendo sede da região metropolitana, a única do estado, concentra quase 60% da população estadual. Outras importantes cidades do estado são: Santana, Laranjal do Jari, Oiapoque e Mazagão. O estado do Amapá possui um relevo pouco acidentado, em geral abaixo dos 300 metros de altitude. É um dos poucos estados que, em sua condição geográfica, permite a formação de um conjunto de ecossistemas que vão desde as formações pioneiras de mangue à floresta tropical densa, passando por campos inundáveis e cerrados. Seus principais rios são: Amazonas, Jari, Oiapoque, Araguari, Calçoene e Maracá. Apresenta apenas duas mesorregiões: a mesorregião do sul do Amapá, composta de duas microrregiões; e a mesorregião do norte do Amapá, também formada por duas microrregiões.

A maior parte de seu território está contida na bacia das Guianas, que apresenta rochas cristalinas do período Pré-Cambriano. O clima do estado é tropical superúmido, o que significa que ocorre uma grande quantidade de calor e umidade que favorece a propagação da biodiversidade. As temperaturas médias que ocorrem no estado variam de 20° C a 36°C: a primeira ocorre principalmente no alvorecer e a segunda acontece no fim da tarde. O clima local apresenta duas estações bem definidas, denominadas de verão e inverno. Os índices pluviométricos ocorrem anualmente em média superior a 2.500 mm. A cobertura vegetal no estado é também bastante diversificada e apresenta florestas classificadas em várzea, terra firme, além de campos e cerrados. Nas áreas próximas ao litoral, a vegetação encontrada é o mangue. Aproximadamente 73% da área estadual é coberta pela floresta amazônica.

O Amapá é o estado brasileiro que possui o maior percentual de seu território ocupado por áreas protegidas. Da área total do estado, 72% é ocupada por unidades de conservação e por terras indígenas. O primeiro parque nacional a ser criado no estado foi o Parque Nacional do Cabo Orange, em 15 de julho de 1980; a primeira reserva biológica do estado foi criada em 16 de julho de 1980, a REBIO do lago Piratuba (400.000 hectares); depois veio a ESEC Maracá-Jipióca

(72.000 hectares), em 2 de junho de 1981, e a ESEC do Jari (227.126 hectares), em 12 de abril de 1982. As outras unidades de conservação federais são: Floresta Nacional do Amapá (412.000 hectares), a RESEX do rio Cajari (501.771 hectares) e o Parque Nacional Montanhas do Tumucumaque (3.828.923 hectares). O estado abriga também diversas unidades de conservação estadual.

Segundo dados da pesquisa de autodeclaração 2008 do IBGE (2010), a população do Amapá está composta de pardos (62,2%), brancos (27,6%), negros (8,1%) e uma minoria de amarelos e indígenas (2,0%). No Amapá, há cinco demarcações de terras de povos indígenas, segundo a FUNAI. O município de Oiapoque agrupa três diferentes tribos em sua extensão territorial, são elas: Uaçá, Juminã e Galibi; o município de Laranjal do Jari abriga as outras duas sociedades tribais, Waiãpi e Tumucumaque.

Os dados do IBGE (2010) projetaram para 2014, nos indicadores sociais, o Amapá ocupando a 14ª menor incidência de pobreza, a 12ª menor taxa de analfabetismo e o 15º maior PIB *per capita* do país. No entanto, o estado apresentou em 2010 a 3ª maior taxa de mortalidade infantil entre os estados brasileiros. A economia está concentrada em 86% no setor terciário e o comércio é uma das maiores fontes de renda para o estado, representando quase metade deste setor, mas o serviço público é o que mais tem crescido durante as últimas décadas e o que mais tem contribuído para o crescimento e o desenvolvimento econômico, por meio da oferta de vagas nos diversos setores das esferas publicas federal e estadual.

No setor educação, não há grandes resultados, o IDEB amapaense, do ano de 2015, concentra-se em torno de 3,3 no ensino médio; de 4,5 nos anos iniciais do ensino fundamental; e de 3,7 nos anos finais do ensino fundamental. Vale ressaltar que em nenhum desses índices a média ficou acima da nacional. A taxa de aprovação no estado durante o ensino médio é de 73,6%. O estado conta com apenas duas instituições de ensino superior públicas, a Universidade Federal do Amapá e a Universidade Estadual do Amapá, ambas com sede em Macapá. Há também o Instituto Federal do Amapá, fundado em 29 de dezembro de 2008, com sede em Macapá, Santana e Laranjal do Jari. A UNIFAP tem *campus* nos municípios de Laranjal do Jari, Oiapoque, Santana, Mazagão e Tartarugalzinho. Há ainda algumas faculdades particulares, a maioria estabelecida na capital Macapá.

Sobre as condições de vida da população amapaense, destaca-se que 16,2% são habitantes de áreas de invasões, baixadas e ressacas (Amapá Digital, 2012). Há registros de que mais de dez mil moradias no estado não possuem serviços básicos, como energia elétrica, rede de abastecimento de água, lixo coletado e rede coletora de esgoto (Portal Amazônia, 2016). A saúde é outro setor extremamente precário no estado, pois apresenta uma rede de hospitais insuficiente para atender toda a população. De forma geral, a expectativa de vida do povo amapaense é de 67 anos entre os homens e de 75 anos entre as mulheres.

A cultura do estado é bastante diversificada e caracteriza-se principalmente pela culinária, como o vatapá, a maniçoba, a caldeirada de peixe, o camarão no bafo; pelas festas e danças tradicionais, como a festa de São Tiago em Mazagão, o Círio de Nazaré em Macapá, o Marabaixo, que é uma dança tipicamente amapaense. Entre os monumentos presentes no estado, encontram-se o famoso Marco Zero em Macapá, que registra a passagem exata da Linha do Equador, constituindo o principal ponto turístico da capital, e a edificação da Fortaleza de São José de Macapá, construída no início da colonização portuguesa para proteger o estado das invasões de outros povos, como franceses e holandeses. Entre os principais museus, destacam-se o Joaquim Caetano da Silva, em Macapá, fundado em 1990; o museu Sacaca, também na capital, fundado em 1997; e o museu Fortaleza de São José de Macapá, fundado em 2007. Em Oiapoque, há o museu Kuahí dos Povos Indígenas de Oiapoque, fundado em 2007.

Assim, diante desse breve quadro descritivo dos principais aspectos do estado do Amapá, é válido dizer que, de forma geral, o povo amapaense é extremamente acolhedor, simpático, guerreiro, criativo e ainda tem o privilégio de viver em um espaço geográfico predominantemente natural, apesar de, gradativamente, a capital Macapá vir recebendo edificações residenciais de prédios altos, modificando não apenas a arquitetura da cidade, mas também a forma de moradia dos amapaenses que priorizavam morar em casas.

Os Municípios de Pesquisa

MACAPÁ

A cidade se originou de um destacamento militar fixado no mesmo local das ruínas da antiga Fortaleza de Santo Antônio, a partir de 1740. O município, criado pela Lei n. 281, de 6 de setembro de 1856, constitui-se de cinco distritos: Macapá, Bailique, Carapanatuba, Fazendinha e São Joaquim do Pacuí. Possui cerca de 400.000 habitantes, distribuídos em uma área territorial de 6.502,119 km². As estimativas de 2016 do IBGE apontam Macapá como o 51º município mais populoso do Brasil e o quinto da região Norte.

Macapá tem um enorme contingente de pessoas de outros estados da federação, vindas principalmente do Pará, Maranhão, Ceará, estados do Sul e Sudeste em busca de melhores condições de vida. Este fluxo intenso somado a outros fatores resulta no aumento do número de veículos motorizados na cidade, no aumento da criminalidade e na ocupação irregular das áreas de mananciais do município.

A economia de Macapá concentra-se no comércio, além do extrativismo, agricultura e indústria. Com localização privilegiada em razão de sua posição geográfica, tem grandes possibilidades de relações comerciais com a América Central, América do Norte e a Europa. No setor turístico, apresenta como principais pontos o Monumento do Marco Zero do Equador; a Fortaleza de São José de Macapá; o Estádio Zerão; o Sambódromo; o Trapiche Eliezer Levy; a Pedra do Guindaste, entre outros.

No setor educacional, a cidade oferece uma ampla rede de escolas de ensino infantil, básico e médio, além de 18 instituições de ensino superior, das quais duas são federais, a Universidade Federal do Amapá e o Instituto Federal do Amapá, e uma estadual, a Universidade Estadual do Amapá. Possui três bibliotecas públicas. A cultura da capital é caracterizada pela arquitetura do século XVIII, como a da igreja matriz de São José, localizada no centro da cidade; pelo Centro de Cultura Negra, de divulgação e preservação da cultura afro-brasileira; o Teatro das

Bacabeiras, com arquitetura moderna, constitui o centro das manifestações artístico-culturais do povo amapaense; o Centro Cultural Franco-Amapaense, resultado do diálogo de concretização bilateral entre Brasil e França, cujo objetivo central é dinamizar a educação e popularizar o ensino da língua e cultura francesa. O Museu Histórico Joaquim Caetano da Silva, inaugurado em 1990, apresenta a história desde as pesquisas arqueológicas no Estado do Amapá até a origem dos primeiros prédios; e a Casa do Artesão constitui o maior centro do artesanato amapaense.

SANTANA

O município, criado pela Lei n. 7.639, em 17 de dezembro de 1987, está localizado ao sul do estado do Amapá (mesorregião Sul), há apenas 23 km de Macapá. É constituído de sete distritos: Santana, Igarapé do Lago, Ilha de Santana, Igarapé da Fortaleza, Elesbão, Anauerapucu e Pirativa. Limita-se com os seguintes municípios: Macapá, Mazagão e Porto Grande. Segundo o IBGE (2010), possui 101.262 habitantes, distribuídos numa área territorial de 1.569,404 km². A história da cidade assemelha-se à de Macapá, no momento de fundação da vila homônima. A economia gira em torno dos setores primário, com atividade pesqueira e extração de madeira e de açaí; secundário, com o distrito industrial de Santana; e terciário, com o comércio e serviços predominantemente públicos.

Como atração turística, a cidade possui o porto de embarque e desembarque de produtos importados e cavacos de pinho; o porto flutuante de embarque do manganês; a ilha de Santana, que fica do outro lado da cidade e que tem, inclusive, um balneário bastante frequentado aos fins de semana. O principal evento cultural do município é a Festa religiosa de Santa Ana. Na educação, a cidade oferece ensino em todas as modalidades da educação básica; conta com um *campus* da Universidade Federal do Amapá e uma sede do Instituto Federal do Amapá, além de algumas instituições particulares para a oferta de cursos superiores.

Em razão da localização, os moradores de Santana possuem uma grande interação com a cidade e os habitantes de Macapá, inclusive é muito comum uma pessoa trabalhar em Macapá e morar em Santana ou vice-versa. Essa integração ocorre em todos os setores: lazer e entretenimento, educação, saúde, economia e transporte.

MAZAGÃO

Município de porte pequeno, criado pela Lei n. 226, em 28 de novembro de 1890, está localizado ao sul do estado (mesorregião sul), a 41 km de Macapá. É constituído de três distritos: Mazagão, Carvão e Mazagão Velho. Limita-se com os seguintes municípios: ao norte com Porto Grande e Pedra Branca do Amapari; a nordeste com Santana; a oeste com Laranjal do Jari; e ao sul com Vitória do Jari. A população, com 19.157 habitantes, pela estimativa do IBGE (2010), distribui-se por uma área territorial de 13.130 km².

A história do município de Mazagão está diretamente relacionada ao povoamento da região onde se estabeleceram muitas famílias com escravos. Fugindo de guerras no continente europeu, os mazaganistas marroquinos, cuja sede foi erguida pelos portugueses em 1513, no Marrocos, aportaram em Belém, no Brasil, em 1770. Com a criação da Vila de Macapá e a frequente chegada desse povo à região pela floresta amazônica, aos poucos foi se fortificando o povoado com igreja, casas e alguns prédios públicos até sua total emancipação na década de 1970 como município. O povoado serviu também de apoio militar à Vila de Macapá, no início do século XX.

A cidade vem crescendo paulatinamente em sua população e economia, que gira em torno dos setores primário e terciário. Possui uma rede de ensino que atende tanto a educação básica, em escolas municipais e estaduais, como o ensino superior, por meio do *campus* da Universidade Federal do Amapá instalado no local. O lazer e o entretenimento concentram-se nos balneários, rios e igarapés situados ao redor do município. A cultura local tem seu ponto forte na Festa de São Tiago realizada no período de 21 a 28 de julho. Trata-se de uma herança marroquina, que tem como atração principal a batalha entre portugueses e mouros. Este evento costuma atrair milhares de pessoas, principalmente de Macapá. É uma festa que remonta à época colonial.

LARANJAL DO JARI

Criado pela Lei n. 7.639, em 6 de dezembro de 1987, o município está localizado ao sul do estado do Amapá a 320 km da cidade de Macapá. Possui cerca de 40.000 habitantes, oriundos de diversos lugares do Brasil, principalmente da região Nordeste. Limita-se ao sul com Vitória do Jari; a leste com Oiapoque, Pedra Branca do Amapari e Mazagão; a sudoeste com Almeirim, no estado do Pará; ao norte com a Guiana Francesa e a noroeste com Suriname. Conta com uma área territorial de 29.699 km².

A região que hoje corresponde ao Vale do Jari foi habitada, inicialmente, por indígenas e, posteriormente, por nordestinos que vieram trabalhar na extração da borracha. A origem do município do Laranjal do Jari remonta à época da colonização do rio homônimo, recebendo ainda influências recentes da implantação do Projeto Jari Florestal em 1967, idealizado por Daniel Ludwig para a fabricação de celulose.

As mudanças espaciais no Vale do Jari foram geradas pelos incentivos e consequências da política econômica do governo federal, refletindo socialmente no núcleo urbano do Beiradão. Esta Vila apresentou distorções pela omissão das políticas públicas na área da saúde, educação, segurança, justiça e preservação ambiental. As demandas urbanas em Laranjal do Jari se acentuaram com o crescimento das necessidades da população, principalmente por habitação. As políticas públicas, em sua maioria, foram insuficientes na atenção à população de Laranjal do Jari que apresentava questões de natureza urbana frágeis.

Sua economia baseia-se nas atividades produtivas das pequenas e microempresas localizadas no setor da economia local. No entorno estão as atividades de duas grandes empresas, a Jari celulose e a CADAM (Cauli da Amazônia) em atividades com o extrativismo vegetal e mineral. Sua população tem crescido muito nos últimos anos, o município passou a integrar cerca de 90% de sua extensão territorial dentro da área de proteção ambiental, onde se encontra o Parque Nacional Montanhas do Tumucumaque.

A educação no município conta com uma rede de escolas estaduais e municipais que atende toda a educação básica, além de um *campus* da Universidade Federal do Amapá – UNIFAP e do Instituto Federal do Amapá – IFAP, oferecendo cursos de graduação e de nível técnico, respectivamente. No setor cultural, não há grandes eventos ou espaços, destaca-se a área de lazer e entretenimento que oferece, como principal opção, a visitação e o banho na cachoeira de Santo Antônio e no recanto ecológico Hiara, próximos à cidade.

PEDRA BRANCA DO AMAPARI

Município criado pela Lei n. 8, em 1 de maio de 1992, está localizado no centro-sul do estado do Amapá (mesorregião sul), a 180 km de Macapá. É constituído de apenas um distrito: Pedra Branca do Amapari. Limita-se com os seguintes municípios: a oeste com Laranjal do Jari; ao sul com Mazagão; a sudeste com Porto Grande; a leste com Serra do Navio, ao norte com Oiapoque. Segundo o IBGE (2010), há cerca de 10.000 habitantes, distribuídos por uma área territorial de 9.495 km².

Tem suas origens ligadas à exploração de ouro pelos samaracás, uma tribo primitiva da Guiana Francesa. Mais recentemente, seu desenvolvimento esteve ligado à história de garimpagem no rio Cupixi e à ferrovia Santana/Serra. Outros aspectos ligados ao crescimento desse município situam-se na expansão de suas fronteiras agropecuárias e na própria ampliação da exploração mineral. Nesse aspecto, destaca-se o papel da Perimetral Norte, eixo de dinamização do município. A exploração mineral por empresas de grande porte na década de 1990 estimulou a vinda de muitos imigrantes de todas as regiões do país, principalmente Norte e Nordeste. No entanto, nos últimos anos, com a saída de algumas das principais empresas, a população sofre com desemprego, falta de oportunidades de trabalho e pobreza. Atualmente, o setor pesqueiro é o que impulsiona timidamente a economia local.

A rede de ensino abrange em média 30 escolas distribuídas pelas redes estadual e municipal. Possui um *campus* do Instituto Federal do Amapá – IFAP na oferta de cursos técnicos. Não há opções de cursos superiores no município, até este momento. A área de cultura tende a ser fomentada pela presença de pequenas cachoeiras, no entanto, não se registra nenhuma atividade turística significativa no local. Nessa região, situa-se ainda a área indígena waiãpi e o Parque Nacional Montanhas do Tumucumaque.

PORTO GRANDE

Município criado pela Lei n. 3, em 1 de maio de 1992, está localizado no sudeste do estado (mesorregião Sul), a 108 km de Macapá. É constituído de um distrito: Porto Grande. Limita-se ao norte com Ferreira Gomes; ao sudeste com Macapá e Santana; a sudoeste com Mazagão; e a noroeste com Pedra Branca do Amapari e Serra do Navio. Porto Grande teve sua origem ligada a uma pequena colônia, às margens do rio Araguari. Possui cerca de 16.000 habitantes e uma área territorial de 4.402 km².

As origens da cidade remontam ao desmembramento das terras que pertenciam à capital do estado, Macapá. O município é rico em recursos naturais e possui uma grande área madeireira que constitui a base da economia local. Não há uma definição precisa da origem do nome da cidade, visto que ela não tem nenhum porto, entretanto, segundo os moradores mais idosos, esse nome deve-se ao fato de, antigamente, a comunidade da colônia do Matapi reunir-se para comercializar os produtos agrícolas e este local de reunião lembrava um grande porto. O turismo do município tem como atração principal um belo balneário dentro da própria cidade e um evento famoso no estado, o festival anual do abacaxi que atrai visitantes de todas as partes do estado amapaense.

O ensino conta com uma rede significativa de escolas públicas municipais e estaduais que oferece da educação infantil ao ensino médio, além de uma escola agrícola e um *campus* do Instituto Federal do Amapá – IFAP na oferta de cursos técnicos.

TARTARUGALZINHO

Município criado pela Lei n. 7.639, em 17 de dezembro de 1987, está localizado ao norte do estado (mesorregião norte), a 230 km de Macapá. É constituído apenas pelo próprio distrito de Tartarugalzinho. Limita-se com os seguintes municípios: a leste com Amapá e Cutias do Araguari; ao norte com Pracuúba; ao sul com Ferreira Gomes; a oeste com Mazagão. Possui cerca de 12.000 habitantes, distribuídos em uma área territorial de 6.757,618 km².

A origem da cidade, segundo os antigos moradores, deve-se ao primeiro povoado, o de Tartarugal Grande, que ficava às margens de um rio com o mesmo nome. No entanto, o fato de esse rio apresentar quedas d'água, dificultando o transporte, fez com que alguns moradores se mudassem para outro lugar, que denominaram de Tartarugalzinho, por se tratar de um afluente do rio Tartarugal Grande, onde as dificuldades de transporte, tanto dos moradores quanto do gado via fluvial, eram minimizadas. Suas origens e desenvolvimento estão ligados também à disposição geográfica como local de referência no trânsito da BR-156 que, ainda hoje, continua com a oferta de serviços, incluindo alimentação, combustível e venda de produtos diversos. Aliado a esse contexto, destaca-se o desenvolvimento da pecuária em suas áreas inundáveis ainda como uma de suas principais bases produtivas. Com a descoberta de ouro nos arredores da atual sede do município, há um redirecionamento de seu curso normal de vida com consequências marcantes em nível populacional, qualidade ambiental e de vida econômica e social. Outro fator responsável pelo povoamento foi a instalação da AMCEL, empresa de plantação e extração de pinho, substituída, posteriormente, pela multinacional – também do setor de celulose – Chamflora.

A economia do município gira em torno da criação de gado bovino, bubalino e de suínos, além das culturas de subsistência, como mandioca e laranja, e a pesca artesanal na região do Lago Novo. Com a implantação da Champion na região, empresa voltada para o plantio de eucalipto para abastecer a indústria de papel e celulose, houve um progresso significativo no setor industrial no município; porém Tartarugalzinho depende basicamente do Fundo de Participação dos Municípios – FPM.

Atualmente, a cidade busca ampliar sua base produtiva, voltando-se para o ecoturismo. Abriga uma reserva natural de reprodução de quelônios, além de áreas propícias para passeios ecológicos e pesca esportiva. Segundo dados da Secretaria Estadual do Meio Ambiente – SEMA, o banho nos lagos próximos ao município é imprópria por causa da alta quantidade de mercúrio nas águas.

O sistema educacional abrange redes de escolas estaduais e municipais, com educação infantil, ensinos fundamental e médio. Ainda não conta com ensino superior nem na área técnica. O setor cultural é marcado pelas festas religiosas como a de São Pedro, em junho, e a de Nossa Senhora do Perpétuo Socorro, padroeira da cidade, em outubro.

AMAPÁ

Município criado pela Lei n. 798, em 22 de outubro de 1901, está localizado no centro-oeste do estado homônimo (mesorregião Norte), a 312 km de Macapá. É constituído de dois distritos: Amapá (distrito sede) e Sucuriju. Conta com uma população em média de 8.000 habitantes, oriundos de diversos lugares do Brasil, principalmente das regiões Norte e Nordeste. Com área territorial de 9.167 km², limita-se ao norte com o Oceano Atlântico; ao sul, com Macapá e Cutias do Araguari; a sudoeste com Tartarugalzinho e Pracuúba; a oeste com Calçoene.

A história deste município é marcada por acontecimentos ligados à conquista de terras, cujos reflexos afetavam o povo da fronteira do extremo norte. Os conflitos acentuaram-se ainda mais a partir de 1894, quando se deu a descoberta de ouro em Calçoene. Este fato motivou bastante a presença de europeus e norte-americanos que se instalavam às cabeceiras do rio. Esses estrangeiros, principalmente os que vinham de Caiena, passaram a dominar a região, agindo como verdadeiros senhores, pois perseguiam os índios e escravizavam as mulheres. A palavra Amapá é de origem indígena e refere-se a uma espécie de árvore brasileira chamada amapazeiro que possui um tronco volumoso, com cerca de um metro de diâmetro na base e casca espessa, por onde escorre um abundante leite branco conhecido como "leite de Amapá".

A economia do município concentra-se na pecuária extensiva que possui o maior rebanho do estado com expressiva produção de bovinos, bubalinos, suínos e equinos. O setor turístico concentra-se no Museu a Céu Aberto / Base aérea do Amapá a 15 km da sede do município; na Cachoeira Grande com corredeiras e águas cristalinas; e no Balneário do Calafate com excelentes corredeiras e parada obrigatória para um refrescante banho. Os principais eventos anuais são a festa alusiva ao dia do Cabralzinho, 15 de maio, grande herói da cidade; o festival da gurijuba, uma espécie de peixe da região; o aniversário do município; e a Feira de Agronegócios e Pesca – Agropesc, em outubro.

O sistema educacional abrange redes de escolas estaduais e municipais, com educação infantil, ensinos fundamental e médio. Atualmente, não conta com ensino superior nem na área técnica.

CALÇOENE

Município criado pela Lei n. 2.055, em 22 de dezembro de 1956, está localizado ao norte do estado (mesorregião Norte), a 380 km cidade de Macapá. É constituído de três distritos: Calçoene, Cunani e Lourenço. Limita-se ao norte com o oceano Atlântico; a sudeste com o Amapá e Pracuúba; a noroeste com Oiapoque; a oeste com Serra do Navio. Sua população é de cerca de 9.000 habitantes, distribuídos por uma área de 14.269 km².

O município era parte da província do Grão-Pará e sua origem está associada à Vila de Calçoene, cujo início se deu em frente à cachoeira do Firmino, como era conhecido antigamente o povoado de que se originou o município. Seus moradores viviam, basicamente, da exploração do ouro, nas minas do Lourenço – por isso o nome da vila. No final do século XIX, foi implantada na região uma colônia de imigrantes russos, no contexto de esforço de povoamento do território brasileiro por braços assalariados provindos da Europa, como ocorreu no mesmo período nas regiões Centro-Sul do Brasil. A administração do território, após invasão por parte do governo de Caiena, resolveu retomar o povoado e suas terras, decretando a reincorporação da vila ao estado. Em 22 de dezembro de 1956, ocorreu a emancipação da vila, que passou a se chamar Calçoene – calço (cunha), ene (norte).

Seu potencial econômico reside no setor primário por meio de seu potencial agrícola e extrativista, sua costa marinha está entre as mais produtivas de pescados e mariscos do Brasil, com destaque para a pesca da gurijuba e da pescada amarela. Apresenta como principais atrações turísticas o parque arqueológico do Solstício e a praia do Goiabal. No campo da educação, conta com redes de escolas estaduais e municipais, com educação infantil, ensino fundamental e médio. Até o momento não há ainda oferta de ensino superior nem na área técnica.

OIAPOQUE

Município criado pela Lei n. 7.578, em 23 de maio de 1945, está localizado ao norte do estado (mesorregião Norte), a 590 km da capital Macapá, à qual se liga por via aérea, rodoviária e marítima. É constituído de três distritos: Oiapoque, Clevelândia e Vila Velha. Limita-se ao norte com a Guiana Francesa; ao sul com Calçoene, Serra do Navio e Pedra Branca do Amapari; a oeste com Laranjal do Jari e a leste com o oceano Atlântico. Distribui-se por uma área de 22.625 km² e, segundo dados do IBGE (2010), a população estimada em 2016 equivale a 24.892 habitantes e uma densidade demográfica de 0,91 habitantes/km².

O município de Oiapoque tem suas origens relacionadas às políticas de povoamento, colonização e defesa do território nacional. Segundo Day (2005), entre os séculos XVI e XVIII, Portugal e França disputaram cerca da metade do espaço territorial onde atualmente se localiza o estado do Amapá, pois, durante dois séculos, esta região esteve dominada e explorada por comerciantes originários da Guiana Francesa. Apenas no final do século XVIII, preocupado com a exploração da região pelos franceses, Portugal passa a estimular imigrantes açorianos e marroquinos a ocuparem o referido território.

De acordo com Nascimento e Tostes (2008), os sinais iniciais de povoamento do lugar ocorreram, de fato, no século XIX, com a chegada de cidadãos guianenses e antilhanos, que ocuparam o lugar dos índios Oyãmpis, que migraram para a Serra do Tumucumaque. Tal ocupação, porém, não conseguiu inibir o avanço de exploradores franceses, ingleses e holandeses na área às margens do rio Oiapoque. Em função disso, em 1900, com a assinatura do Laudo Suíço entre Brasil e França, aquela região, atual Amapá, tornou-se oficialmente brasileira.

A cidade de Oiapoque faz fronteira com Saint Georges, pequena comunidade francesa, pertencente ao Departamento de Ultramar da Guiana Francesa, localizada na margem esquerda do rio Oiapoque e distante 60 km da foz desse rio. Constitui a fronteira natural com o Brasil. Na margem direita do rio, situa-se o município brasileiro de Oiapoque.

O Produto Interno Bruto – PIB de Oiapoque, a partir dos dados do IBGE (2010), concentra-se predominantemente no setor de serviços, tal como em todo o estado amapaense. A área educacional conta com escolas da rede estadual, municipal e particular, além de um *campus* do Instituto Federal do Amapá – IFAP na oferta de cursos técnicos. Possui também o *campus* binacional ligado à Universidade Federal do Amapá – UNIFAP, que oferece cursos de graduação aos oiapoquenses.

Seu potencial turístico concentra-se nos vários atrativos naturais, como o rio Oiapoque e suas cachoeiras, balneários e densa vegetação, assim como no comércio local, bares e restaurantes, os quais costumam atrair turistas, sobretudo, franceses e guianenses, que atravessam o rio para passear no fim de semana e feriados em Oiapoque. O setor cultural é marcado por festas religiosas e indígenas, visto que nesse local habitam várias etnias que se concentram nas dezenas de aldeias espalhadas pela região. Entre essas festas, destacam-se a pesca do Tucunaré, peixe símbolo da pesca esportiva; a festa de Nossa Senhora das Graças, padroeira do Município; a Festa do Turé, o maior atrativo cultural local, por reunir anualmente todas as tribos indígenas da região. Acrescenta-se ainda o artesanato local indígena caracterizado pela beleza e singularidade.

Metodologia

O *Atlas linguístico do Amapá* insere-se no método geolinguístico, tomando como referência o projeto *Atlas linguístico do Brasil* e, consequentemente, adotando os pressupostos da dialetologia pluridimensional e da geolinguística. O *ALAP* é um atlas pluridimensional, pois apresenta aspectos da variação diatópica e diastrática, considerando, nesta última, as variáveis idade e sexo dos falantes.

COLETA DE DADOS

Em 2011, realizaram-se inquéritos experimentais como forma de treinamento para os acadêmicos que atuariam como inquiridores. A coleta de dados para a composição do *corpus* foi realizada entre 2012 e 2014, por professores e acadêmicos do curso de Letras da Universidade Federal do Amapá – UNIFAP que integram o grupo de pesquisa ALAP.

O *ALAP* desenvolveu-se em três etapas:

- 1ª etapa: formação e treinamento dos membros do grupo;

- 2ª etapa: realização dos inquéritos experimentais, treinamento para transcrição fonética, aplicação da pesquisa *in loco* (questionários fonético-fonológico e semântico-lexical), junto a 40 informantes distribuídos pelos dez pontos de inquéritos;

- 3ª etapa: transcrição dos dados, revisão das transcrições fonéticas, confecção das cartas e mapeamento dos dados registrados, tendo em vista a sistematização, organização e publicação dos resultados.

A REDE DE PONTOS

O estado do Amapá apresenta uma área territorial equivalente a 142.815 km² e uma população de 751.000 habitantes, conforme o último censo (2014). Possui 16 municípios, distribuídos de norte a sul do estado e tomados na seleção dos pontos de inquérito do *ALAP*. No entanto, seguindo a tradição dialetológica, cuja finalidade consiste em "assegurar a representatividade da documentação da variação espacial da língua" (CARDOSO *et al.*, 2014), além de garantir que a amostra representativa das localidades permita a depreensão da variação diatópica da língua em uso, foram considerados critérios diversificados na seleção da rede de pontos de inquéritos, tais como a densidade demográfica; a distribuição espacial das localidades, a fim de que um ponto não ficasse muito próximo de outro; aspectos históricos, ligados ao tempo de origem de cada município; a importância econômica e sociocultural da localidade. Assim, chegou-se a uma rede composta por dez municípios representativos do estado do Amapá, de acordo com os critérios estabelecidos.

A Figura 1 evidencia a rede de pontos, de acordo com a localização geográfica e o número correspondente à identificação de cada localidade: (01) Macapá, (02) Santana, (03) Mazagão, (04) Laranjal do Jari, (05) Pedra Branca do Amapari, (06) Porto Grande, (07) Tartarugalzinho, (08) Amapá, (09) Calçoene e (10) Oiapoque.

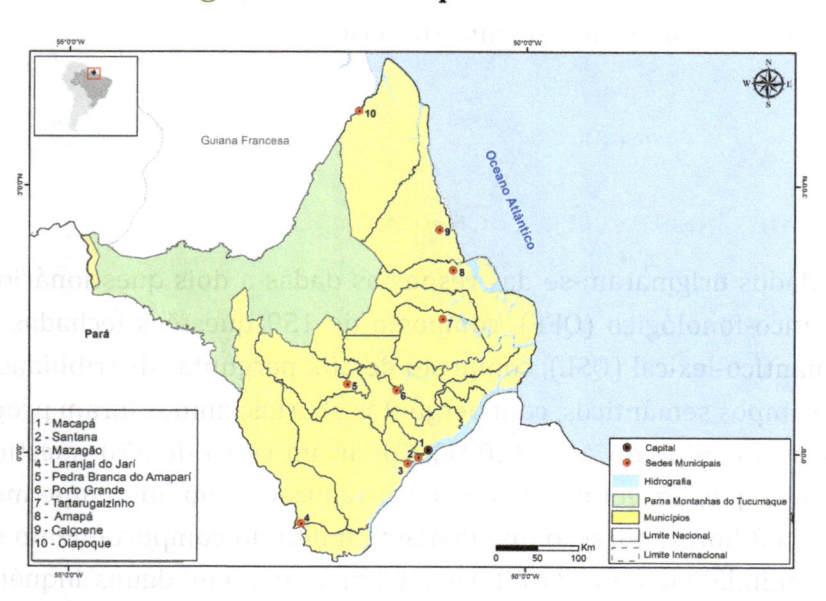

Figura 1 – **Rede de pontos do** *ALAP*

Fonte: Mapa elaborado por Piera Amora (NAEA/UFPA).

PERFIL DOS INFORMANTES

Para a coleta de dados, consideraram-se na seleção dos informantes as variáveis sexo e idade. Os 40 informantes distribuem-se equitativamente pelos dois sexos, totalizando 20 homens e 20 mulheres, sendo dois informantes masculinos, um jovem e um mais velho e dois femininos, uma jovem e uma mais velha, em cada localidade; distribuem-se em duas faixas de idade: faixa mais jovem compreendendo entre 18 e 30 anos; faixa mais velha, entre 50 e 75 anos. Conforme norma em trabalhos dialetológicos, na escolha desses informantes, considerou-se também a necessidade de ser natural da região linguística pesquisada, da qual não tenha se afastado por mais de um terço de sua vida; ser filho de pais brasileiros e, preferencialmente, da mesma região linguística; ter nível de instrução escolar variando de semianalfabeto ao ensino fundamental incompleto; possuir boas condições de saúde e de fonação; além de ter disponibilidade para a entrevista.

Nas transcrições e cartas que compõem o atlas, os informantes estão identificados por letras maiúsculas correspondentes ao sexo e à faixa etária, conforme a seguinte descrição:

F – feminino
A – mais jovens

M – masculino
B – mais velhos

QUESTIONÁRIOS DE COLETA DE DADOS

Os dados originaram-se das respostas dadas a dois questionários: o fonético-fonológico (QFF), composto de 159 questões fechadas, e o semântico-lexical (QSL), composto de 202 perguntas distribuídas em 14 campos semânticos, com perguntas abertas; ambos foram propostos pela equipe do ALiB (2001). Totalizam cerca de 370 questionamentos que, em geral, costumam ser realizados em um tempo médio de 2 a 3 horas, duração que depende muito do comportamento e da disponibilidade de cada informante, visto que em alguns inquéritos este se apresenta tímido, indiferente e de pouca elocução, mas, por outro lado, há também aquele que se mostra eloquente, espontâneo e muito participativo. Pelo que se observou durante a coleta de dados, entre os 40 informantes que participaram das entrevistas, os falantes da segunda faixa etária foram os que se mostraram mais eloquentes, receptivos, espontâneos, dispostos e, consequentemente, tornavam os inquéritos mais longos.

O QFF busca registrar, de forma mais completa possível, as variantes fonéticas diatópicas, diagenéricas e diageracionais de cada município do estado do Amapá, objetivando documentar os fonemas da língua portuguesa falada no estado, em todas as suas possibilidades de distribuição na cadeia sonora (CARDOSO *et al.*, 2014). Vale dizer que algumas questões provocaram respostas equivocadas ao esperado no questionário ou não foram respondidas em razão do desconhecimento pelo falante. Como ocorreu, por exemplo, na questão 74 – *Quando uma pessoa compra um carro e quer se prevenir de um prejuízo grande (um roubo, uma batida) procura um corretor e faz o quê?* Resposta esperada: SEGURO (Comitê Nacional do Projeto ALiB, 2001).

Nem sempre se obtinha essa resposta porque o falante não conhecia o item lexical ou não se lembrava dele no momento da entrevista.

O QSL apresentou um índice de abstenções maior que o QFF, apesar de apresentar flexibilidade para a resposta e o informante ser estimulado a responder fazendo uso de formas diversificadas de designação para o item lexical, podendo ir além daquela forma que faz parte de seu vocabulário ativo.

As 202 questões distribuem-se em 14 campos semânticos: acidentes geográficos, fenômenos atmosféricos, astros e tempo, atividades agropastoris, fauna, corpo humano, ciclos da vida, convívio e comportamento social, religião e crenças, jogos e diversões infantis, habitação, alimentação e cozinha, vestuário e acessórios, vida urbana. Entre esses, os que apresentaram o maior número de não respostas em ordem decrescente: fenômenos atmosféricos, astros e tempo, religião e crenças, atividades agropastoris, jogos e diversões infantis. Essas não respostas muitas vezes ocorriam em virtude de aquele contexto da pergunta e da resposta não fazer parte do conhecimento de mundo do falante. Tal como ocorreu na questão 56 em que a maioria dos falantes não conseguiu respondê-la:

56. ...*a peça de madeira que vai no pescoço do boi, para puxar o carro ou o arado?* (mostra-se a figura do objeto) Resposta esperada: CANGA (Comitê Nacional do Projeto ALiB, 2001).

INQUIRIDORES

A equipe de inquiridores do *ALAP* foi constituída por professores e acadêmicos, à época, ligados ao curso de Licenciatura plena em Letras da UNIFAP. Todos receberam treinamento, orientação e formação para a realização das entrevistas, porém, de acordo com Aguilera (2014, p. 107), "por mais bem preparado que esteja o entrevistador, cada entrevista é única: o ambiente, as circunstâncias e o fato de cada informante ter sua própria história de vida e seu universo cultural". Em função disso, é natural aparecerem dificuldades em cada situação, mas com criatividade e bom senso o inquiridor conseguiu contornar os obstáculos que apareceram, o que, em geral, foram poucos. Entre esses, destacou-se a dificuldade do inquiridor em reformular a questão, a fim de levar o falante a empregar a resposta esperada, sobretudo no QFF, e este falante aceitar pacificamente as inúmeras tentativas de o inquiridor reformular a questão. O Quadro 1 apresenta a relação dos inquiridores principais e auxiliares participantes da coleta de dados do *ALAP*, além dos colaboradores que ajudaram no tratamento dos dados.

Quadro 1 – Pesquisa de campo e tratamento dos dados

Inquiridores	Auxiliares
Celeste Ribeiro	Aldenice Couto
Doraci Guedes	Elicelma Sena
Romário Sanches	Veg da Cruz de Andrade
Monique Jacques	Hanna Line Silva de Lima
Francisco Tiago Meirelles	Jefter Gonçalves
Natália Almeida	Maria Cristina Amaral
Sarah Cristina Gibson	Angleson de Souza Lima
Martha Zoni	Eduíza Naiff
Colaboradores	
Carlene Nunes Salvador; Amanda da Costa Carvalho; Diego Coimbra	

ELABORAÇÃO DAS CARTAS LINGUÍSTICAS

Assim, para a produção das cartas linguísticas que compõem o *ALAP*, foi elaborada uma base cartográfica por um especialista da área. Inicialmente, foi feito um modelo da carta-base indicando as posições de cada informação que seria inserida na carta, o que resultou na carta--base do *ALAP* (Figura 2), na qual se registram informações geográficas e linguísticas. Para as informações de cunho geográfico, constam: escala, orientação geográfica, um mapa de localização da área em relação ao continente latino-americano, ao Brasil, ao estado e aos municípios. Para os aspectos de cunho linguístico, constam: título do atlas, número da carta, tipo de pergunta, pontos pesquisados, organização dos itens linguísticos e suas ocorrências. Segue exemplo dessa carta--base.

Figura 2 – **Carta-base lexical do** *ALAP*

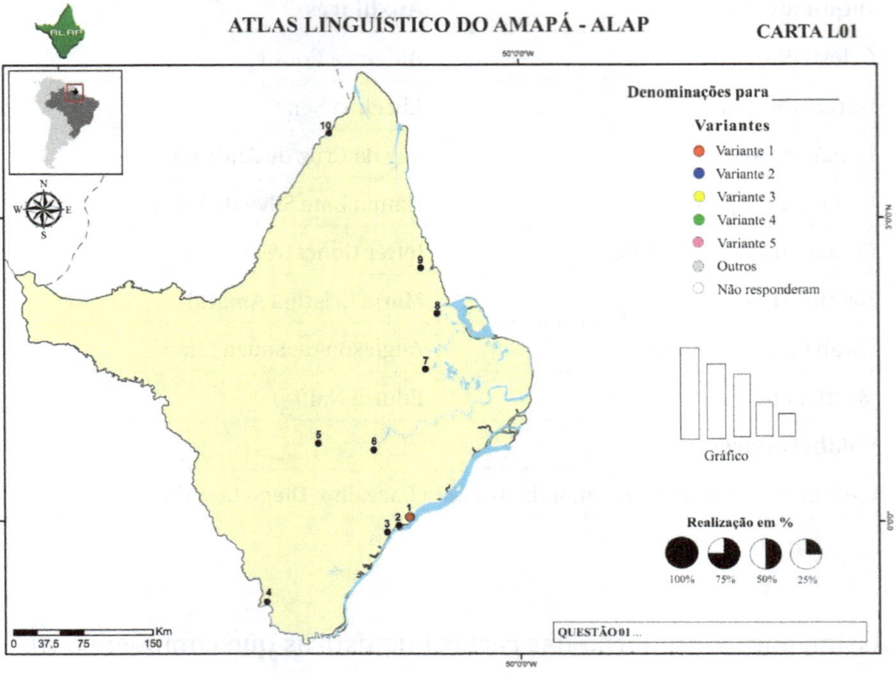

Fonte: Elaborado pelos autores.

Para a leitura das cartas linguísticas fonéticas e lexicais, adotou-se o seguinte esquema de convenções:

a. Do lado superior à direita, ao lado do título, indica-se o número da carta representado por uma letra marcando o domínio linguístico estudado – seja ele fonético ou lexical – e o número da questão. Por exemplo, *CARTA L01*, a letra "L" indica que é uma carta lexical e "01" refere-se à sequência dos itens lexicais; *CARTA F01*, a letra "F" indica que é uma carta fonética e "01" refere-se à sequência dos fenômenos fonéticos.

b. Do lado superior à direita, abaixo do título, são elencadas as variantes mais recorrentes, com a transcrição ortográfica. Para a simplificação da leitura dos dados, foram delimitadas apenas as cinco variantes mais recorrentes com suas respectivas cores em forma de círculos; a ordem das cores indica a ordem das ocorrências (da variante mais para a menos produtiva). As cores foram selecionadas de acordo com o sistema RGB[1] (sistema de cores), e com base no *Atlas linguístico do Brasil*.

Tabela 1 – Cores para cartas lexicais, até cinco variantes (RGB)

CORES	R	G	B
1	255	0	0
2	0	0	255
3	255	255	0
4	0	200	0
5	248	150	201
Outras	204	204	204
Não respostas	255	255	255

Fonte: Elaborado pelos autores com base nas cartas do ALiB (2014).

No caso das variantes pouco produtivas, agrupadas em *outras* e nas não respostas, serão visualizadas por meio de um quadro no verso da carta, mostrando todas as variantes mapeadas e não mapeadas.

c. Abaixo das variantes elencadas, encontram-se os gráficos com as porcentagens correspondentes às ocorrências de cada variante em todos os pontos de inquéritos; e, mais abaixo, a realização em porcentagem por meio dos gráficos em formato de pizza (de 25% a 100%).

---

[1] *RGB* é um sistema decoresaditivo que representa a mistura de luz, em oposição ao subtrativo CMYK, que representa mistura de pigmentos. O nome *RGB* é uma sigla formada das iniciais dos nomes das suas cores primarias: *red* (vermelho), *green* (verde) e *blue* (azul). No sistema RGB, cada cor é definida pela quantidade de vermelho, verde e azul que a compõem.

d. Ainda do lado inferior à direita, constam as respectivas perguntas com a numeração referente ao questionário aplicado.

e. No centro da carta, apresenta-se o mapa do Amapá com os dez pontos de inquéritos (cf. Figura 1).

CARTAS ESTRATIFICADAS

Para a leitura das cartas estratificadas, os dados organizados são apresentados com base na cruz de estratificação, como mostra a figura seguir:

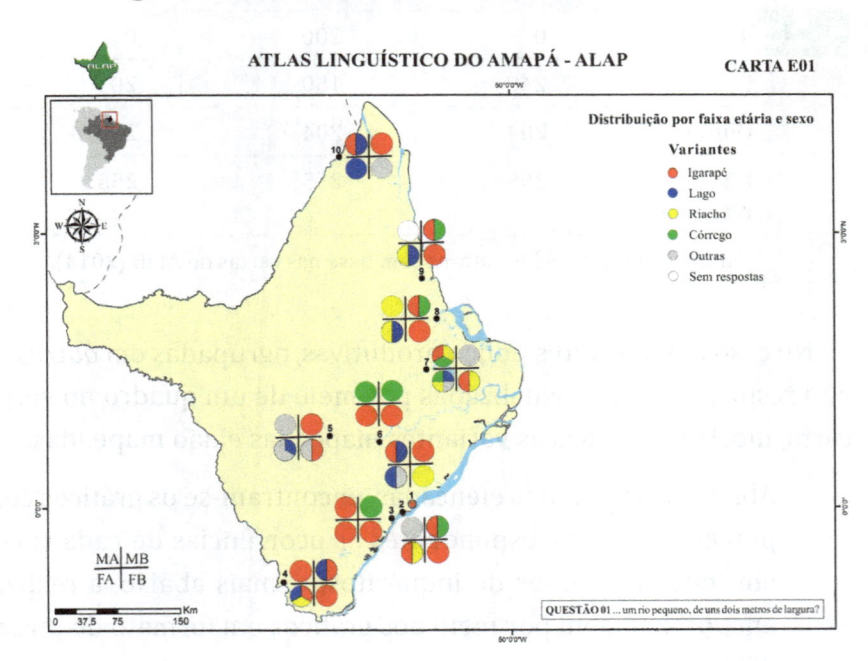

Figura 3 – **Carta-base estratificada do** *ALAP*

Fonte: Elaborado pelos autores.

Essa carta estratificada apresenta as seguintes informações:

a. Do lado superior à direita, ao lado do título, indica-se o número da carta representado pela letra "E" (estratificada) e o número da questão. Por exemplo, *CARTA E01*, a letra "E" indica que é uma carta estratificada (pluridimensional) e "01" refere-se à sequência dos itens lexicais. Destaca-se que nas cartas estratificadas só foram mapeados os itens lexicais do QSL.

b. Do lado superior à direita, abaixo do título, são elencadas as variantes mais recorrentes, com a transcrição ortográfica. Para a simplificação da leitura dos dados, foram delimitadas apenas as cinco variantes mais recorrentes com suas respectivas cores (conforme apresentado na leitura das cartas lexicais e fonéticas).

c. Abaixo das variantes elencadas, do lado inferior à direita, encontram-se as respectivas perguntas com a numeração referente ao questionário aplicado.

d. Do lado inferior à esquerda, apresenta-se a cruz de estratificação com as seguintes convenções: MA indica o informante do sexo masculino (M) e de primeira faixa etária (A); FA indica a informante do sexo feminino (F) e primeira faixa etária (A); MB indica o informante do sexo masculino (M) e de segunda faixa etária (B); FB indica a informante do sexo feminino (F) e de segunda faixa etária (B).

e. No centro da carta, encontra-se o mapa do Amapá com os dez pontos de inquéritos (cf. Figura 1) e a distribuição das variantes de acordo com a idade e sexo dos falantes. Por exemplo, no ponto 01 (Macapá), a cruz de estratificação mostra que o informante MA conhece a variante 01 e 02; no caso de FA, esta produziu a variante 2 e outros; MB conhece a variante 01 e FB a variante 03. E assim segue a leitura dos demais pontos de inquéritos nas respectivas cartas.

TRATAMENTO DAS VARIANTES MENOS RECORRENTES

Conforme já informado anteriormente, apenas as variantes mais produtivas foram cartografadas, mas para não deixar de registrar as realizações ocorridas no estado foram apresentadas no verso das cartas lexicais e das estratificadas todas as ocorrências realizadas pelos falantes nas dez localidades de pesquisa. Nesses quadros, constam o tipo e o número da carta, o número da questão, a resposta sugerida, cada ponto de inquérito e a identificação dos informantes estratificados em sexo e idade, além das variantes ocorridas por localidade e informante. O Quadro 2 ilustra essas representações.

Quadro 2 – Representação das variantes realizadas

Questão 1 – CÓRREGO/RIACHO				
Pontos de Inquéritos	MA	FA	MB	FB
01 – Macapá	Item transcrito	Item transcrito	Item transcrito	Item transcrito
02 – Santana	Item transcrito	Item transcrito	Item transcrito	Item transcrito
03 – Mazagão	Item transcrito	Item transcrito	Item transcrito	Item transcrito
04 – Laranjal do Jari	Item transcrito	Item transcrito	Item transcrito	Item transcrito
05 – Pedra Branca do Amapari	Item transcrito	Item transcrito	Item transcrito	Item transcrito
06 – Porto Grande	Item transcrito	Item transcrito	Item transcrito	Item transcrito
07 – Tartarugalzinho	Item transcrito	Item transcrito	Item transcrito	Item transcrito
08 – Amapá	Item transcrito	Item transcrito	Item transcrito	Item transcrito
09 – Calçoene	Item transcrito	Item transcrito	Item transcrito	Item transcrito
10 – Oiapoque	Item transcrito	Item transcrito	Item transcrito	Item transcrito

Fonte: SANCHES, 2015.

PROCEDIMENTOS PARA O TRATAMENTO DOS DADOS

Os dados coletados seguem os parâmetros e as orientações do Comitê Nacional do ALiB (2014). Após feitos todos os inquéritos nas dez localidades selecionadas, as gravações em áudio do material coletado passaram por várias etapas, as quais são descritas a seguir:

a. Arquivamento de todas as entrevistas gravadas em formato MP3, em pastas correspondentes aos pontos de inquéritos e aos informantes. Utilizou-se a convenção de símbolos para representar os pontos e os informantes, conforme o Quadro 3, exemplificando com as informações do ponto (01) Macapá:

Quadro 3 – Convenção de símbolos para o arquivamento dos dados

01AHF	01BMF
01 = Localidade (Macapá)	01 = Localidade (Macapá)
A = Faixa etária (1ª faixa etária)	B = Faixa etária (2ª faixa etária)
H = Sexo (Homem)	M = Sexo (Mulher)
F = Escolaridade (Fundamental)	F = Escolaridade (Fundamental)

Fonte: SANCHES, 2015.

b. Após os dados devidamente arquivados, procedeu-se ao recorte dos áudios utilizando o *software Cool Edit Pro 2.1*. Delimitou-se que, para as questões fonético-fonológicas, fossem recortados dos inquéritos apenas os contextos imediatamente precedente e seguinte da resposta esperada enquanto, para as questões lexicais, o recorte seria feito a partir do início da pergunta até o fim da conversa sobre cada item lexical.

c. Com os recortes prontos, iniciaram-se as transcrições fonéticas que foram feitas em tabelas, indicando o tipo de questionário, o ponto de inquérito, as questões e os quatro informantes entrevistados naquele local. Para a transcrição fonética, utilizaram-se os símbolos fonéticos do Alfabeto Fonético Internacional – IPA, com a fonte *Times New Roman 12*.

d. Após a revisão das transcrições e todas as cartas-base prontas, iniciou-se a elaboração das cartas linguísticas. Todas as cartas foram elaboradas a partir do *software CorelDRAWX5*.

É valido informar que, assim como no ALiB, a representação pluridimensional não se fez necessária em todos os casos, uma vez que alguns fenômenos linguísticos não se mostraram variáveis. Em função disso, somente aqueles que apresentaram resultados diversos foram cartografados em termos diatópicos, de sexo e de idade.

Cartas Introdutórias

Mapa 1 – Brasil Político

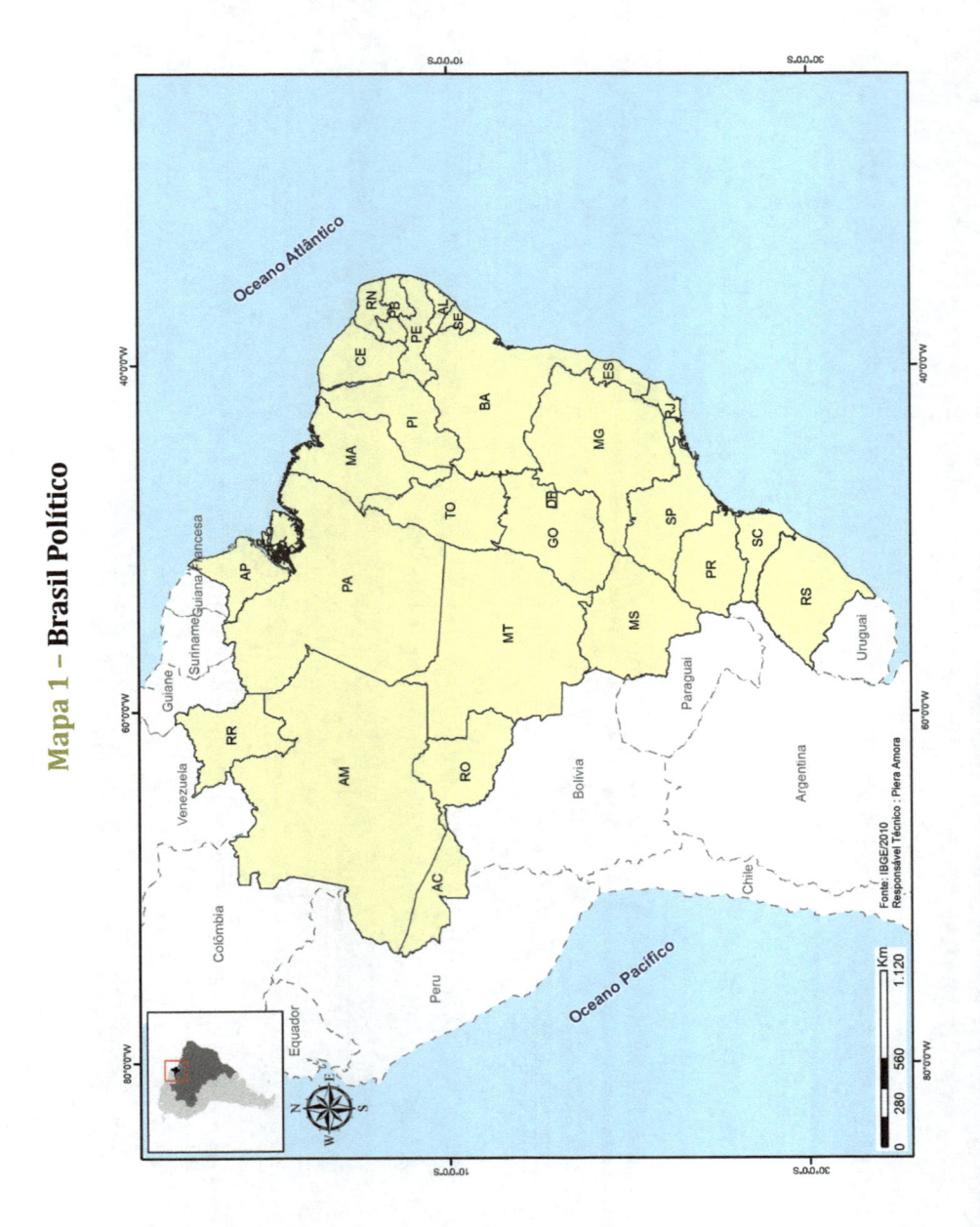

Mapa 2 – Hidrografia do Amapá

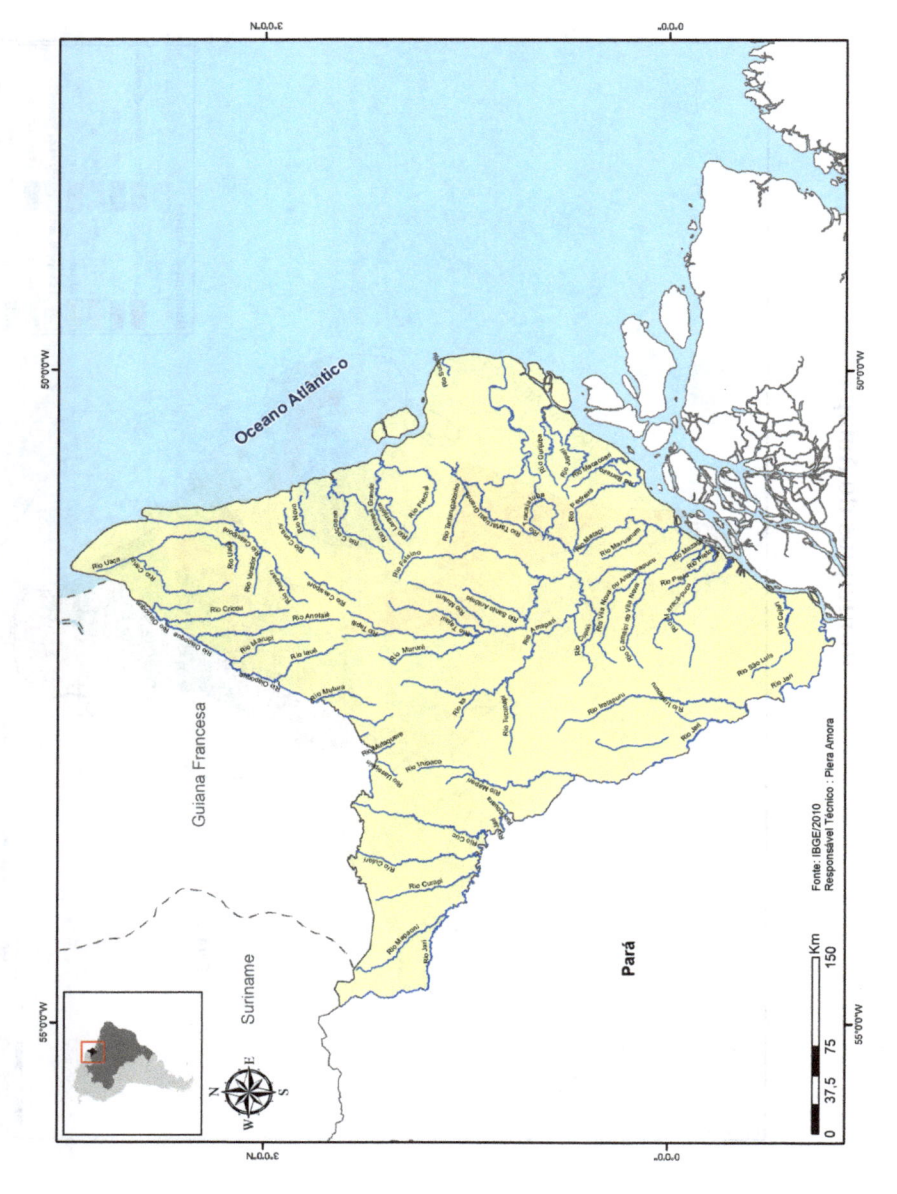

Mapa 3 – Municípios do Amapá

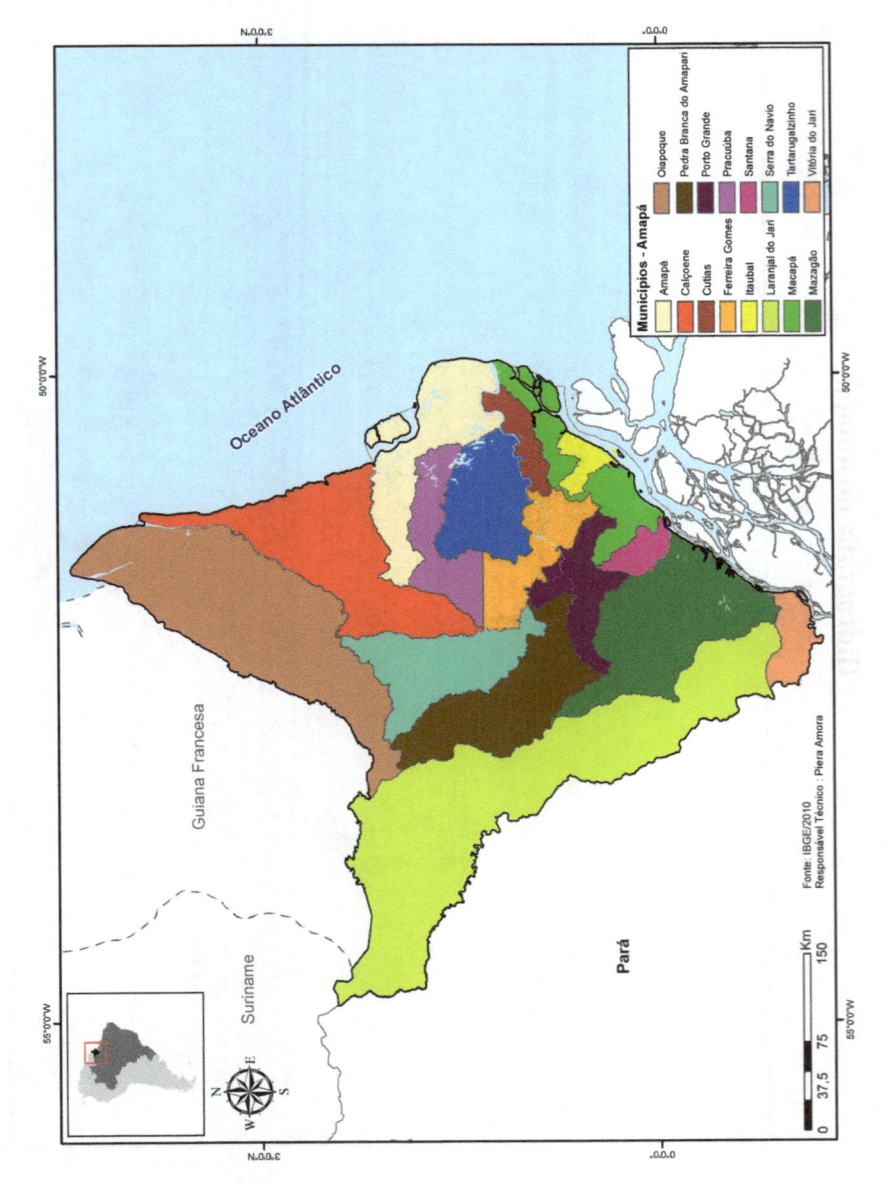

Mapa 4 – Rede de pontos do Amapá

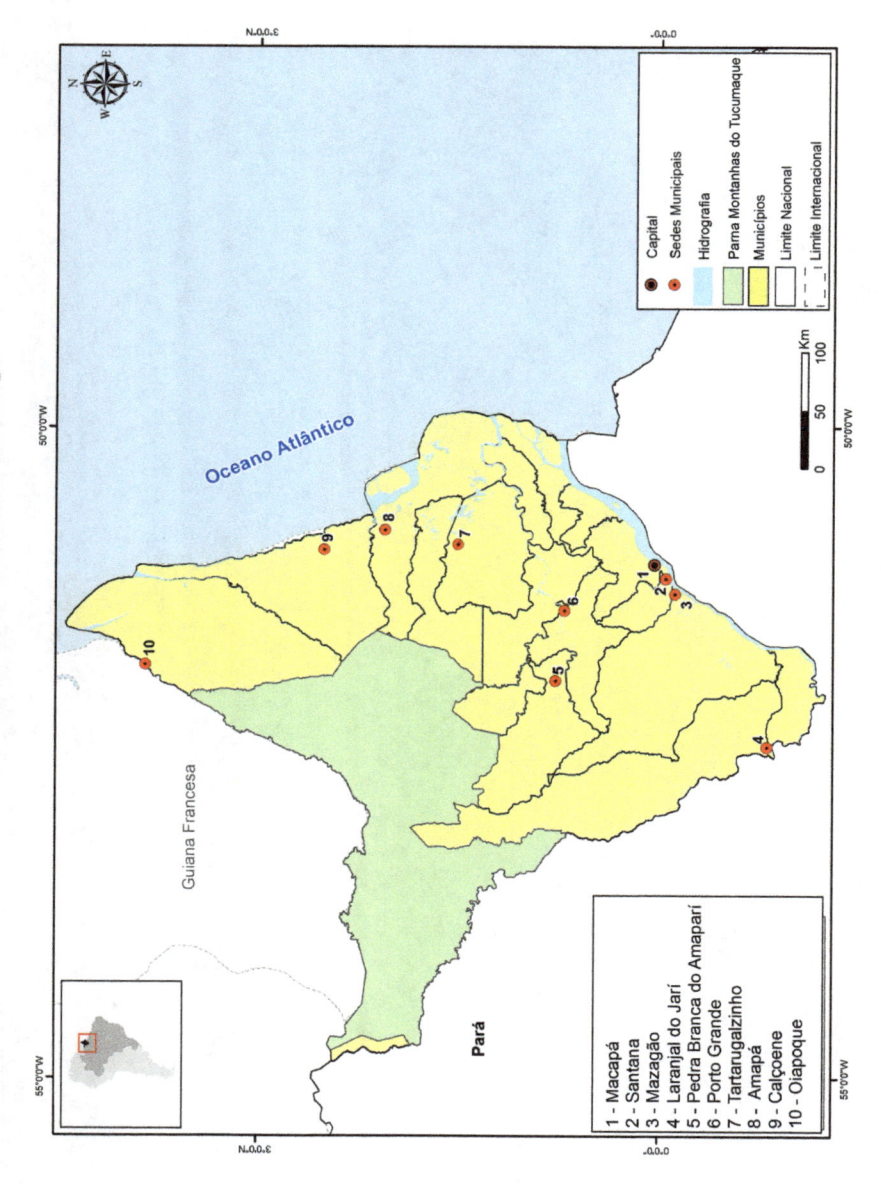

Legenda:
- Capital
- Sedes Municipais
- Hidrografia
- Parna Montanhas do Tucumaque
- Municípios
- Limite Nacional
- Limite Internacional

1 - Macapá
2 - Santana
3 - Mazagão
4 - Laranjal do Jarí
5 - Pedra Branca do Amapari
6 - Porto Grande
7 - Tartarugalzinho
8 - Amapá
9 - Calçoene
10 - Oiapoque

Cartas Introdutórias

Cartas Fonéticas

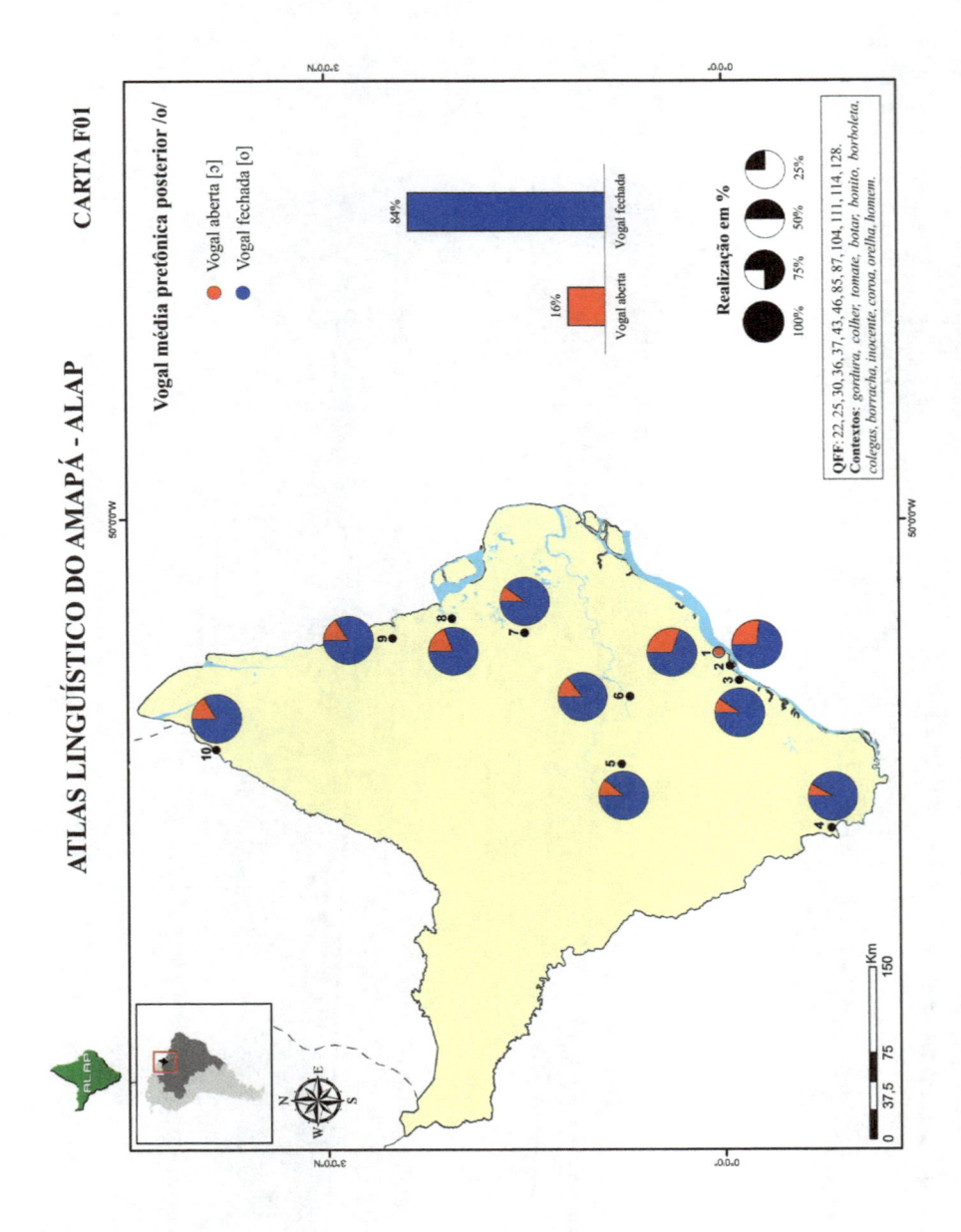

ATLAS LINGUÍSTICO DO AMAPÁ - ALAP

CARTA F01

Vogal média pretônica posterior /o/

- Vogal aberta [ɔ]
- Vogal fechada [o]

Vogal fechada 84%
Vogal aberta 16%

Realização em %: 100%, 75%, 50%, 25%

QFF: 22, 25, 30, 36, 37, 43, 46, 85, 87, 104, 111, 114, 128.
Contextos: *gordura, colher, tomate, botar, bonito, borboleta, colegas, borracha, inocente, coroa, orelha, homem.*

ATLAS LINGUÍSTICO DO AMAPÁ - ALAP

CARTA F02

Vogal média pretônica anterior /e/

- 🔴 Vogal aberta [ɛ]
- 🔵 Vogal fechada [e]

Vogal aberta: 43%
Vogal fechada: 57%

Realização em %: 100%, 75%, 50%, 25%

QFF: 02, 11, 24, 27, 49, 52, 83, 109, 110, 144, 145, 150.
Contextos: *terreno, elétrico, peneira, fervendo, elefante, remando, prefeito, pecado, pendão, perfume, presente, perdida.*

Cartas Fonéticas

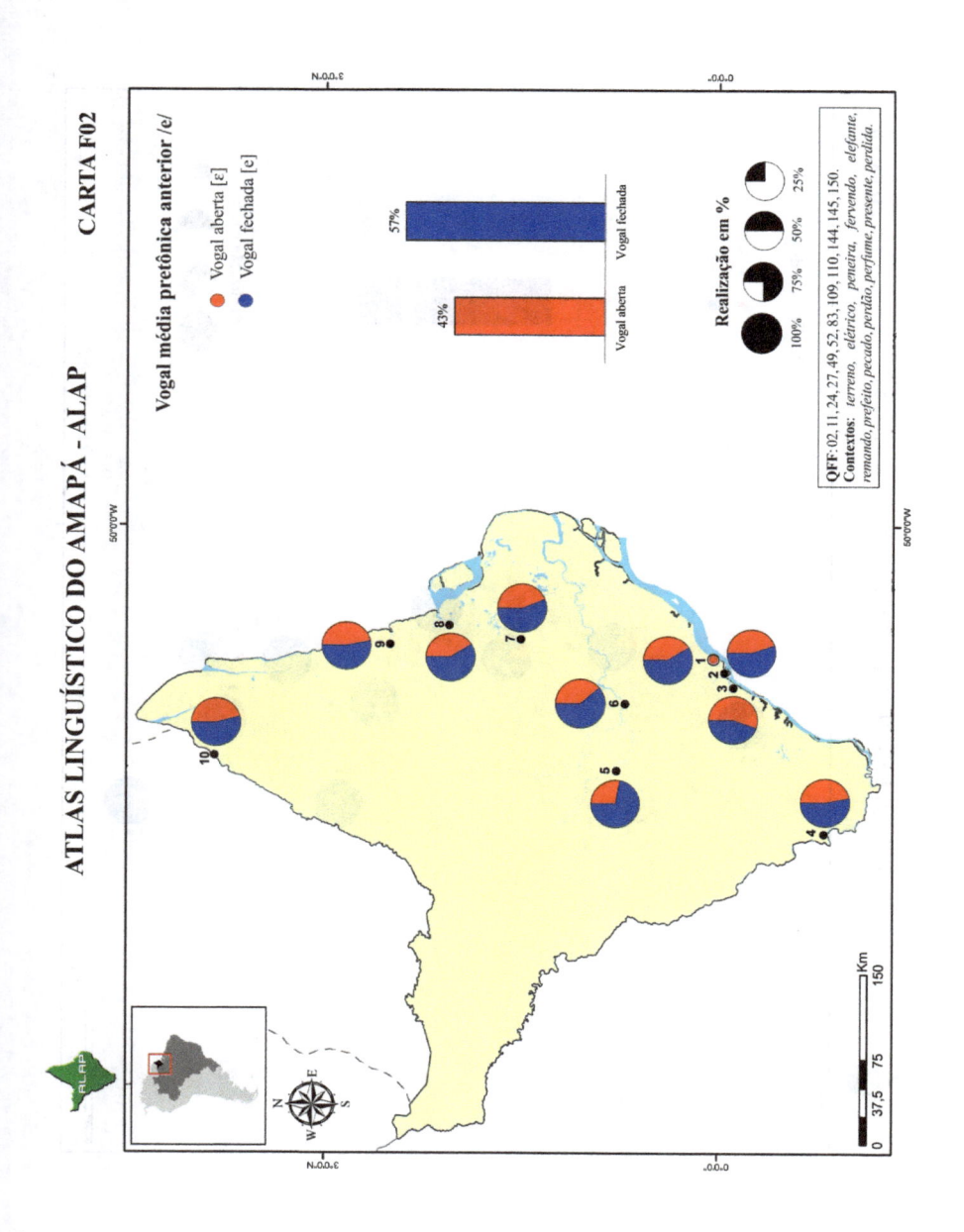

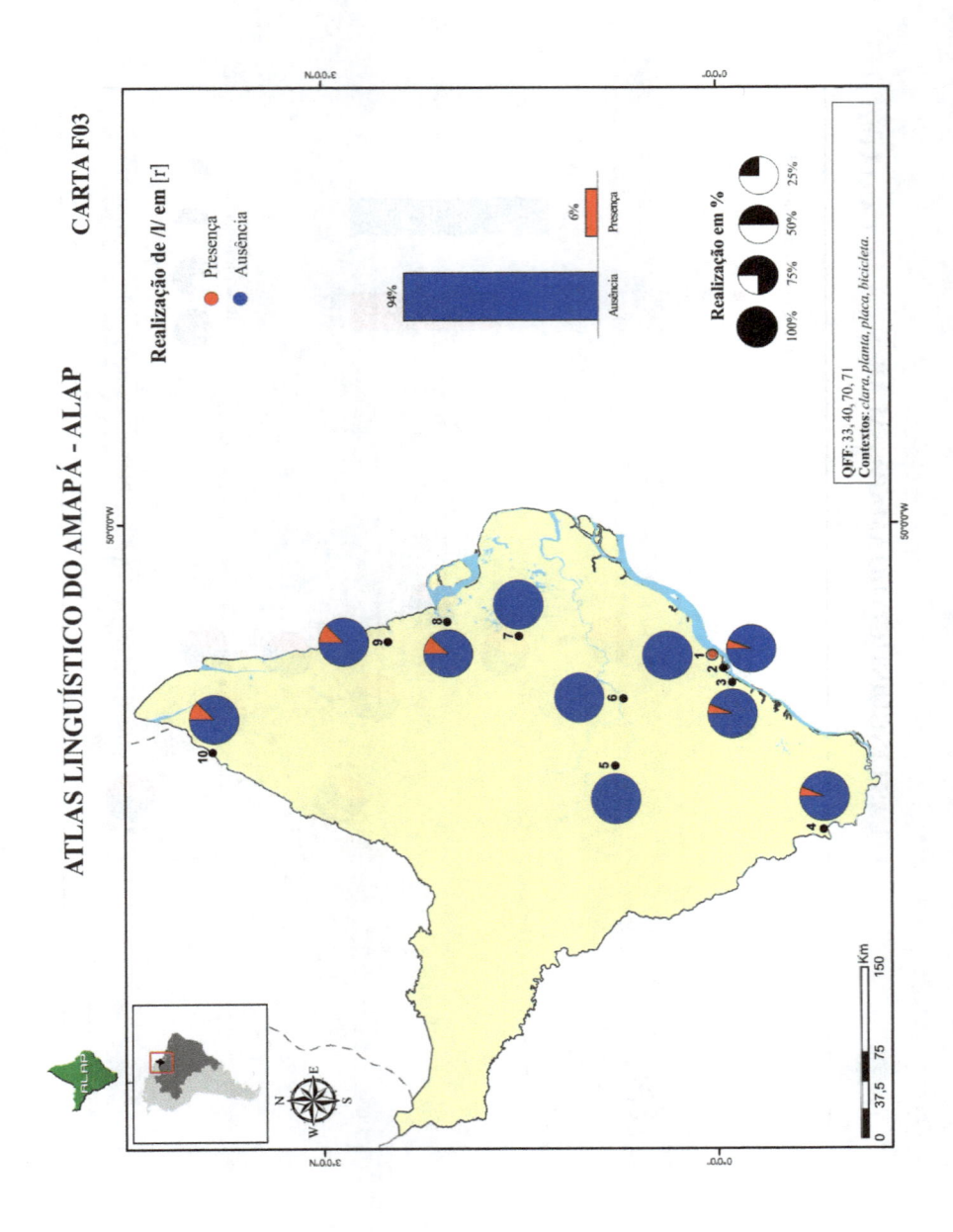

ATLAS LINGUÍSTICO DO AMAPÁ - ALAP

CARTA F03

Realização de /l/ em [r]

- Presença
- Ausência

Ausência 94%
Presença 6%

Realização em %
100% 75% 50% 25%

QFF: 33, 40, 70, 71
Contextos: *clara, planta, placa, bicicleta.*

ATLAS LINGUÍSTICO DO AMAPÁ - ALAP

CARTA F04

Realização do grupo (nd)

- Presença
- Ausência

Presença 94%
Ausência 6%

Realização em %
100% — 75% — 50% — 25%

QFF: 27, 52, 148.
Contextos: *fervendo, remando, dormindo.*

Cartas Fonéticas

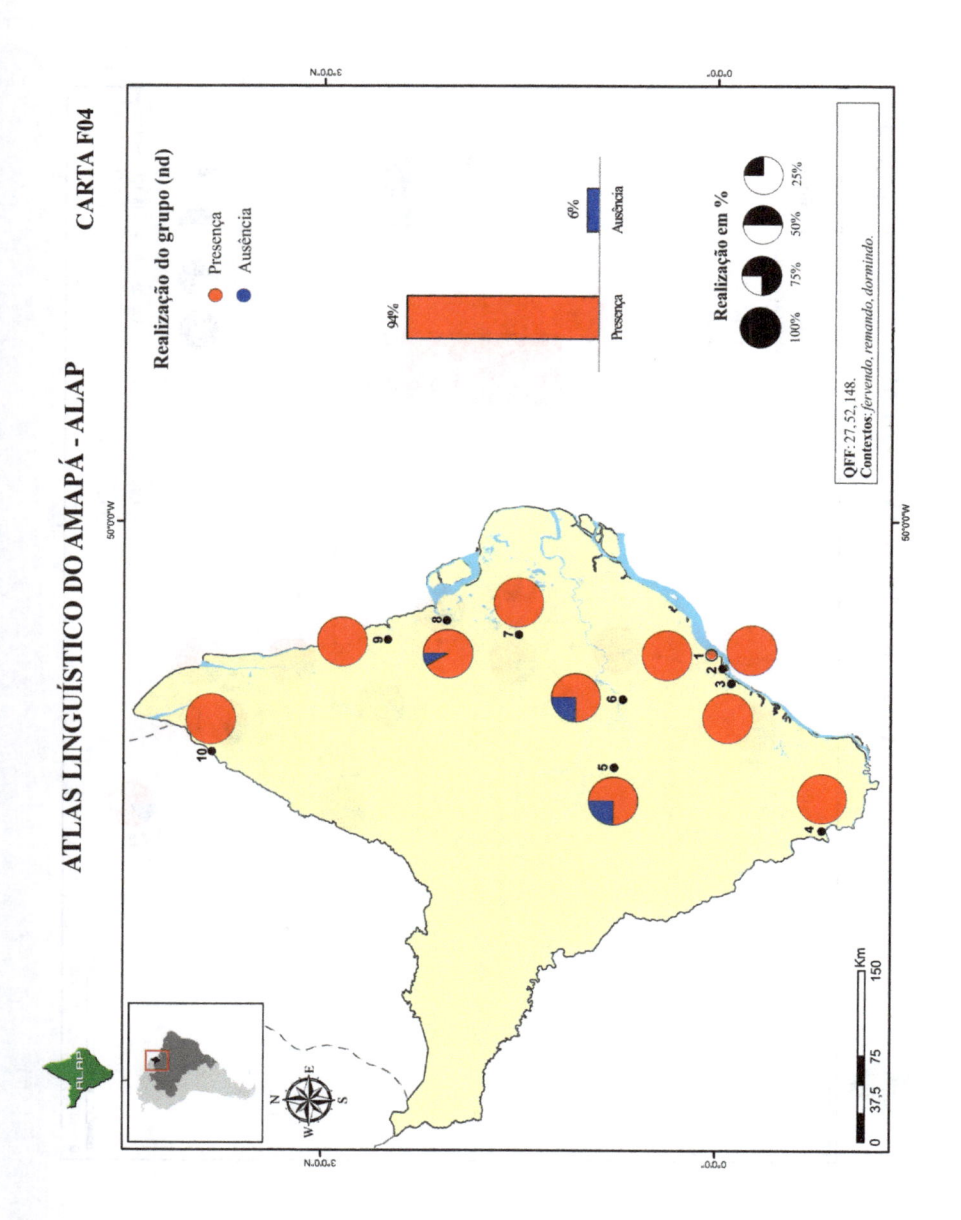

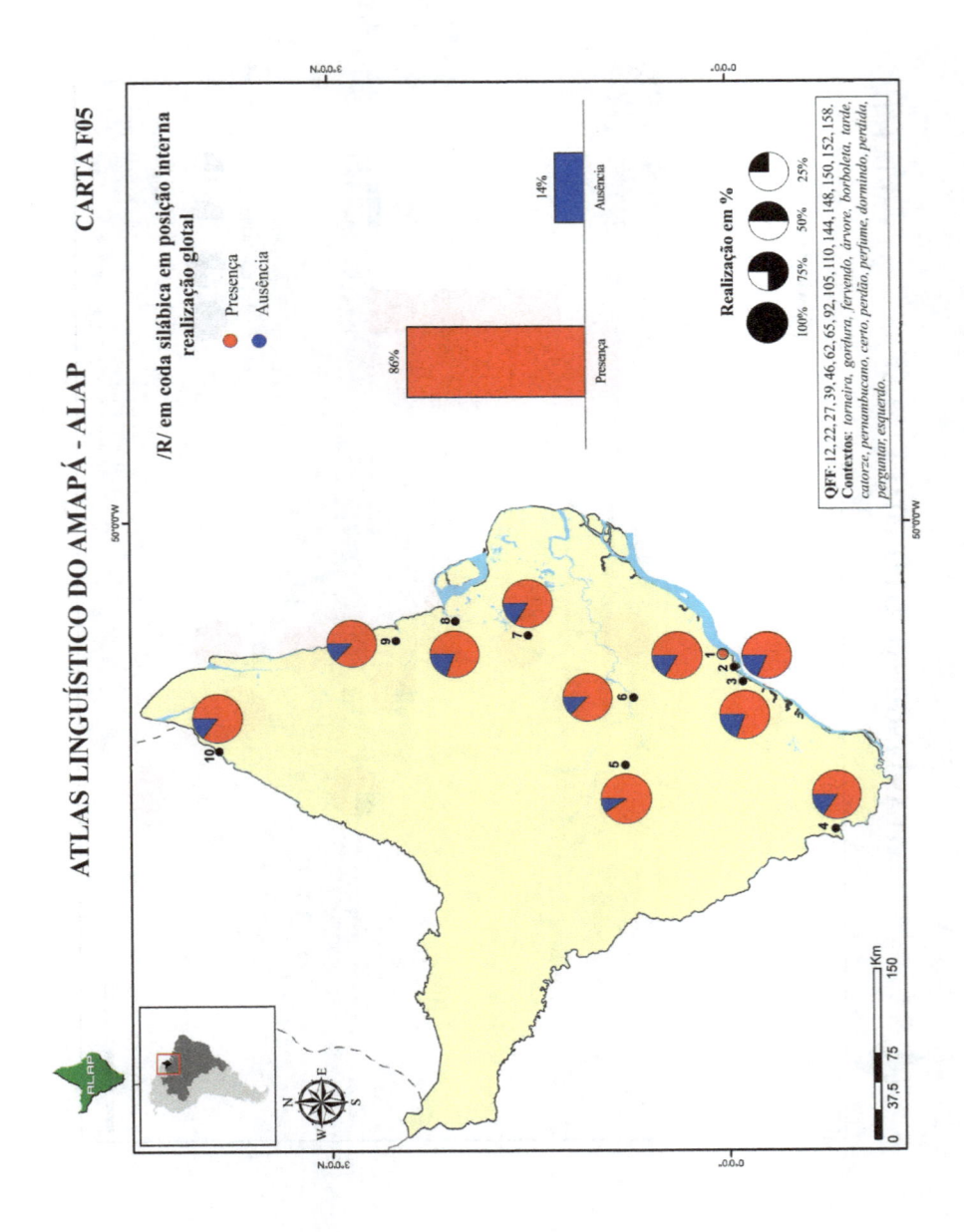

ATLAS LINGUÍSTICO DO AMAPÁ - ALAP CARTA F05

/R/ em coda silábica em posição interna
realização glotal

- Presença
- Ausência

Presença 86%
Ausência 14%

Realização em %
100% 75% 50% 25%

QFF: 12, 22, 27, 39, 46, 62, 65, 92, 105, 110, 144, 148, 150, 152, 158.
Contextos: *torneira, gordura, fervendo, árvore, borboleta, tarde, catorze, pernambucano, certo, perdão, perfume, dormindo, perdido, perguntar, esquerdo.*

Atlas Linguístico do Amapá
60

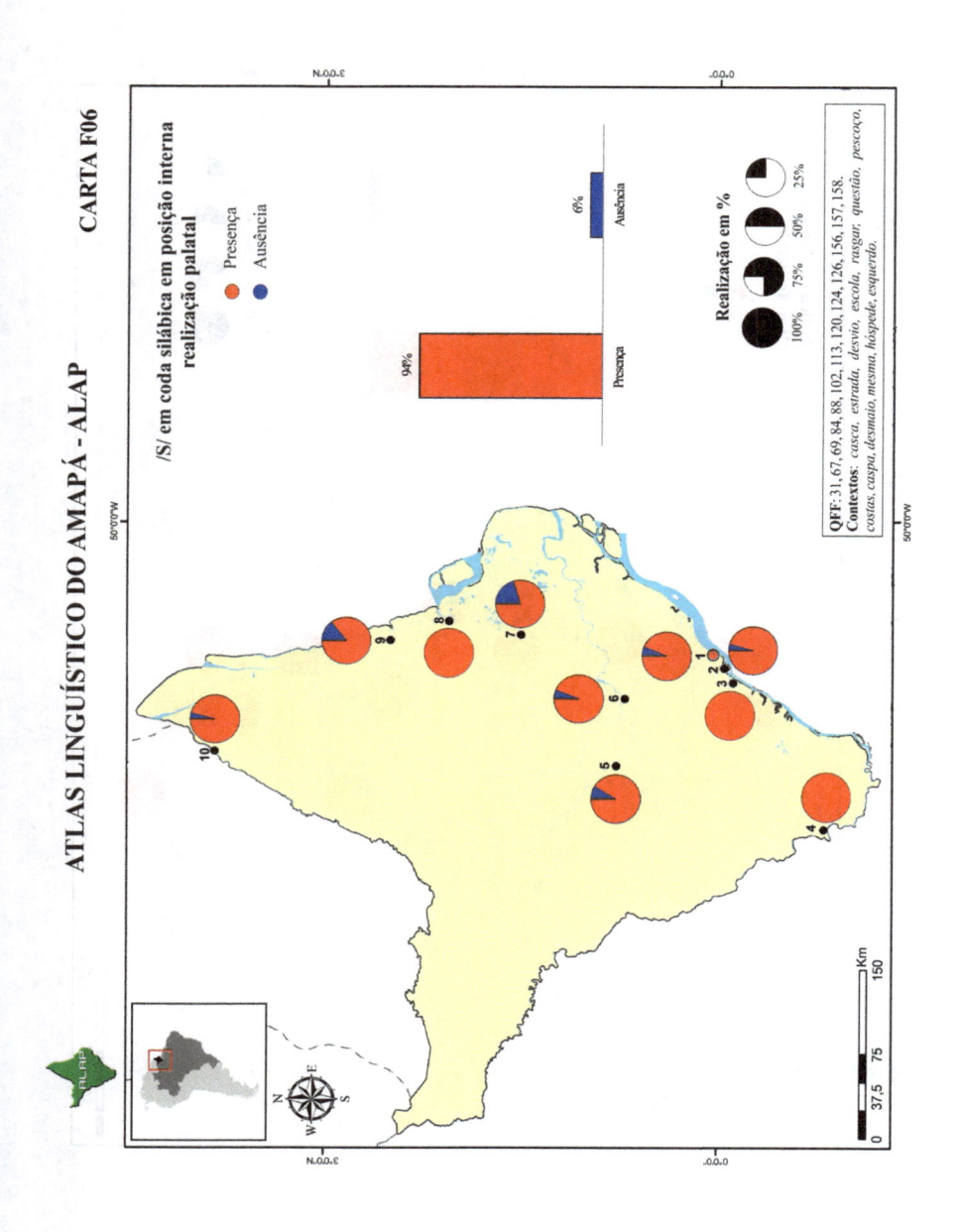

ATLAS LINGUÍSTICO DO AMAPÁ - ALAP

CARTA F06

/S/ em coda silábica em posição interna
realização palatal

- Presença
- Ausência

Presença 94%
Ausência 6%

Realização em %
100% 75% 50% 25%

QFF: 31, 67, 69, 84, 88, 102, 113, 120, 124, 126, 156, 157, 158.
Contextos: *casca, estrada, desvio, escola, rasgar, questão, pescoço, costas, caspa, desmaio, mesma, hóspede, esquerdo.*

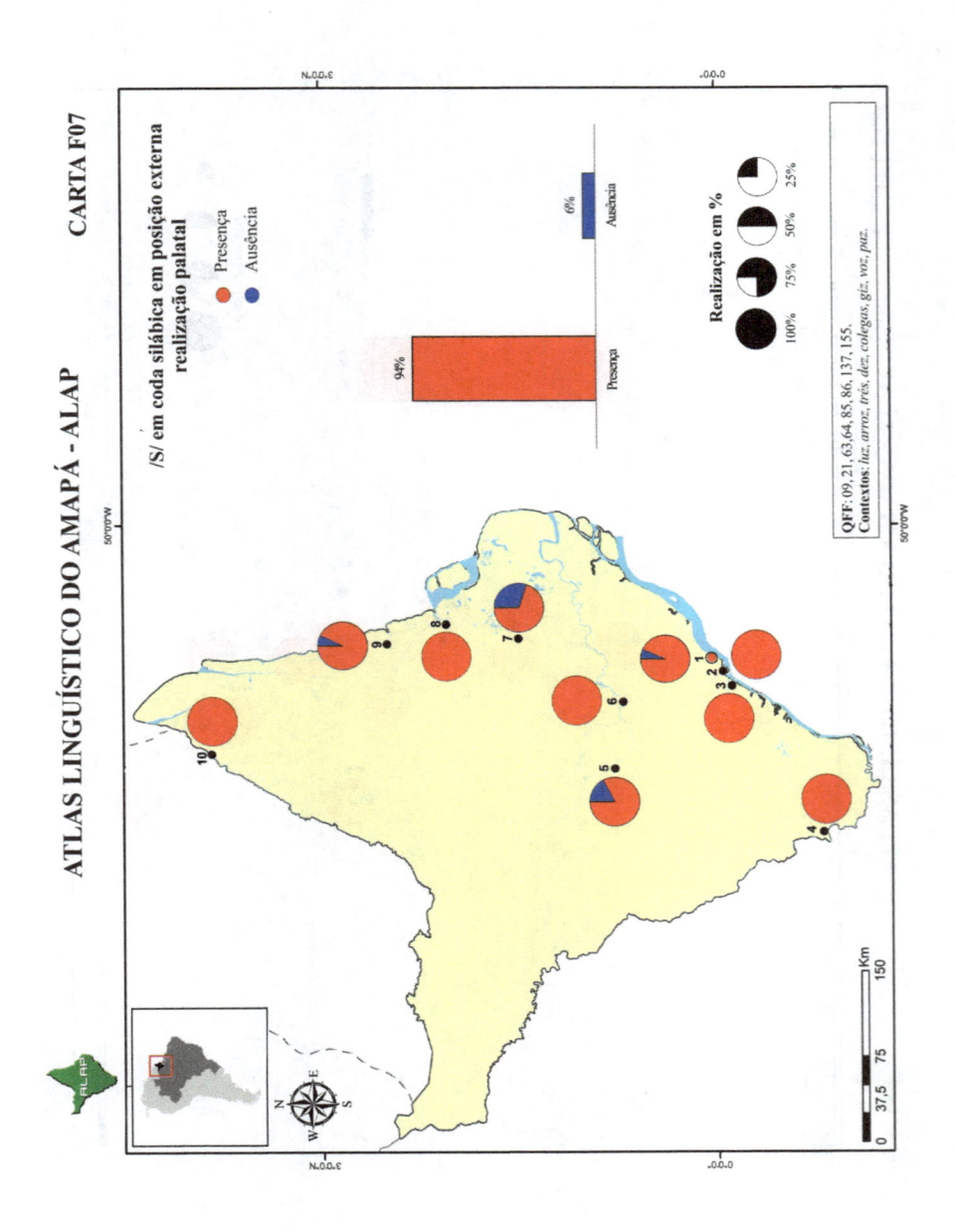

ATLAS LINGUÍSTICO DO AMAPÁ - ALAP

CARTA F07

/S/ em coda silábica em posição externa realização palatal

- Presença
- Ausência

Presença 94%
Ausência 6%

Realização em %
100% 75% 50% 25%

QFF: 09, 21, 63, 64, 85, 86, 137, 155.
Contextos: *luz, arroz, três, dez, colegas, giz, voz, paz.*

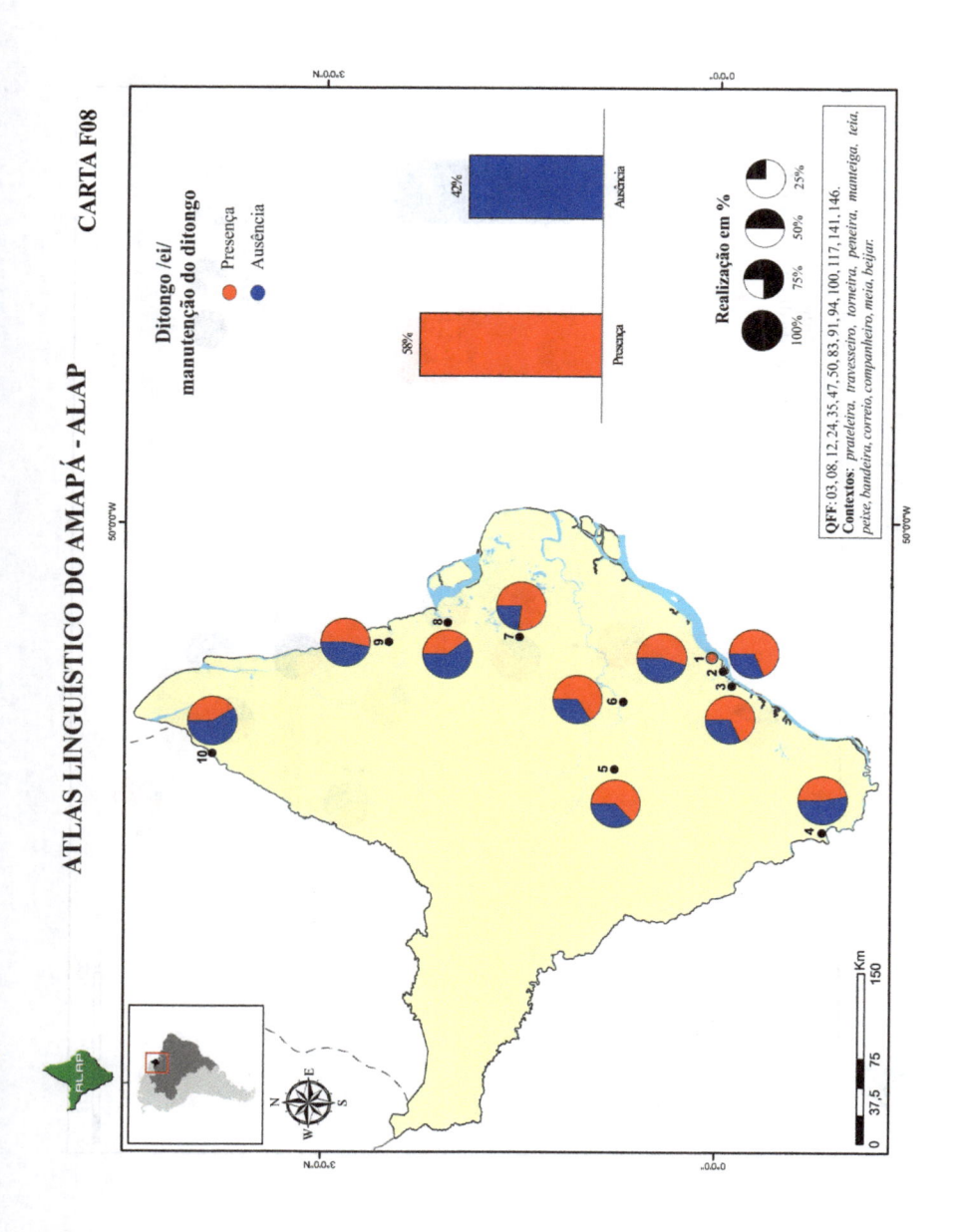

ATLAS LINGUÍSTICO DO AMAPÁ - ALAP

CARTA F08

Ditongo /ei/ manutenção do ditongo
- Presença
- Ausência

Presença 58%
Ausência 42%

Realização em %
- 100%
- 75%
- 50%
- 25%

QFF: 03, 08, 12, 24, 35, 47, 50, 83, 91, 94, 100, 117, 141, 146.
Contextos: *prateleira, travesseiro, torneira, peneira, manteiga, teia, peixe, bandeira, correio, companheiro, meia, beijar.*

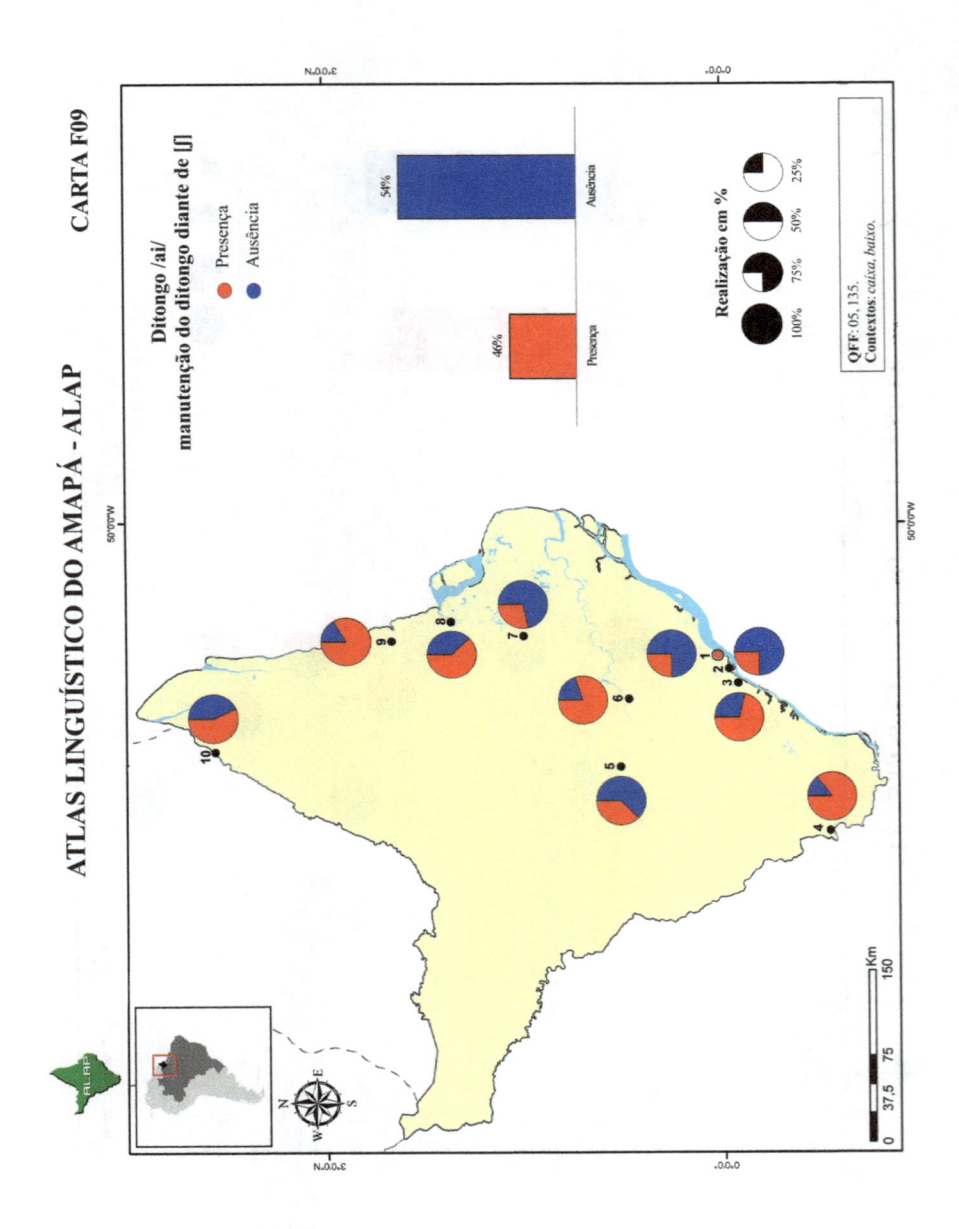

ATLAS LINGUÍSTICO DO AMAPÁ - ALAP

CARTA F09

Ditongo /ai/
manutenção do ditongo diante de [ʃ]

- Presença
- Ausência

Presença 46%
Ausência 54%

Realização em %
100% 75% 50% 25%

QFF: 05, 135.
Contextos: *caixa, baixo*.

ATLAS LINGUÍSTICO DO AMAPÁ - ALAP   CARTA F10

Ditongo /ou/ manutenção do ditongo

- Presença
- Ausência

Presença 42%
Ausência 58%

Realização em %
100% 75% 50% 25%

QFF: 06, 115.
Contextos: *tesoura, ouvira, ouvido*.

Cartas Fonéticas

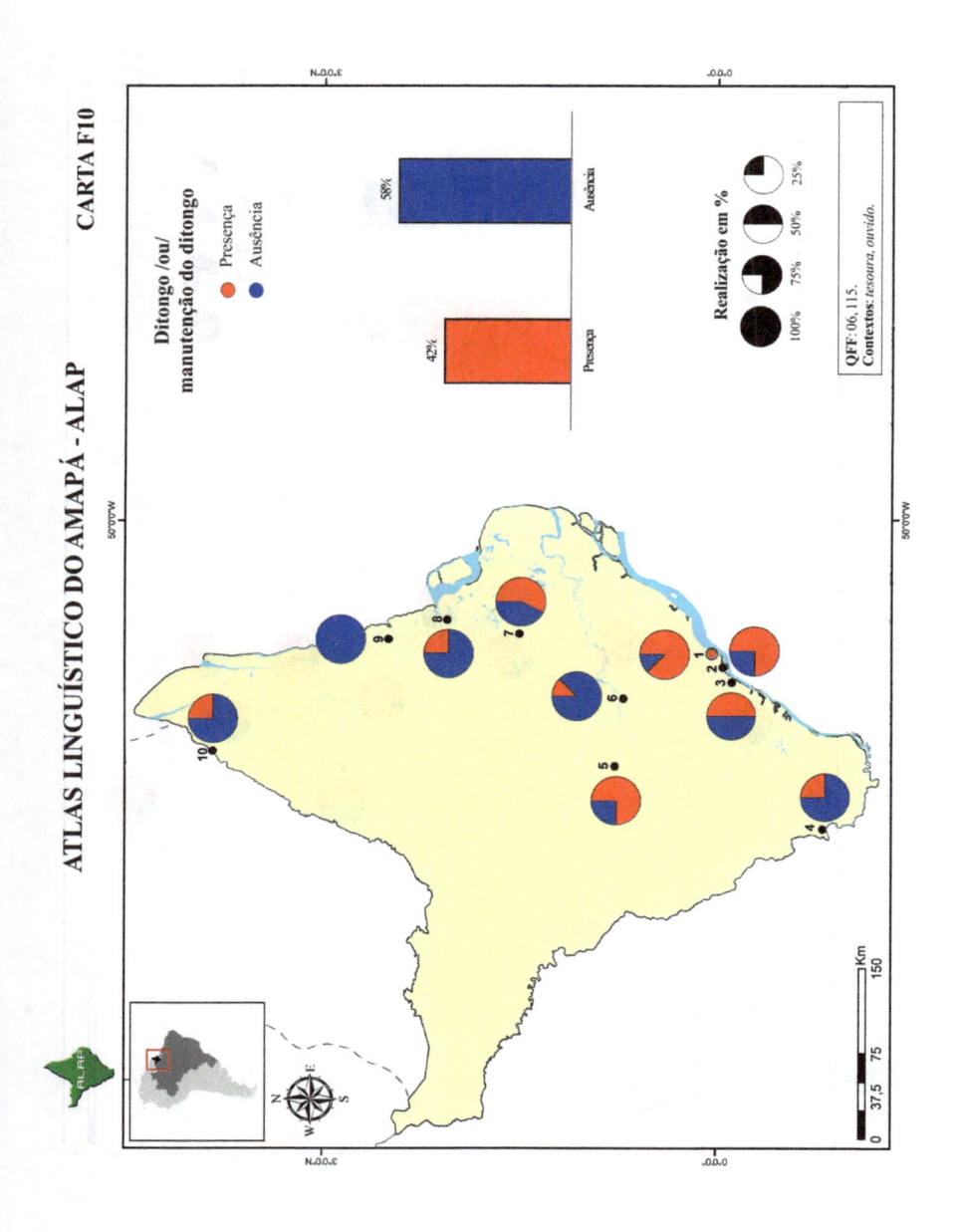

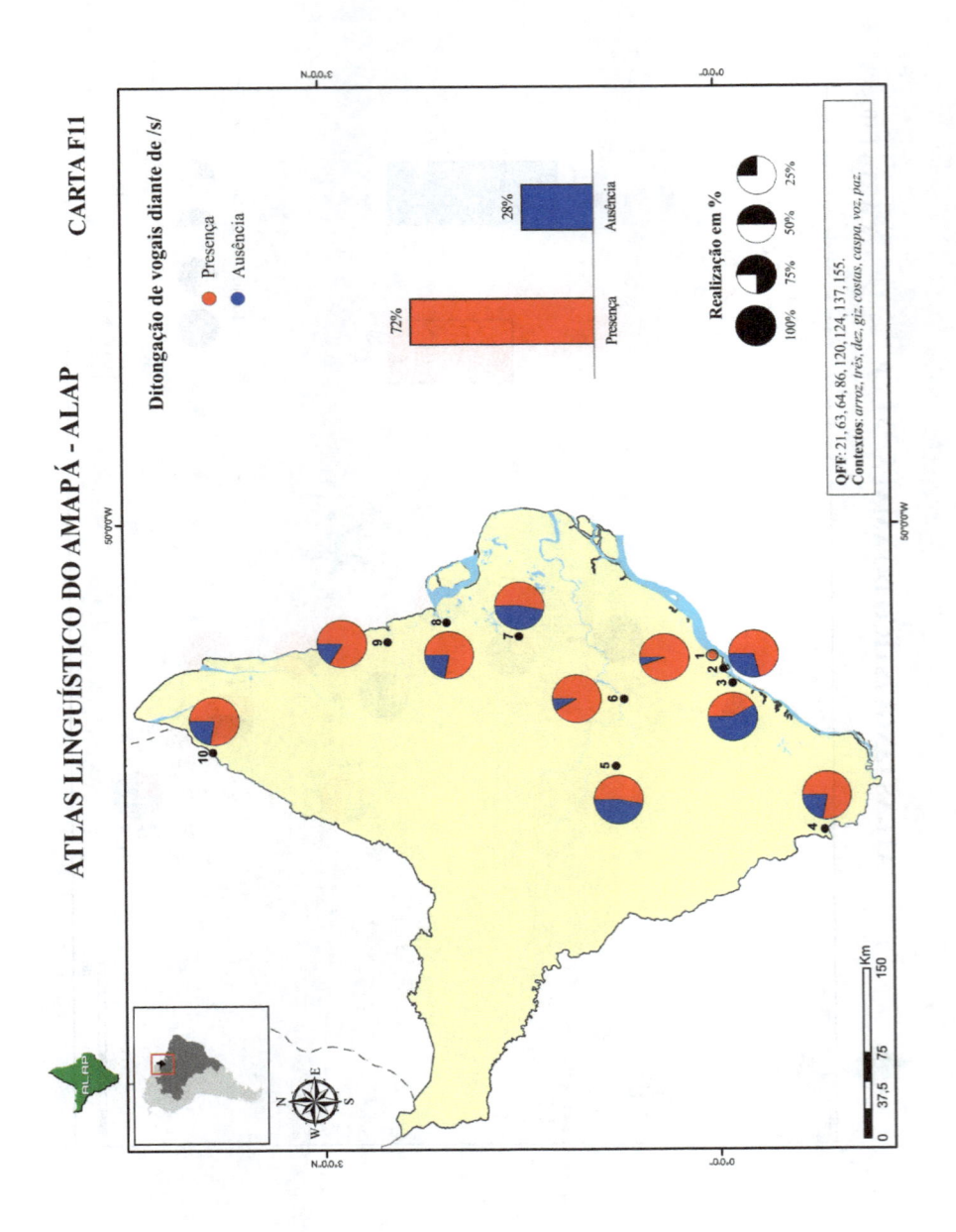

ATLAS LINGUÍSTICO DO AMAPÁ - ALAP

CARTA F11

Ditongação de vogais diante de /s/

- Presença
- Ausência

Presença 72%
Ausência 28%

Realização em %
100% 75% 50% 25%

QFF: 21, 63, 64, 86, 120, 124, 137, 155.
Contextos: *arroz, três, dez, giz, costas, caspa, voz, paz*.

ATLAS LINGUÍSTICO DO AMAPÁ - ALAP

CARTA F12

Palatalização de /d/ diante de /i/ e /e/

- Palatalização [dʒ]
- Não palatalização

Palatalização 89%
Não palatalização 11%

Realização em %
100% · 75% · 50% · 25%

QFF: 56, 62, 69, 150.
Contextos: *dia, tarde, desvio, perdida.*

Cartas Fonéticas

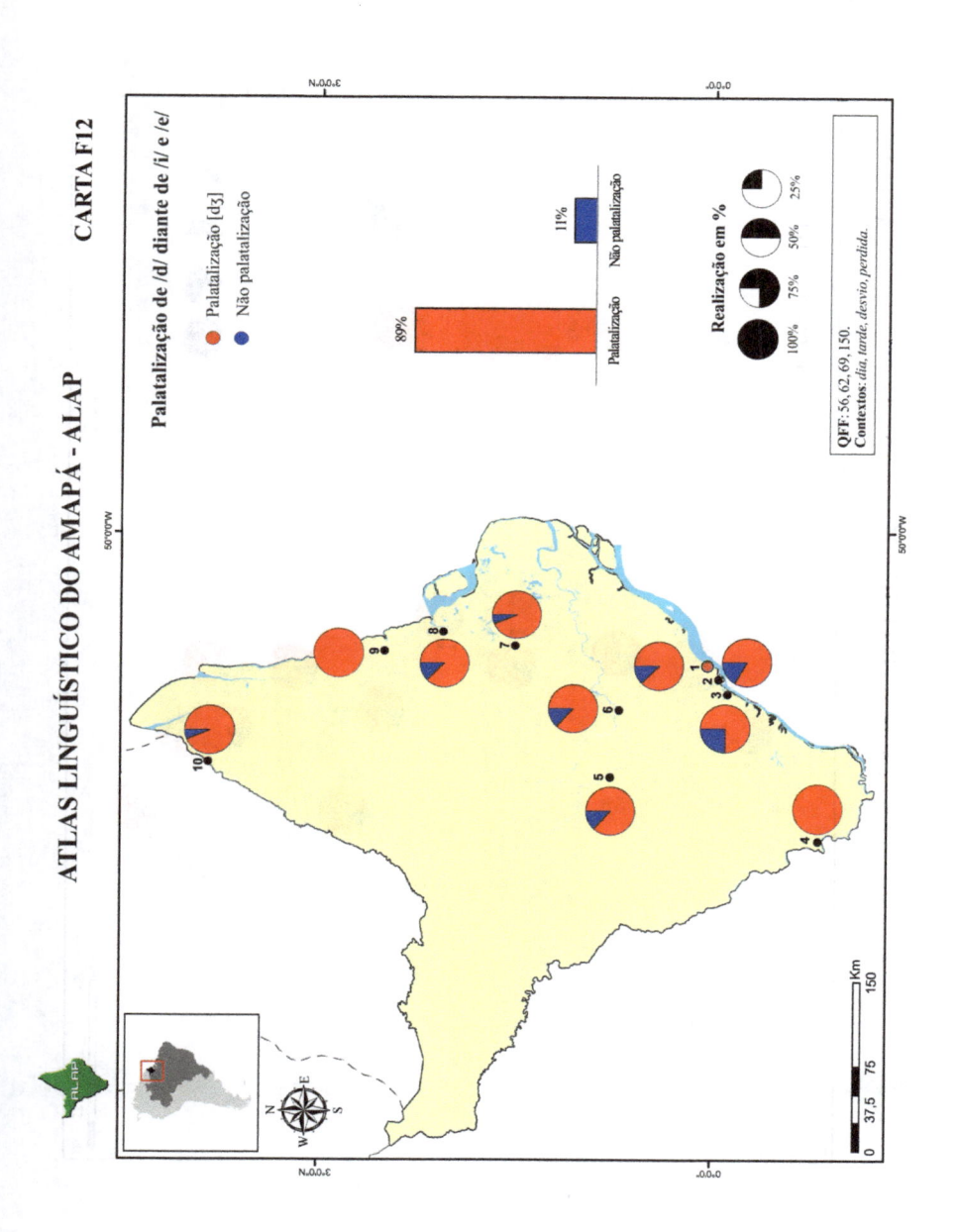

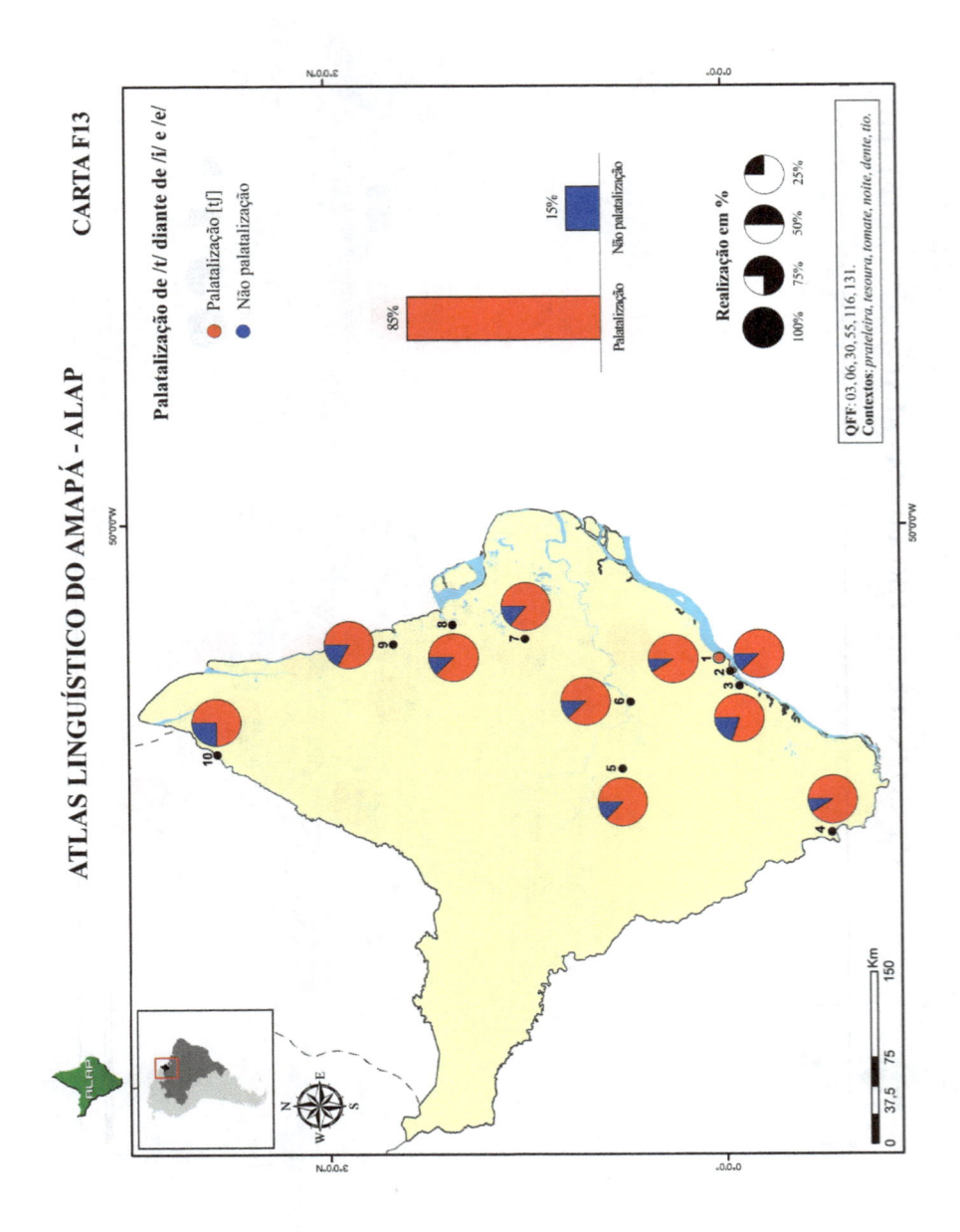

ATLAS LINGUÍSTICO DO AMAPÁ - ALAP   CARTA F13

Palatalização de /t/ diante de /i/ e /e/

- Palatalização [tʃ]
- Não palatalização

Palatalização 85%
Não palatalização 15%

Realização em %
100% 75% 50% 25%

QFF: 03, 06, 30, 55, 116, 131.
Contextos: *prateleira, tesoura, tomate, noite, dente, tio.*

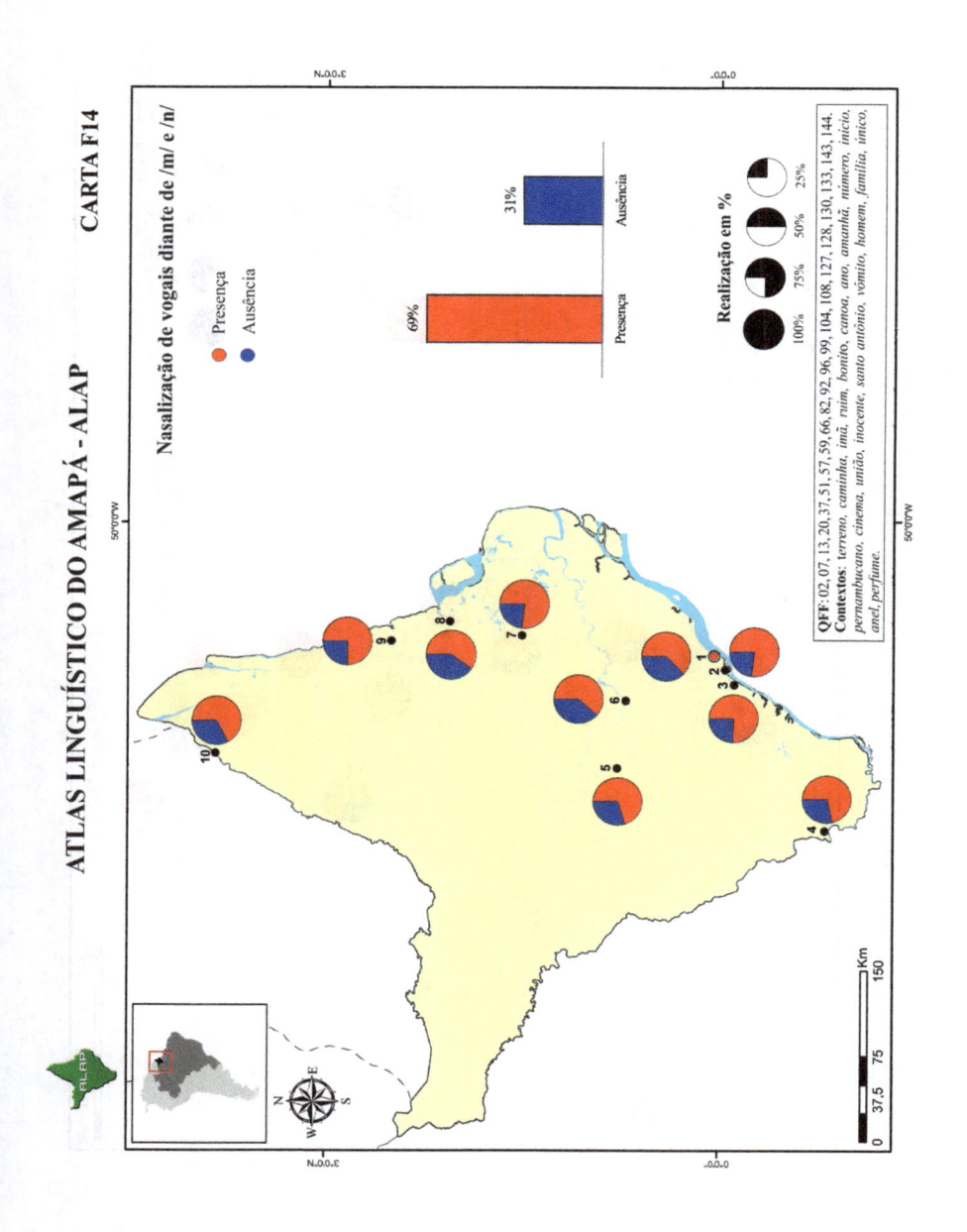

ATLAS LINGUÍSTICO DO AMAPÁ - ALAP

CARTA F14

Nasalização de vogais diante de /m/ e /n/

- Presença
- Ausência

Presença 69%
Ausência 31%

Realização em %
100% | 75% | 50% | 25%

QFF: 02, 07, 13, 20, 37, 51, 57, 59, 66, 82, 92, 96, 99, 104, 108, 127, 128, 130, 133, 143, 144.
Contextos: *terreno, caminha, imã, ruim, bonito, canoa, ano, amanhã, número, início, pernambucano, cinema, união, inocente, santo antônio, vômito, homem, família, único, anel, perfume.*

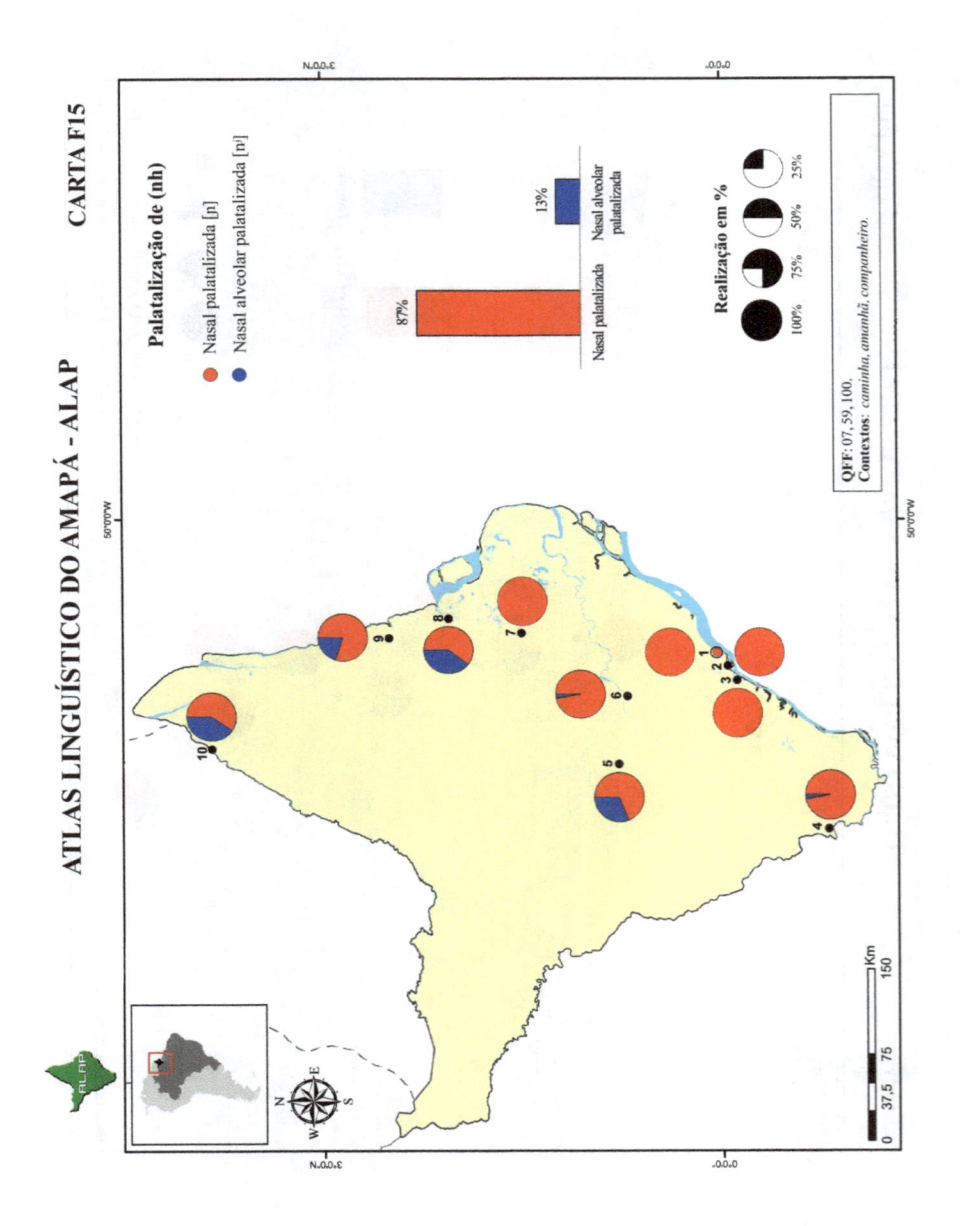

ATLAS LINGUÍSTICO DO AMAPÁ - ALAP

CARTA F15

Palatalização de (nh)

- 🔴 Nasal palatalizada [ɲ]
- 🔵 Nasal alveolar palatalizada [nʲ]

Nasal palatalizada: 87%
Nasal alveolar palatalizada: 13%

Realização em %
- 100%
- 75%
- 50%
- 25%

QFF: 07, 59, 100.
Contextos: *caminha, amanhã, companheiro.*

ATLAS LINGUÍSTICO DO AMAPÁ - ALAP

CARTA F16

Alteamento da vogal média anterior /e/ em contexto final

- Vogal alta [i]
- Vogal média

Vogal alta: 91%
Vogal média: 9%

Realização em %: 100%, 75%, 50%, 25%

QFF: 49, 50, 62, 65, 78, 104, 116, 144, 145, 157.
Contextos: *elefante, peixe, tarde, catorze, deve, inocente, dente, perfume, presente.*

Cartas Fonéticas

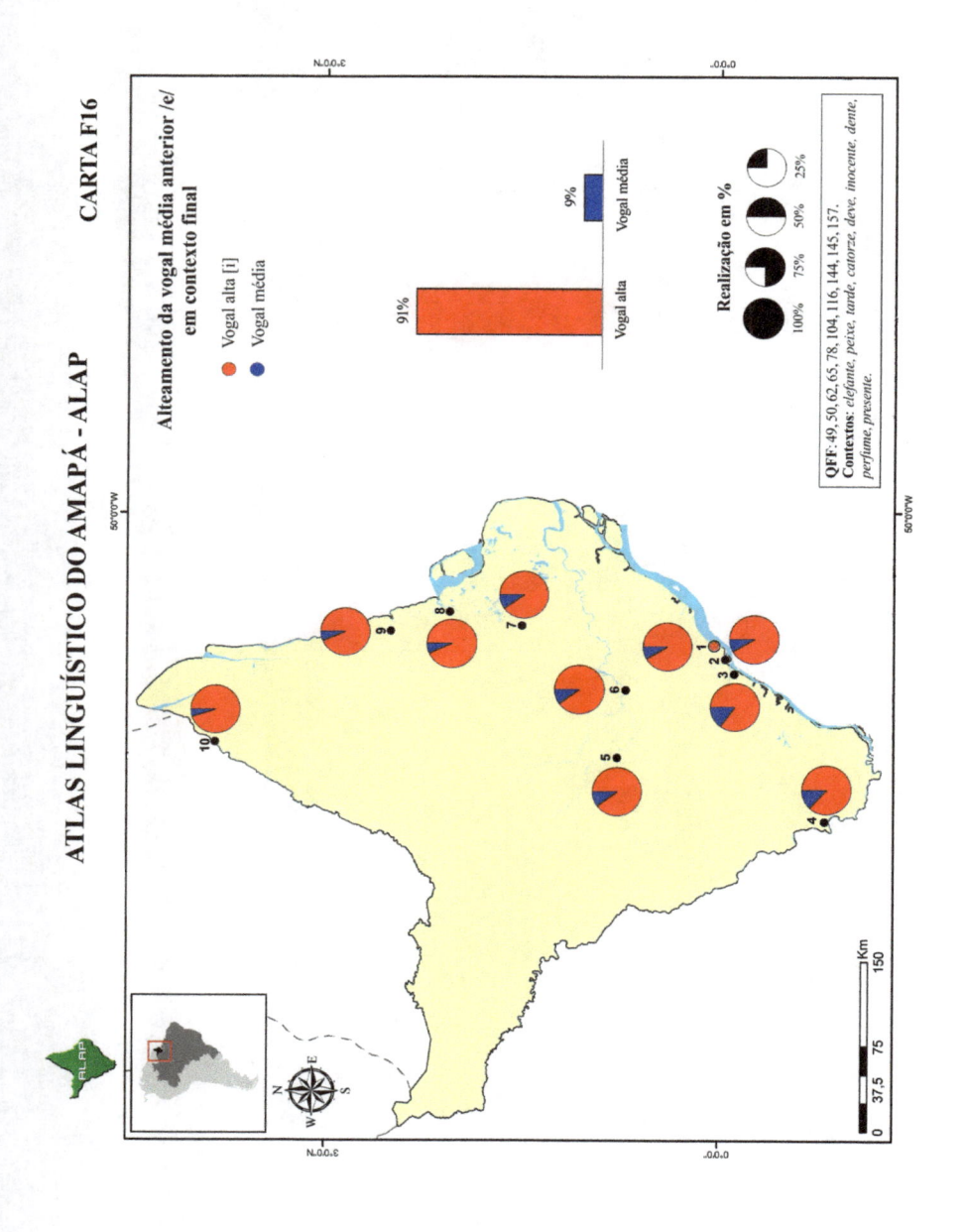

Cartas Lexicais

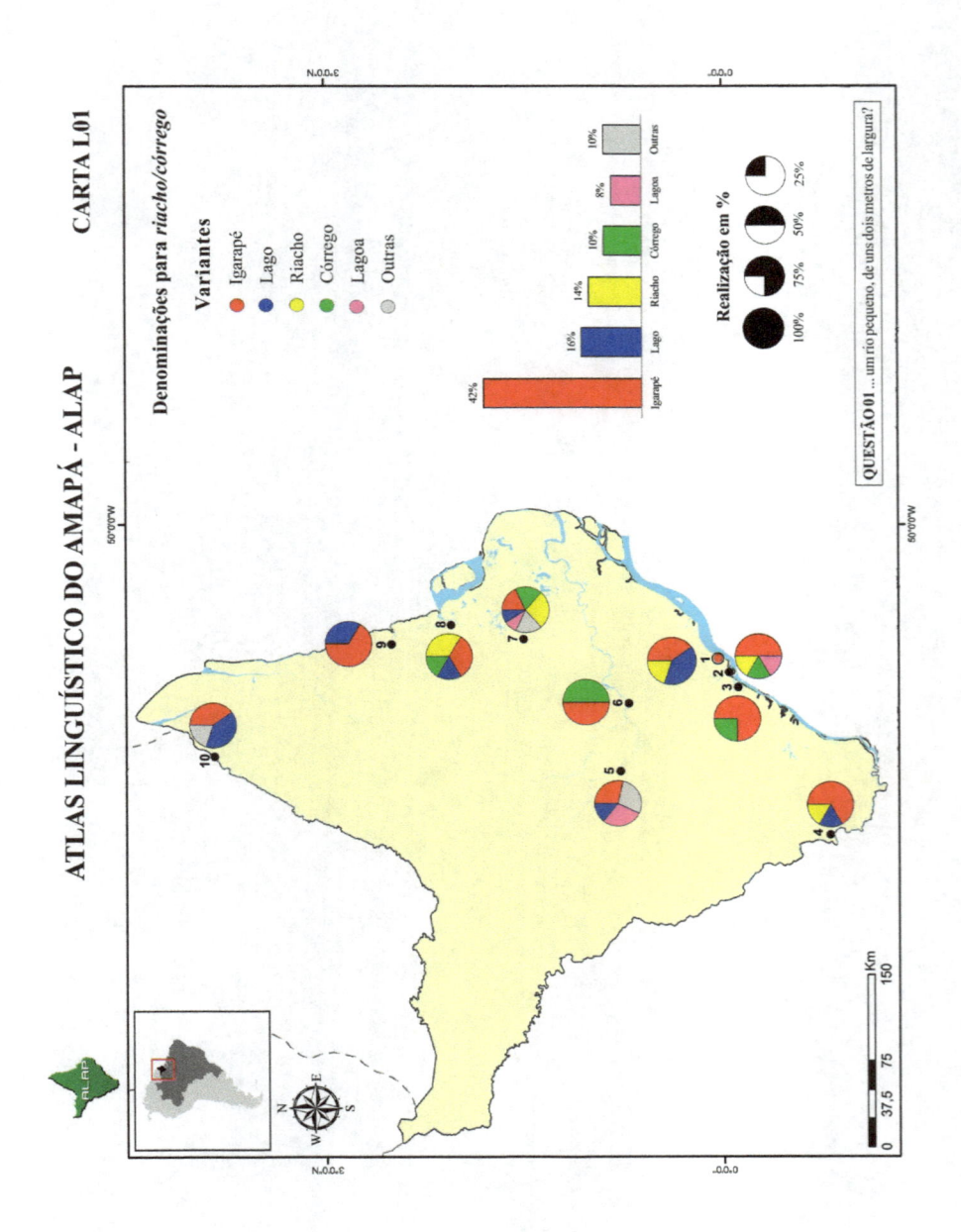

ATLAS LINGUÍSTICO DO AMAPÁ - ALAP

CARTA L01

Denominações para *riacho/córrego*

Variantes:
- Igarapé
- Lago
- Riacho
- Córrego
- Lagoa
- Outras

Igarapé 42%
Lago 16%
Riacho 14%
Córrego 10%
Lagoa 8%
Outras 10%

Realização em %: 100%, 75%, 50%, 25%

QUESTÃO 01 ... um rio pequeno, de uns dois metros de largura?

74 Atlas Linguístico do Amapá

Questão 1 – RIACHO/CÓRREGO

Pontos de Inquéritos	MA	FA	MB	FB
01 – Macapá	[igaraˈpɛ] [ˈlagʊ]	[ˈlagʊ] [laˈgĩɲʊ]	[igaraˈpɛ]	[hiˈaʃʊ]
02 – Santana	[alaˈgoɛ]	[hiˈaʃʊ] [igaraˈpɛ]	[igaraˈpɛ] [koɦgʊ]	[garaˈpɛ]
03 – Mazagão	[igaraˈpɛ]	[garaˈpɛ]	[kɔhigʊ]	[garaˈpɛ]
04 – Laranjal do Jarí	[garaˈpɛ]	[ˈlagʊ] [hiˈaʃʊ] [igaraˈpɛ]	[igaraˈpɛ] [ˈlagʊ]	[igaraˈpɛ]
05 – Pedra Branca do Amaparí	[gɾɔtɐ laˈgowɛ]	[ˈlagʊ] [hiuˈzĩɲʊ] [laˈgoɛ]	[igaraˈpɛ]	[ẽgaraˈpɛ] [ˈgɾɔtɐ]
06 – Porto Grande	[kɔhegʊ]	[igaraˈpɛ]	[ˈkɔhegʊ]	[igaraˈpɛ]
07 – Tartarugalzinho	[igaraˈpɛ] [ˈkɔhegʊ] [hiˈaʃʊ]	[hiuˈzĩɲʊ] [ˈlagʊ] [kɔhegʊ] [hiˈaʃʊ]	[laˈgoɛ] [isiˈadɐ]	[igaraˈpɛ] [hiˈaʃʊ]
08 – Amapá	[hiˈaʃʊ]	[ˈlagʊ] [hiˈaʃʊ]	[igaraˈpɛ] [ˈkɔɦgʊ]	[igaraˈpɛ]
09 – Calçoene	...	[ˈlagʊ]	[garaˈpɛ]	[igaraˈpɛ]
10 – Oiapoque	[ˈlagʊ] [garaˈpɛ]	[ˈlagʊ]	[igaraˈpɛ]	[ˈhiu]

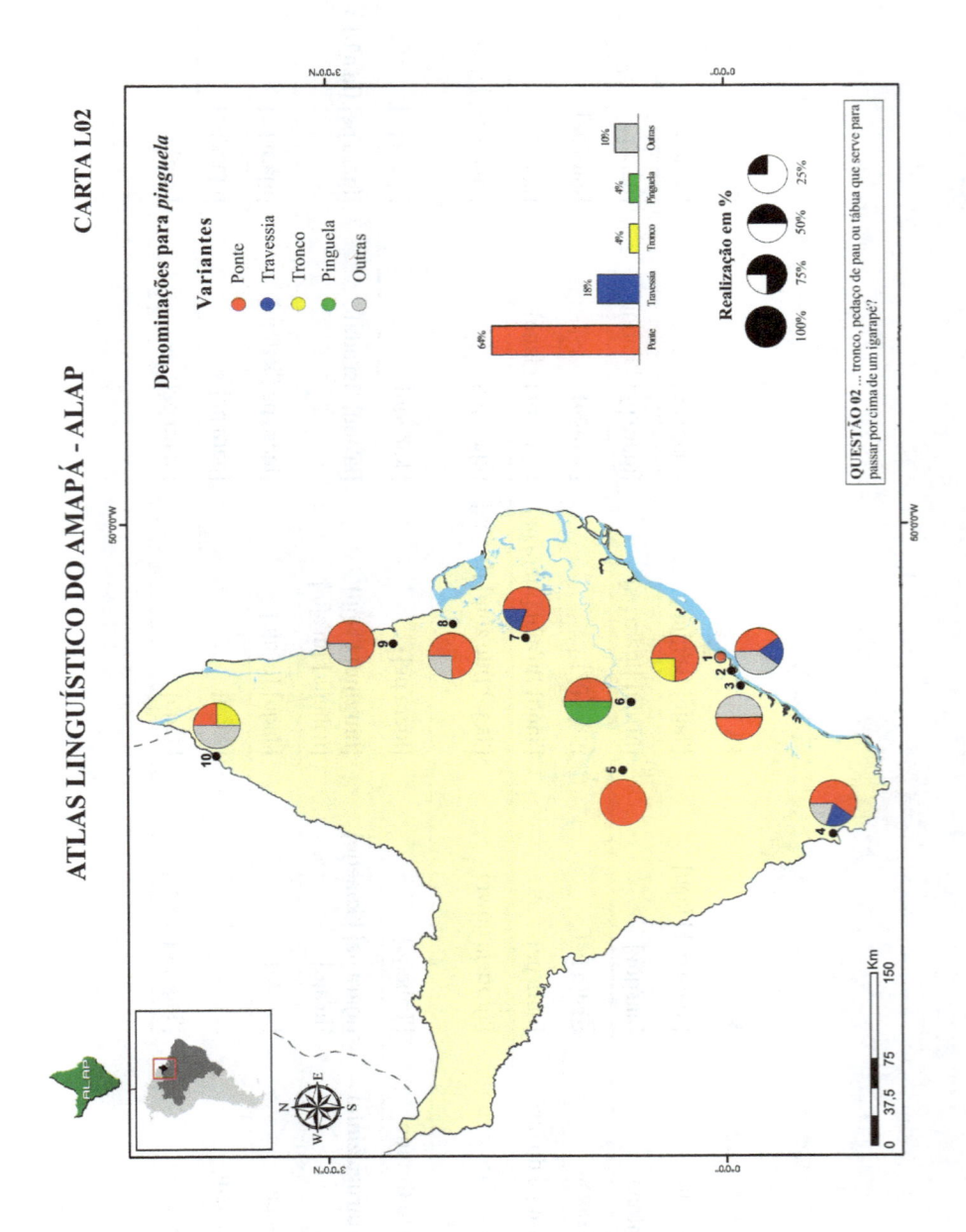

ATLAS LINGUÍSTICO DO AMAPÁ - ALAP

CARTA L02

Denominações para *pinguela*

Variantes
- Ponte
- Travessia
- Tronco
- Pinguela
- Outras

Ponte 68%
Travessia 18%
Tronco 4%
Pinguela 4%
Outras 10%

Realização em %: 100%, 75%, 50%, 25%

QUESTÃO 02. ...tronco, pedaço de pau ou tábua que serve para passar por cima de um igarapé?

Questão 2 – PINGUELA

Pontos de Inquéritos	MA	FA	MB	FB
01 – Macapá	[ˈtrõkʊ]	[ˈpõtʃɪ]	[ˈpõtʃɪ]	[põtʃɪ]
02 – Santana	[ˈpõtʃɪ]	[traˈvɛsɐ]	[paˈsaʒɪ]	[ɪʃˈtʃivɛ] [ˈpõtʃɪ]
03 – Mazagão	[ˈpõtʃɪ]	[miriˈtʃɪ] [ˈawvuˈɾɪ]	[paˈsaʒɪ] [ˈpõtʃɪ]	[traviˈsiɐ] [ˈpõtʃɪ]
04 – Laranjal do Jarí	...	[ˈpõtʃɪ]	[ˈpõtʃɪ]	[ˈpõtʃɪ]
05 – Pedra Branca do Amaparí	[ˈpõtʃɪ]	[põtʃɪˈʒʲɐ] [traˈpiʃɪ]	[ˈpõtʃɪ]	[ˈpõtʃɪ] [traveˈsiɐ]
06 – Porto Grande	[pɪˈgɛlɐ]	[ˈpõtʃɪ]	[pɪˈgɛlɐ]	[ˈpõtʃɪ]
07 – Tartarugalzinho	[ˈpõtʃɪ]	[ˈpõtʃɪ]	[traveˈsiɐ] [ˈpõtʃɪ]	[ˈpõtʃɪ]
08 – Amapá	[ˈʰãpɐ] [ˈpõtʃɪ]	[ˈpõtʃɪ]	...	[ˈpõtʃɪ]
09 – Calçoene	[ˈpõtʃɪ]	[ˈpõtʃɪ]	[ɪʃˈkadɐ]	[ˈpõtʃɪ]
10 – Oiapoque	...	[ˈtrõkʊ] [peˈdasudʒɪˈpaw]	[mõtaˈɾiɐ]	[põtʃɪ]

ATLAS LINGUÍSTICO DO AMAPÁ - ALAP

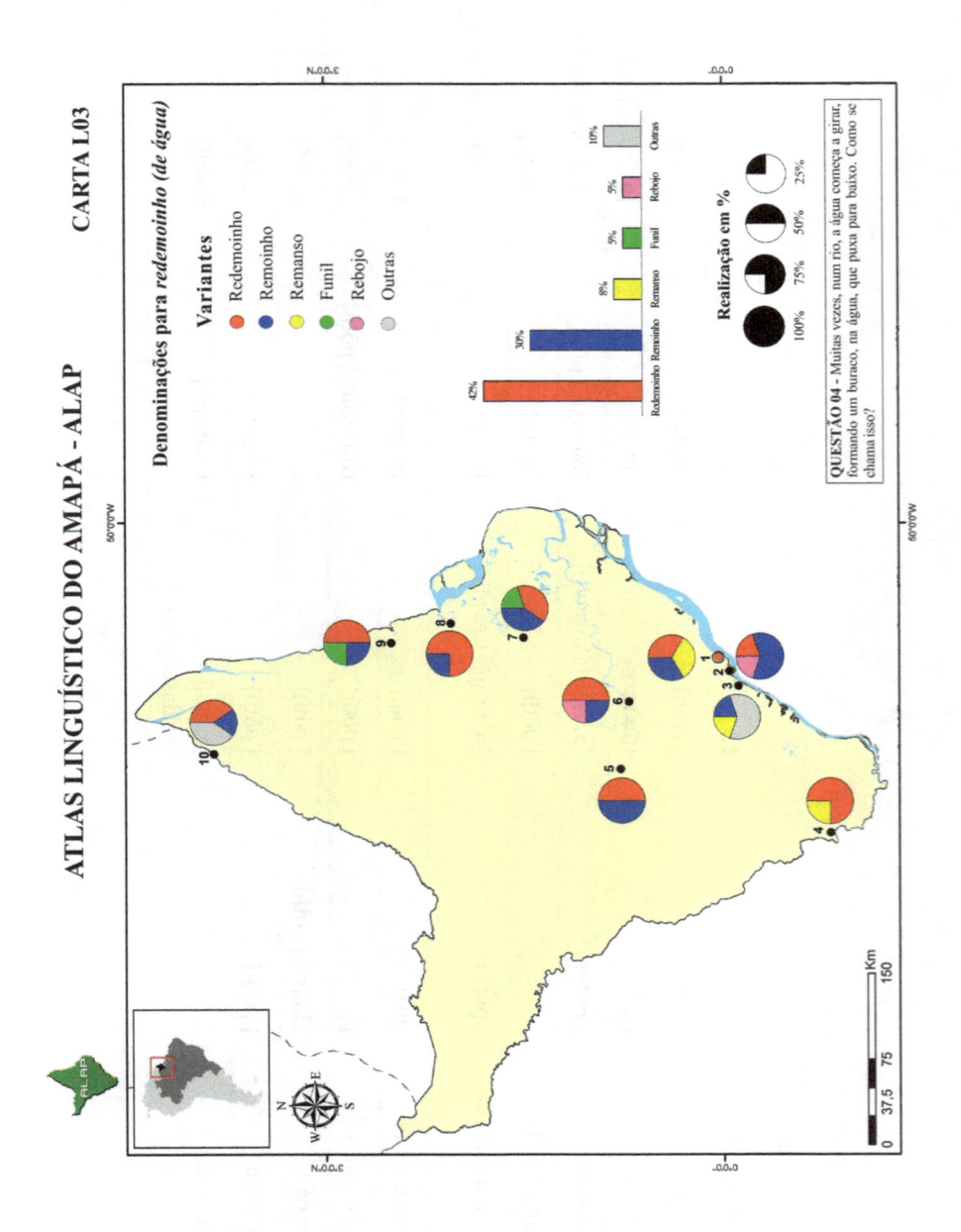

CARTA L03

Denominações para *redemoinho (de água)*

Variantes
- Redemoinho
- Remoinho
- Remanso
- Funil
- Rebojo
- Outras

QUESTÃO 04 - Muitas vezes, num rio, a água começa a girar, formando um buraco, na água, que puxa para baixo. Como se chama isso?

Questão 4 – REDEMOINHO (DE ÁGUA)

Pontos de Inquéritos	MA	FA	MB	FB
01 – Macapá	[hedemuˈɲʊ]	...	[heˈmẽsʊ]	[hemũˈɲʊ]
02 – Santana	[hɔdamuˈɲʊ]	[hemuˈɲʊ]	[heˈbuʒʊ hemuˈɲʊ]	[hemuˈɲʊ]
03 – Mazagão	[heˈmẽsʊ]	[kɔhẽˈteze]	[hemuˈɲʊ]	[mariˈzie fuˈɲiw]
04 – Laranjal do Jarí	[hedemuĩɲʊ]	[hedemuĩɲʊ]	[hedemuˈɲʊ]	[heˈmẽsʊ]
05 – Pedra Branca do Amaparí	[hedemuˈɲʊ]	[hedemuˈɲʊ]	[hemuˈɲʊ]	[hemuˈɲʊ]
06 – Porto Grande	[hedemuˈɲʊ]	[heˈbuʒʊ]	[hedemuˈɲʊ]	[hemuˈɲʊ]
07 – Tartarugalzinho	[fuˈɲiw [hemuˈɲʊ]	[hedemuˈɲʊ]	[hemuˈɲʊ]	[hedemuˈɲʊ]
08 – Amapá	[hedemuˈɲʊ]	[hedemuˈɲʊ]	[hemuˈɲʊ]	[hedemuˈɲʊ]
09 – Calçoene	[hedemuˈɲʊ]	[hedemuˈɲʊ]	[hɛmuˈɲʊ]	[fuˈɲiw]
10 – Oiapoque	[hedemuˈɲʊ]	[hedemuˈɲʊ]	[ˈoʌʊˈdagwɛ] [hemuˈɲʊˈdagwɛ]	[kɔhẽˈteze]

ATLAS LINGUÍSTICO DO AMAPÁ - ALAP

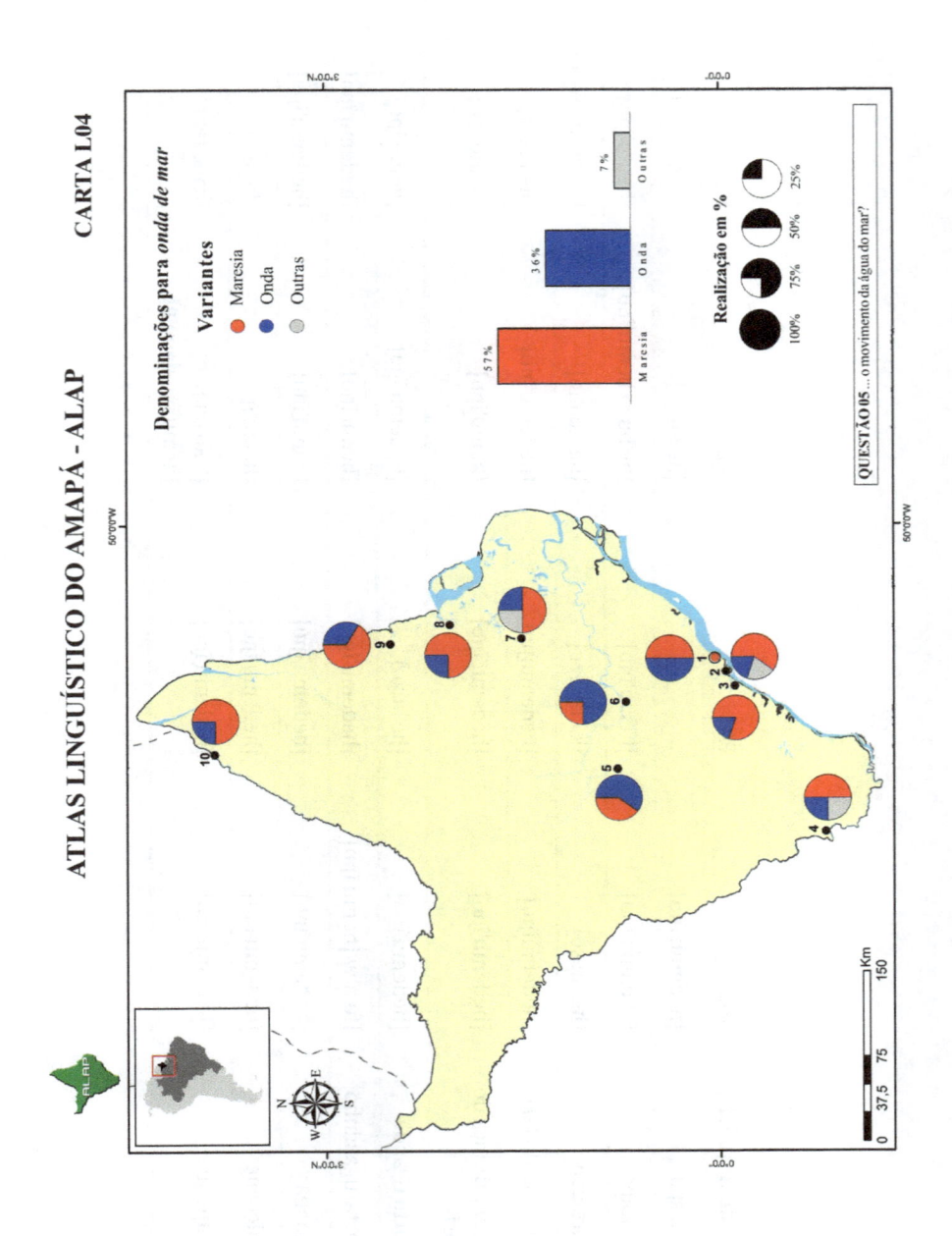

CARTA L04

Denominações para *onda de mar*

Variantes
- Maresia
- Onda
- Outras

Maresia 57%
Onda 36%
Outras 7%

Realização em %: 100%, 75%, 50%, 25%

QUESTÃO 05... o movimento da água do mar?

Questão 5 – ONDA DE MAR

Pontos de Inquéritos	MA	FA	MB	FB
01 – Macapá	[õde]	[õde]	[maɾiziɐ]	[maˈɾiziɐ]
02 – Santana	[maɾiˈziɐ]	[õde]	[maɾiziɐ]	[maɾiˈziɐ] [ˈmaɾiʃ]
03 – Mazagão	[maɾiˈziɐ]	[maɾeˈziɐ]	[maɾiˈziɐ] [ˈõde]	[maɾiziɐ]
04 – Laranjal do Jari	[maɾeˈziɐ]	[maɾiziɐ]	[ˈõde]	[ˈõde] [bẽˈzeɾʊ]
05 – Pedra Branca do Amaparí	[ˈõde]	[ˈõde]	[maɾiˈziɐ] [ˈõde]	[maɾiziɐ]
06 – Porto Grande	[ˈõde]	[ˈõde]	[ˈõde]	[maɾiziɐ]
07 – Tartarugalzinho	[ˈõde]	[maɾiziɐ]	[maɾiˈziɐ]	[ˈɔkɛɐnʊ]
08 – Amapá	[ˈõde]	[maɾiziɐ]	[maɾiziɐ]	[maɾiziɐ]
09 – Calçoene	[ˈõde]	[maɾeˈziɐ]	[maɾiziɐ]	[maɾiziɐ]
10 – Oiapoque	[maɾiˈziɐ]	[aˈzõde]	[maɾiziɐ]	[maɾiziɐ]

ATLAS LINGUÍSTICO DO AMAPÁ - ALAP CARTA L05

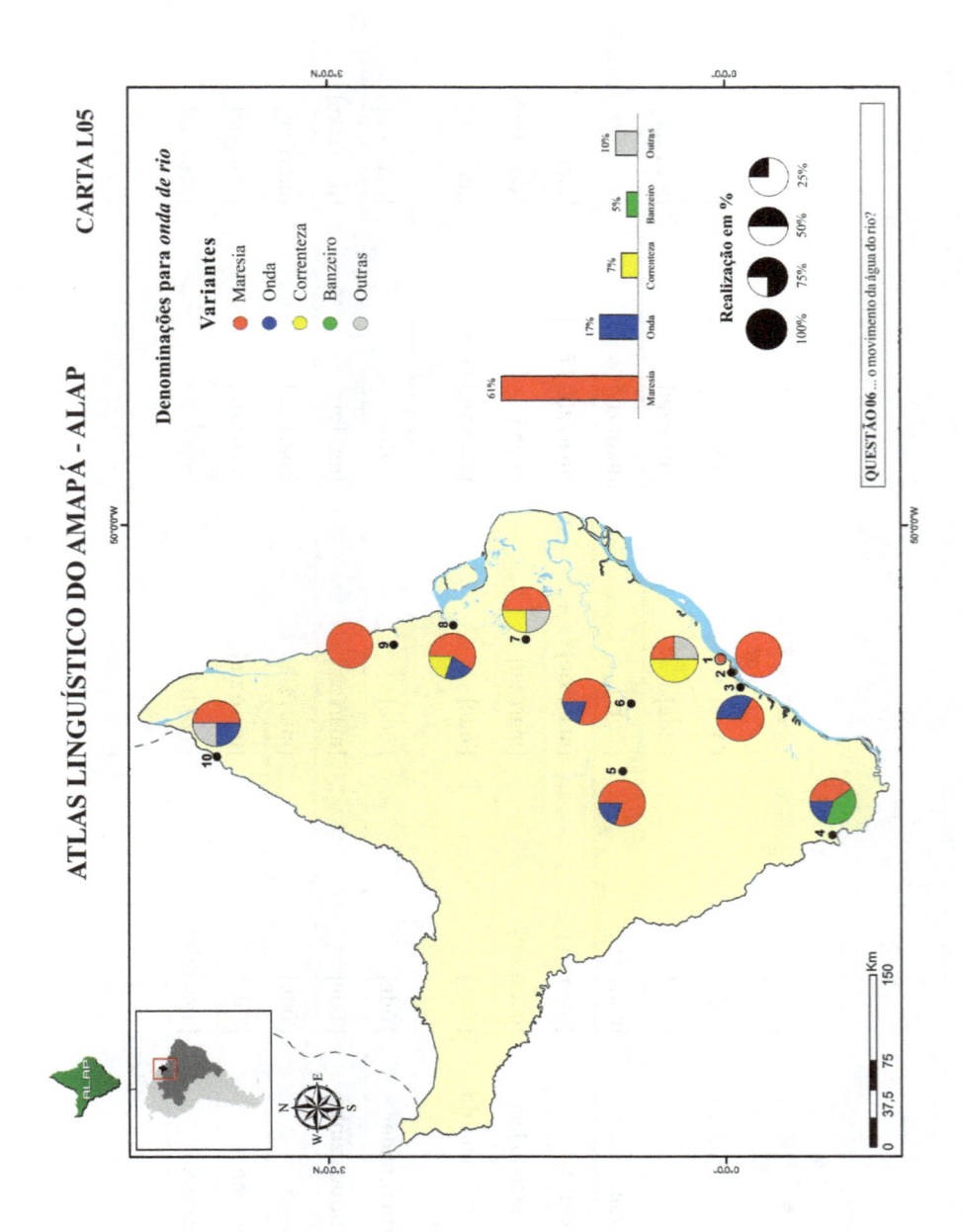

Denominações para *onda de rio*

Variantes
- Maresia
- Onda
- Correnteza
- Banzeiro
- Outras

Maresia	Onda	Correnteza	Banzeiro	Outras
61%	17%	7%	5%	10%

Realização em %: 100%, 75%, 50%, 25%

QUESTÃO 06 ... o movimento da água do rio?

82   Atlas Linguístico do Amapá

Questão 6 – ONDA DE RIO

Pontos de Inquéritos	MA	FA	MB	FB
01 – Macapá	[maɾiˈziɛ]	[maˈɾɛ]	[kohẽˈtezɐ]	[kohẽˈtezɛ]
02 – Santana	[maɾĩˈziɛ]	[maɾĩˈziɛ]	[maɾiˈziɛ]	[maɾiˈziɛ]
03 – Mazagão	...	...	[maɾiˈziɛ] [õdɐpikẽnɐ]	[maɾiˈziɛ]
04 – Laranjal do Jarí	[maɾeˈziɛ]	[õde]	[maɾiˈziɛ] [bẽˈzeɾʋ]	[bẽˈzeɾʋ]
05 – Pedra Branca do Amaparí	[maɾiˈziɛ]	[maɾiˈziɛ]	[maɾiˈziɛ ˈõda]	[maɾiˈziɛ]
06 – Porto Grande	[ˈõdɐ]	[maɾiˈziɛ]	[õdɐ]	[heˈbuʒʋ]
07 – Tartarugalzinho	[maɾiˈziɛ]	[maɾiˈziɛ]	[koheˈdeɾɛ]	[kohẽˈtezɛ]
08 – Amapá	[maɾiˈziɛ]	[ˈõdɐ]	[maɾiˈziɛ] [kohẽˈtezɐ]	[maɾiˈziɛ]
09 – Calçoene	[maɾeˈziɛ]	[maɾeˈziɛ]	[maɾiˈziɛ]	[maɾiˈziɛ]
10 – Oiapoque	[maɾiˈziɛ]	[ˈõdɐ]	[dɔɾɔˈkɐkɐ]	[maɾiˈziɛ]

ATLAS LINGUÍSTICO DO AMAPÁ - ALAP

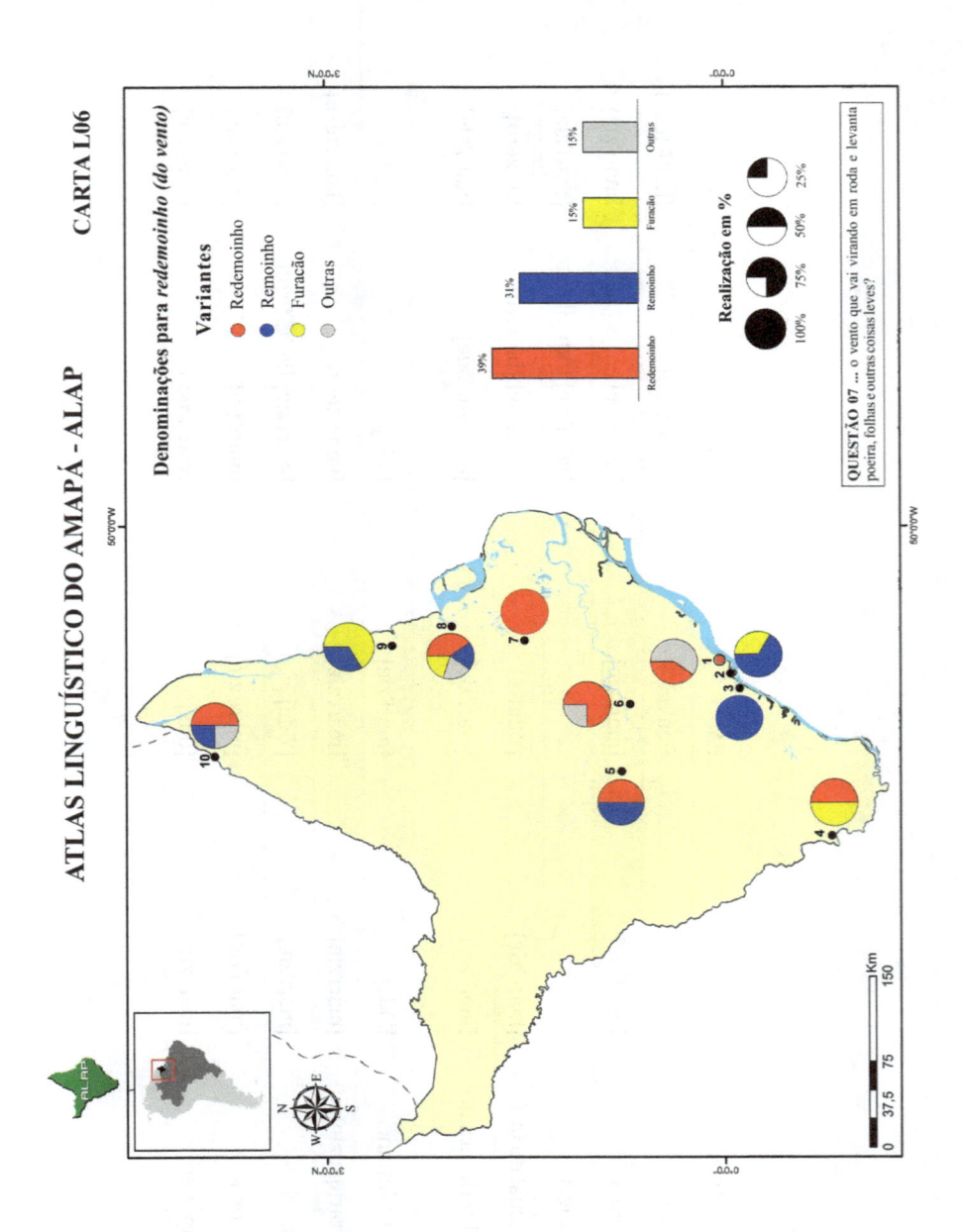

CARTA L06

Denominações para *redemoinho (do vento)*

Variantes
- Redemoinho
- Remoinho
- Furacão
- Outras

Redemoinho 39%
Remoinho 31%
Furacão 15%
Outras 15%

Realização em %: 100%, 75%, 50%, 25%

QUESTÃO 07 ... o vento que vai virando em roda e levanta poeira, folhas e outras coisas leves?

84   Atlas Linguístico do Amapá

Questão 7 – REDEMOINHO (DO VENTO)

Pontos de Inquéritos	MA	FA	MB	FB
01 – Macapá	[toɦˈnadʊ] [hedemuˈɲʊ]	...	[piˈɛ̃w̃ˈdʒɪˈvẽtʊ] [furaˈkẽw̃] [ˈtrõbeˈdagwɛ]	[hedemuˈɲʊ]
02 – Santana	...	[furaˈkẽw̃]	[hemuˈɲʊˈdʒɪˈvẽtʊ]	[hemuˈɲʊ]
03 – Mazagão	[hemũˈĩʊ]	[hemw̃ˈɲʊ]	[hemw̃ˈĩnʊ]	[hemũˈĩũ] [hemuˈĩɲʊ]
04 – Laranjal do Jarí	...	[hedemuˈĩɲʊ]	[hedemuĩɲʊ]	[furaˈkẽw̃]
05 – Pedra Branca do Amaparí	[hedemuˈĩɲʊ]	[hedemuˈĩɲʊ]	[hemuˈĩɲʊ]	[hemuˈĩɲʊ]
06 – Porto Grande	[hedemuˈĩɲʊ]	[hedemuˈĩɲʊ]	[hedemuˈĩɲʊ]	[vẽtẽˈɲie]
07 – Tartarugalzinho	[hedemuˈĩɲʊ]	[hedemuˈĩɲʊ]	...	[hedemuĩɲʊ]
08 – Amapá	[hedemuˈĩɲʊ]	[hedemuˈĩɲʊ]	[hemuĩɲʊ]	[tuˈfẽw̃ furaˈkẽw̃]
09 – Calçoene	[furaˈkẽw̃]	...	[furaˈkẽw̃]	[hemuˈĩɲʊ]
10 – Oiapoque	[hedemuˈĩɲʊ]	[hedemuˈĩɲʊ]	[ˈbõbeˈdagwɛ]	[hemuˈĩɲʊ]

ATLAS LINGUÍSTICO DO AMAPÁ - ALAP

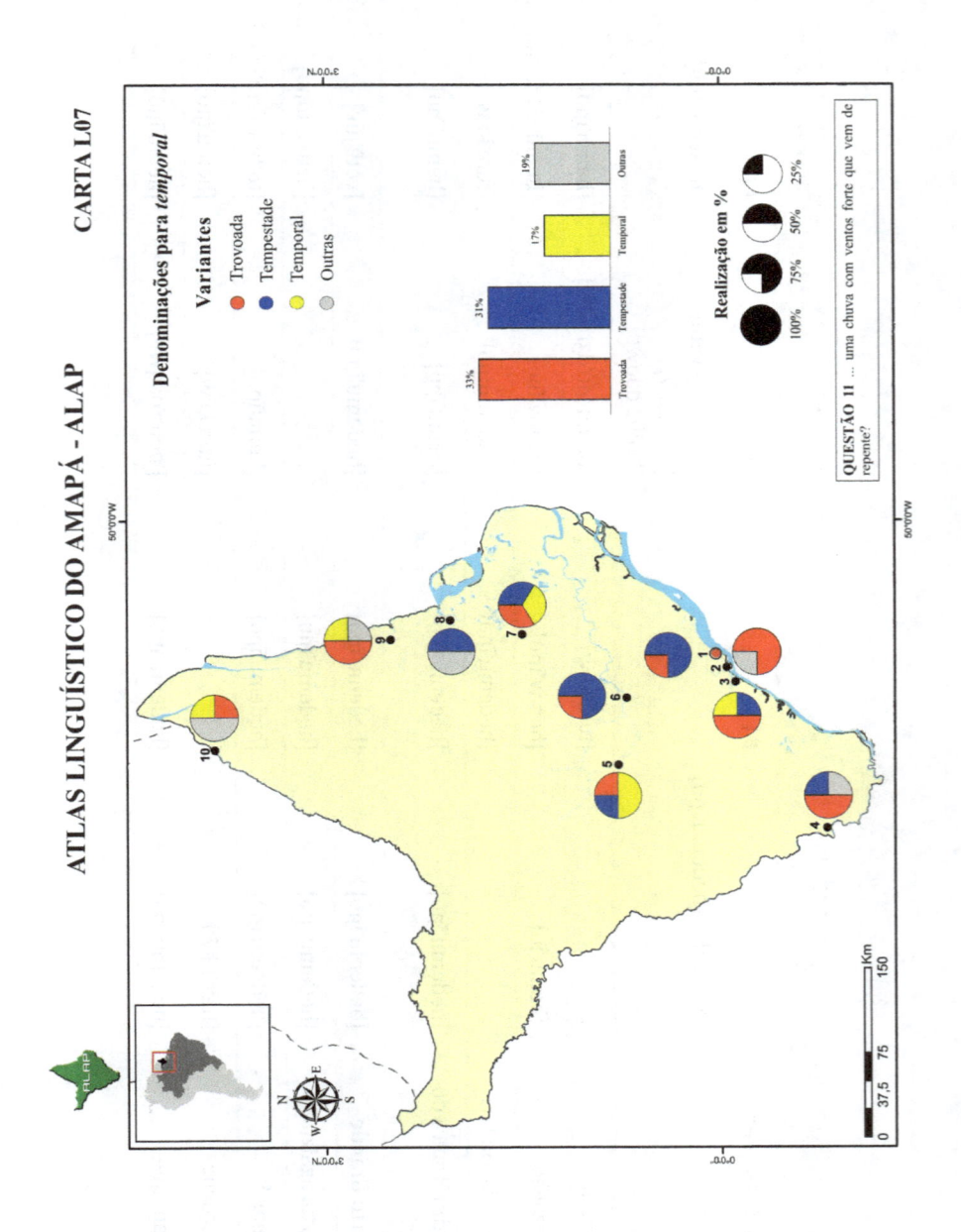

CARTA L07

Denominações para *temporal*

Variantes
- 🔴 Trovoada
- 🔵 Tempestade
- 🟡 Temporal
- ⚪ Outras

Trovoada 33%
Tempestade 31%
Temporal 17%
Outras 19%

Realização em %
- 100%
- 75%
- 50%
- 25%

QUESTÃO 11 ... uma chuva com ventos forte que vem de repente?

Questão 11 – TEMPORAL/TEMPESTADE/VENDAVAL

Pontos de Inquéritos	MA	FA	MB	FB
01 – Macapá	[tẽpɛʃˈtadʒɪ]	[tẽpɛʃˈtadʒɪ]	[trevuˈadɛ]	[tẽpɛʃˈtadʒɪ]
02 – Santana	[ʃuvemuˈ̃tu fohtʃɪ]	[trevuˈadɛ]	[trevuˈadɛ]	[ʃuveˈfohtʃɪ] [trevuˈadɛ]
03 – Mazagão	[tẽpɔˈraw]	[tẽpɛʃˈtadʒɪ]	[trevuˈadɛ]	[trovuˈadɛ]
04 – Laranjal do Jarí	[trevuˈadɛ]	[tẽpɛʃˈtadʒɪ]	[trovuˈadɛ]	[ʃuveˈgrẽdʒɪ]
05 – Pedra Branca do Amaparí	[pɛjʃˈtadʒɪ]	[tẽpɔˈraw]	[trevuˈadɛ]	[tẽpɔˈraw]
06 – Porto Grande	[tẽpeʃˈtafɪdʒɪ]	[trevuˈadɛ]	[tẽpeʃˈtafɪdʒɪ]	[tẽpeʃˈtafɪdʒɪ]
07 – Tartarugalzinho	[tẽpɛʃˈtadʒɪ] [trovoˈadɛ]	[tẽpɛjʃtaˈdʒɪ]	[trevuˈadɛ] [tẽpoˈraw]	[tẽpɔˈraw]
08 – Amapá	[tẽpeʃˈtadʒɪ]	[tɔˌrɔdʒiˈʃuve]	[ʃuve pasaˈʒerɛ]	[tẽpeʃˈtadʒɪ]
09 – Calçoene	[ʃuve]	[trevoˈadɛ]	[tẽpɔˈraw]	[trevoˈadɛ]
10 – Oiapoque	[ʃuvepasaˈʒerɛ] [ˈhapidɛ]	[ʃuve]	[trevuˈadɛ]	[tẽpoˈraw]

ATLAS LINGUÍSTICO DO AMAPÁ - ALAP

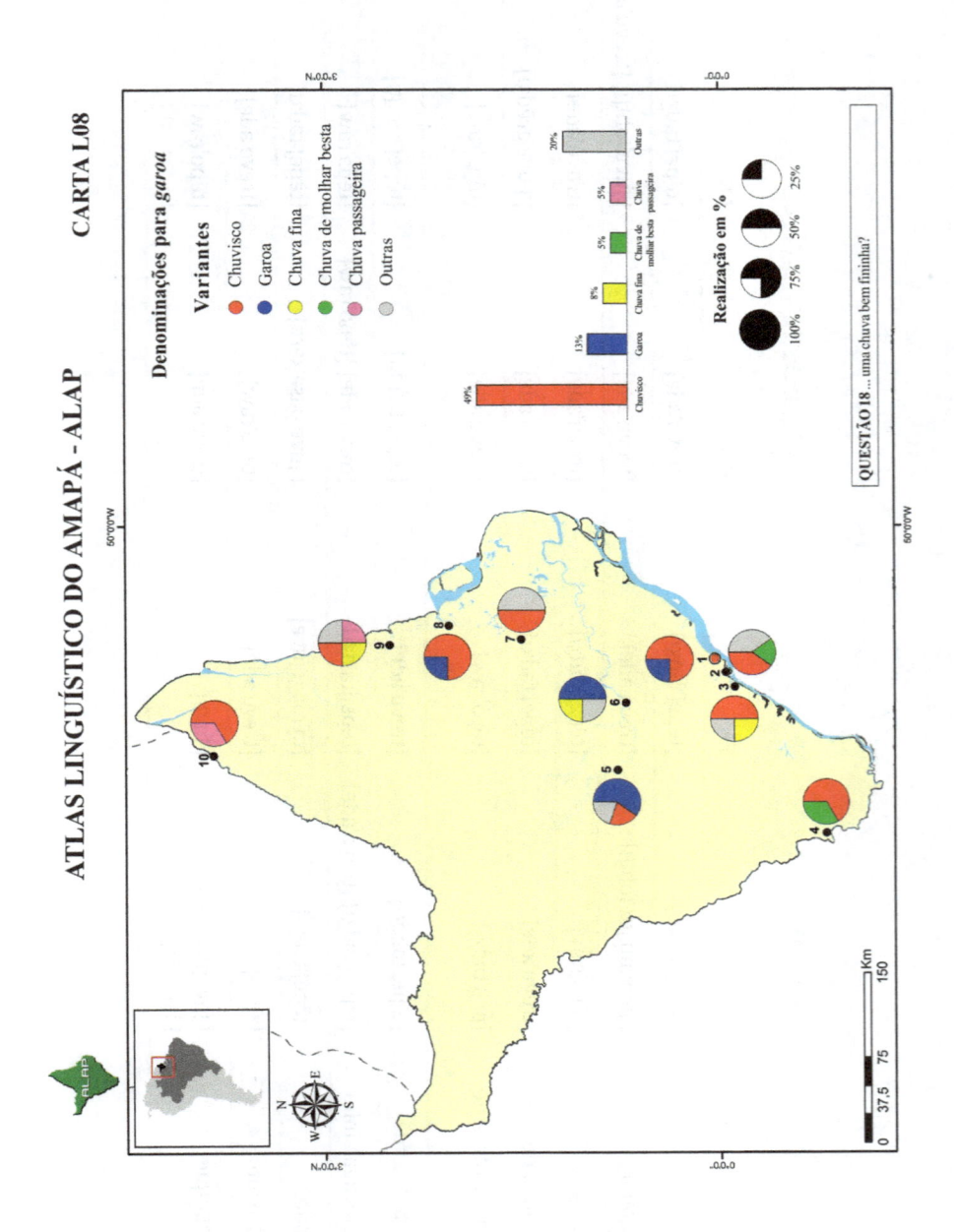

CARTA L08

Denominações para *garoa*

Variantes
- Chuvisco
- Garoa
- Chuva fina
- Chuva de molhar besta
- Chuva passageira
- Outras

Variante	%
Chuvisco	49%
Garoa	13%
Chuva fina	8%
Chuva de molhar besta	5%
Chuva passageira	5%
Outras	20%

Realização em %: 100%, 75%, 50%, 25%

QUESTÃO 18. ... uma chuva bem fininha?

Atlas Linguístico do Amapá

88

Questão 18 – GAROA

Pontos de Inquéritos	MA	FA	MB	FB
01 – Macapá	[ʃuˈviʃkʊ]	[ʃuˈviʃkʊ]	[ʃuˈviʃkʊ]	[gaˈɾoɐ]
02 – Santana	[gɾẽˈɲizʊ]	[ʃuvedʒimoˈʎahbeʃtɐ]	[neˈbɾĩnɐ] [ʃuviʃˈkẽdʊ]	[ʃuˈviʃkʊ]
03 – Mazagão	[ʃuˈviʃkʊ]	...	[neˈblĩnɐ] [ʃuveˈfinɐ]	[ʃuviʃˈkẽdʊ]
04 – Laranjal do Jarí	[ʃuˈviʃkẽdʊ]	[ʃuˈviʃkʊ]	[ʃuvedʒimoˈʎaˈbeʃtɐ]	...
05 – Pedra Branca do Amaparí	[gaˈɾoɐ] [ʃuˈviʃkʊ]	...	[gaˈɾoɐ]	[gaˈɾoɐ [seˈɾẽnʊ]
06 – Porto Grande	[gaˈɾoɐ]	[ʃuˈviɲeˈfrake]	[gaˈɾoɐ]	[ʃuveˈfinɐ]
07 – Tartarugalzinho	[nɛblĩnɐ] [ˈbɾize] [ʃuˈviʃkʊ]	[ʃuˈviʃkʊ]	[sɛˈɾẽnʊ]	[ʃuˈvisku]
08 – Amapá	[ʃuviʃˈkẽdʊ]	[ʃuˈviʃkʊ]	[ʃuviʃˈkẽdʊ]	[ʒeˈadɐ gaˈɾoɐ]
09 – Calçoene	[heˈpigʊ]	[ʃuvepasaˈʒere]	[ʃuveˈfinɐ]	[ʃuˈviʃkʊ]
10 – Oiapoque	[ʃuˈviʃkʊ]	[ʃuvepasaˈʒere]	[ʃuˈviʃkʊ]	...

ATLAS LINGUÍSTICO DO AMAPÁ - ALAP

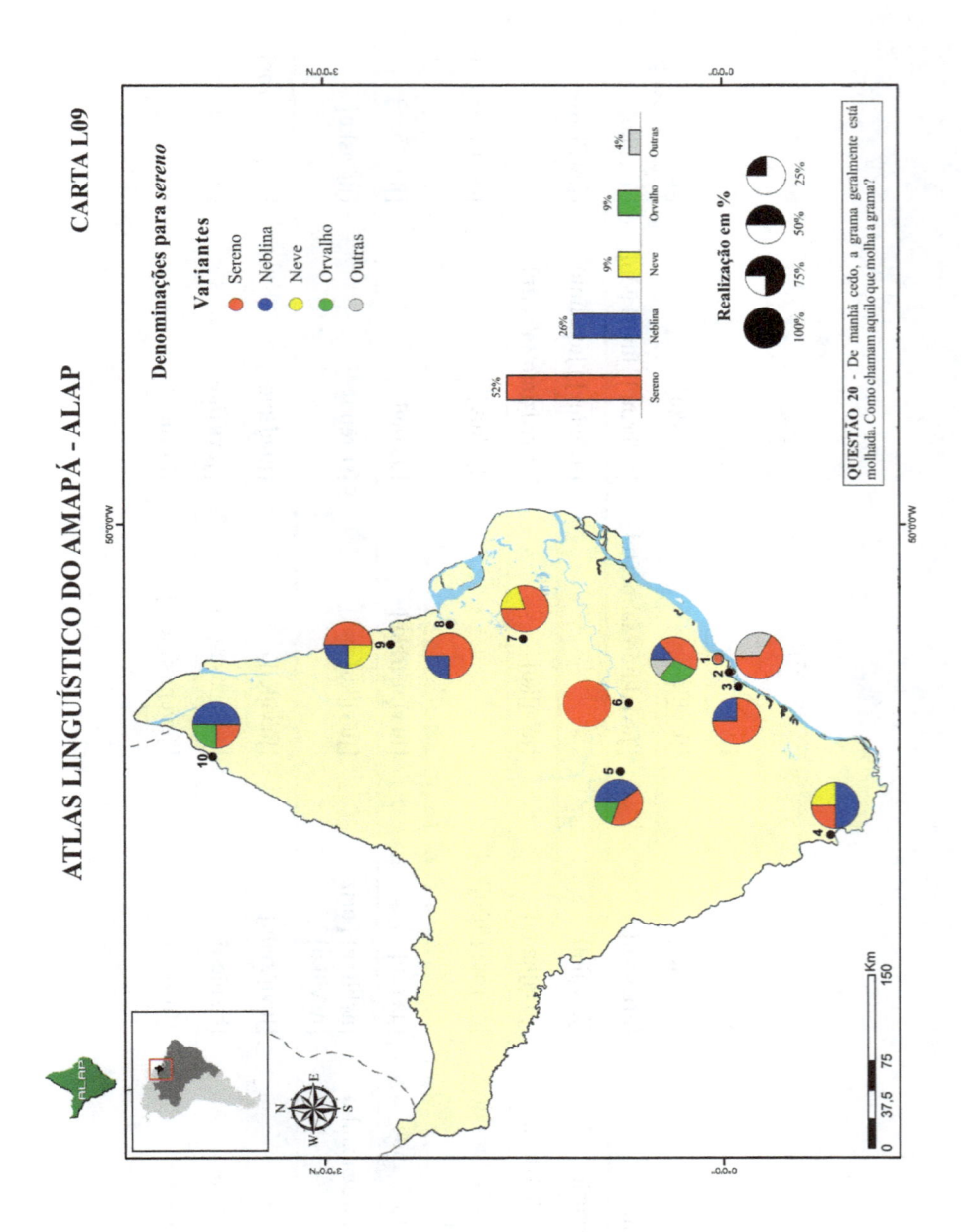

CARTA L09

Denominações para *sereno*

Variantes
- Sereno
- Neblina
- Neve
- Orvalho
- Outras

Sereno 52%
Neblina 26%
Neve 9%
Orvalho 9%
Outras 4%

Realização em %
100% | 75% | 50% | 25%

QUESTÃO 20 - De manhã cedo, a grama geralmente está molhada. Como chamam aquilo que molha a grama?

Atlas Linguístico do Amapá

Questão 20 - SERENO/ORVALHO

Pontos de Inquéritos	MA	FA	MB	FB
01 – Macapá	[neˈblĩnɛ] [sɛˈɾẽnʊ]	[oʎˈvaʎʊ]	[sɛˈɾẽnʊ] [oˈvaʎʊ]	[vẽtuˈnɔhtʃɪ] [sɛˈɾẽnʊ]
02 – Santana	...	[nevoˈadɛ]	[seˈɾẽnʊ]	[sɛˈɾẽnʊ]
03 – Mazagão	[neˈblĩnɛ]	[sɛˈɾẽnʊ]	[usɛˈɾẽnʊ]	[sɛˈɾẽnʊ]
04 – Laranjal do Jarí	[nɛvɪ]	[neˈbrĩnɛ]	[seˈɾẽnʊ]	[neˈbrĩnɛ]
05 – Pedra Branca do Amaparí	[neˈblĩnɛ]	[neˈblĩnɛ]	[sɛˈɾẽnʊ]	[sɛˈɾẽnʊ] [oʎvaʎʊ]
06 – Porto Grande	[sɛˈɾẽnʊ]	[sɛˈɾẽnʊ]	[sɛˈɾẽnʊ]	[sɛˈɾẽnʊ]
07 – Tartarugalzinho	[nɛvɪ] [seˈɾẽnʊ]	[sɛˈɾẽnʊ]	[sɛˈɾẽnʊ]	[sɛˈɾẽnʊ]
08 – Amapá	[neˈbrĩnɛ]	[nɛvɪ] [neˈblĩnɛ]	[neˈbrĩnɛ] [sɛˈɾẽnʊ]	[sɛˈɾẽnʊ]
09 – Calçoene	...	[seˈɾẽnʊ]	[nɛvɪ neˈbrĩnɛ]	[sɛˈɾẽnʊ]
10 – Oiapoque	[neˈblĩnɛ]	[neˈblĩnɛ]	[sɛˈɾẽnʊ]	[ɔʎvaʎʊ]

ATLAS LINGUÍSTICO DO AMAPÁ - ALAP

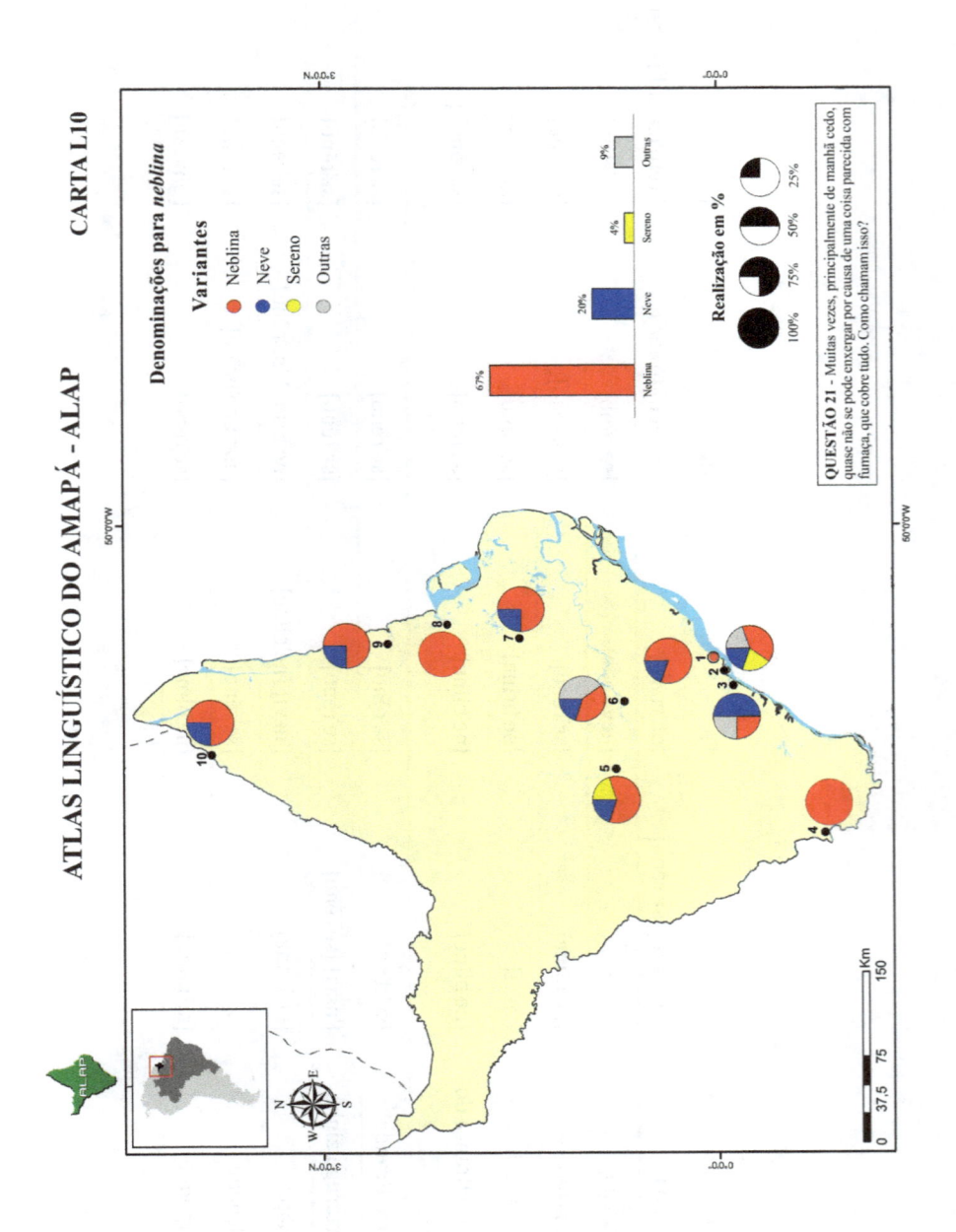

CARTA L10

Denominações para *neblina*

Variantes
- Neblina
- Neve
- Sereno
- Outras

Neblina 67%
Neve 20%
Sereno 4%
Outras 9%

Realização em %: 100%, 75%, 50%, 25%

QUESTÃO 21 - Muitas vezes, principalmente de manhã cedo, quase não se pode enxergar por causa de uma coisa parecida com fumaça, que cobre tudo. Como chamam isso?

Questão 21 – NEBLINA/NEVOEIRO/CERRAÇÃO

Pontos de Inquéritos	MA	FA	MB	FB
01 – Macapá	[neˈblinɐ]	[neˈblĩnɐ]	[neˈblinɐ] [ˈnɛvi]	[neˈblinɐ]
02 – Santana	[fuˈmasɛ]	[neˈblĩnɐ]	[neˈbrĩnɐ]	[sɛˈrẽnʊ] [ˈnɛvi ʃ]
03 – Mazagão	[ˈnɛvi]	[ˈnɛvi]	[neˈblĩnɐ]	[ˈnuvẽj]
04 – Laranjal do Jarí	...	[neˈbrĩnɐ]	[neˈblĩnɐ]	[neˈbrĩnɐ]
05 – Pedra Branca do Amaparí	[sɛˈrẽnʊ] [neˈblĩnɐ]	[neˈblĩnɐ]	[ˈnɛvi]	[neˈblĩnɐ]
06 – Porto Grande	[nevuˈeru]	[neˈblĩnɐ]	[ʧiˈvaʎʊ] [neˈbrĩnɐ]	[ˈnɐvi ʃ]
07 – Tartarugalzinho	[neˈblĩnɐ]	[neˈblĩnɐ]	[neˈblĩnɐʃ]	[ˈnɛvi]
08 – Amapá	[neˈbrĩnɐ]	[neblĩnɐ]	[neˈbrĩnɐ]	[neˈbrĩnɐ]
09 – Calçoene	[neˈbrĩnɐ]	[nɐˈɛrĩnɐ]	[ˈnɛvi] [neˈbrĩnɐ]	...
10 – Oiapoque	[neˈblinɐ]	[neˈblinɐ]	[ˈnɐviʃ]	[neˈblinɐ]

ATLAS LINGUÍSTICO DO AMAPÁ - ALAP

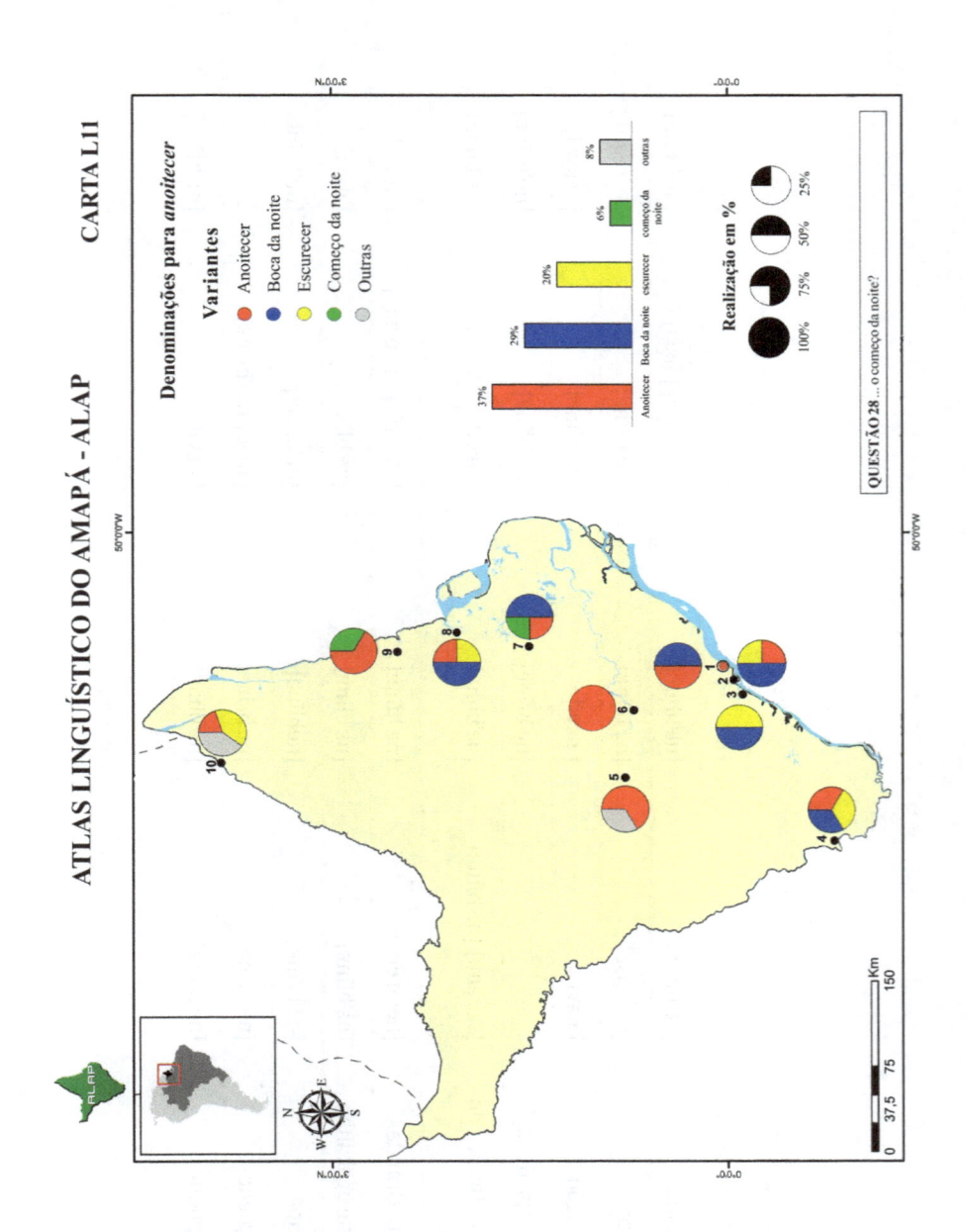

CARTA L11

Denominações para *anoitecer*

Variantes
- Anoitecer
- Boca da noite
- Escurecer
- Começo da noite
- Outras

Realização em %
100% 75% 50% 25%

QUESTÃO 28 ... o começo da noite?

Anoitecer 37% | Boca da noite 29% | escurecer 20% | começo da noite 6% | outras 8%

Questão 28 – ANOITECER

Pontos de Inquéritos	MA	FA	MB	FB
01 – Macapá	...	...	[bokede'nojtʃɪ]	[anojte'sẽdu]
02 – Santana	[eʃkurɛ'seh]	[anoite'seh]	[a'bokeda'nojtʃɪ]	[a'bokeda'nojtʃɪ]
03 – Mazagão	[ɪʃkure'sew]	[ɪʃkurɛ'sẽdu]	[bokade'nojtɪ]	[bokede'nojtʃɪ]
04 – Laranjal do Jarí	[ẽnoite'sẽdu]	[ɪʃkurɛ'sẽdu]	[bokeda'nojtʃɪ]	...
05 – Pedra Branca do Amaparí	[nojtʃe'sew]	...	['nojtʃɪ]	[anojtɛ'sẽdu]
06 – Porto Grande	[nojte'seh]	[anojte'seh]	[anojte'seh]	...
07 – Tartarugalzinho	['bokede'nojtʃɪ]	[komesode'nojtʃɪ]	[anojtɛ'sẽdu]	['bokede'nojtʃɪ]
08 – Amapá	[ẽnoite'sẽdu]	[ɪʃkurɛ'sẽdu]	['bokeda'nojtʃɪ]	['bokeda'nojtʃɪ]
09 – Calçoene	[kome'sẽdu a 'nojtʒɪ]	[anoj'tɛsi]	...	['tanoijte'sẽdu]
10 – Oiapoque	[anojtɛ'sẽdu]	[taɦdʒi'zĩɲe]	['vẽjʃkurɛ'sẽdu]	[vajʃegẽdwa'nojtʃɪ] [vajʃkurɛ'sẽdu]

Cartas Lexicais

ATLAS LINGUÍSTICO DO AMAPÁ - ALAP

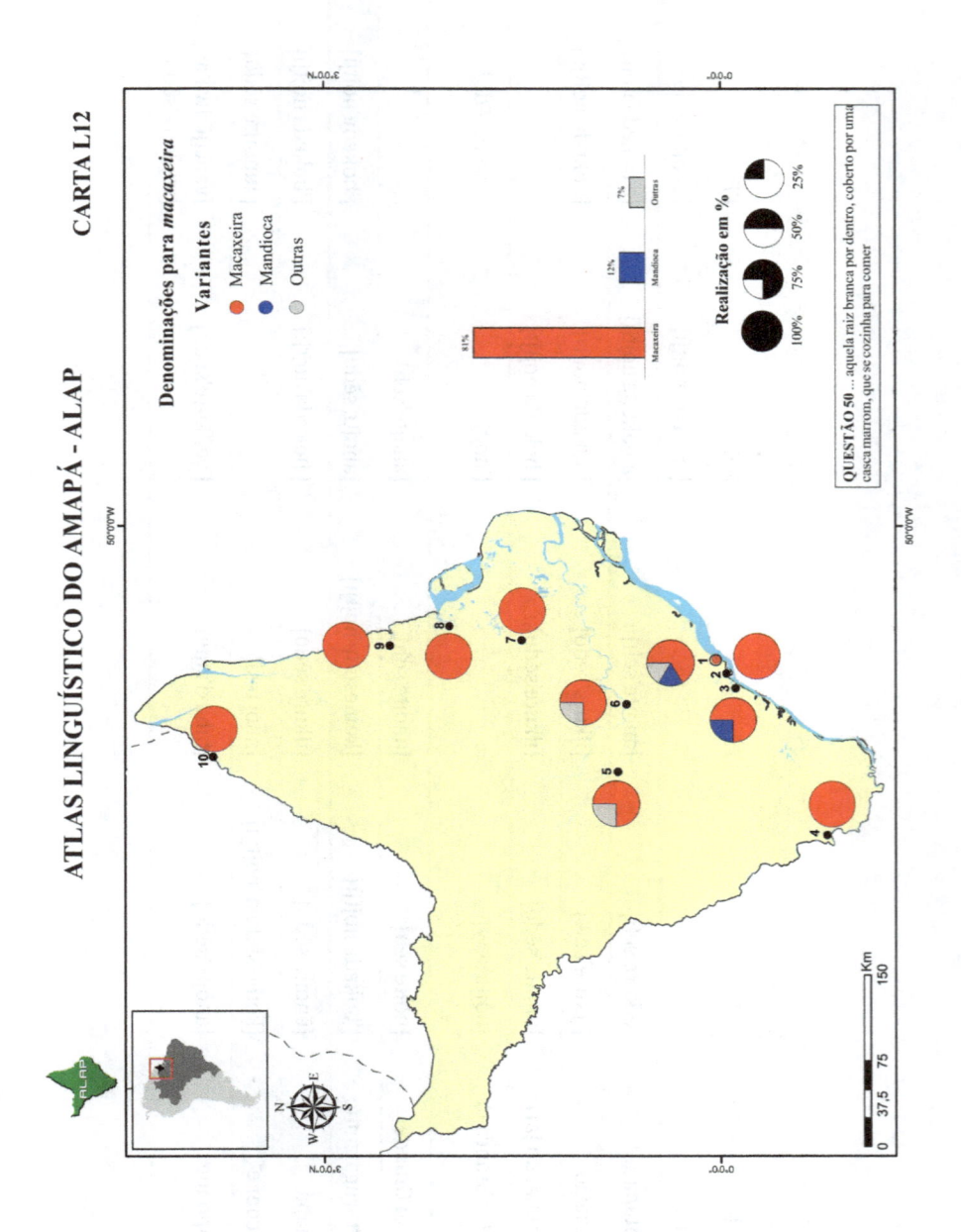

CARTA L12

Denominações para *macaxeira*

Variantes:
- Macaxeira
- Mandioca
- Outras

Macaxeira 81%
Mandioca 12%
Outras 7%

Realização em %: 100%, 75%, 50%, 25%

QUESTÃO 50 ... aquela raiz branca por dentro, coberto por uma casca marrom, que se cozinha para comer

Questão 50 – MACAXEIRA

Pontos de Inquéritos	MA	FA	MB	FB
01 – Macapá	[maka'ʃere]	[maka'ʃere]	[maka'ʃere] [mẽdʒiˑɔka] [ej'pĩ]	[maka'ʃere]
02 – Santana	...	[maka'ʃere]	[maka'ʃere]	[maka'ʃere]
03 – Mazagão	[maka'ʃere]	[maka'ʃere]	[maka'ʃejre]	[mẽdiʒˑɔke]
04 – Laranjal do Jarí	[maka'ʃere]	[maka'ʃere]	[maka'ʃere]	[maka'ʃere]
05 – Pedra Branca do Amaparí	[maka'ʃere]	[maka'ʃeˑre]	...	[maka'ʃere] [ia'pĩ]
06 – Porto Grande	[mẽdʒiˑɔke]	[mẽdʒiˑɔke]	[mẽdʒiˑɔkæ]	[ta'ʒɔbe]
07 – Tartarugalzinho	[maka'ʃere]	[maka'ʃejre]	[maka'ʃere]	[maka'ʃere]
08 – Amapá	[maka'ʃere]	[maka'ʃere]	[maka'ʃere]	[maka'ʃere]
09 – Calçoene	[maka'ʃere]	[maka'ʃere]	[maka'ʃere]	[maka'ʃere]
10 – Oiapoque	[maka'ʃere]	[maka'ʃere]	[maka'ʃere]	[maka'ʃere]

ATLAS LINGUÍSTICO DO AMAPÁ - ALAP

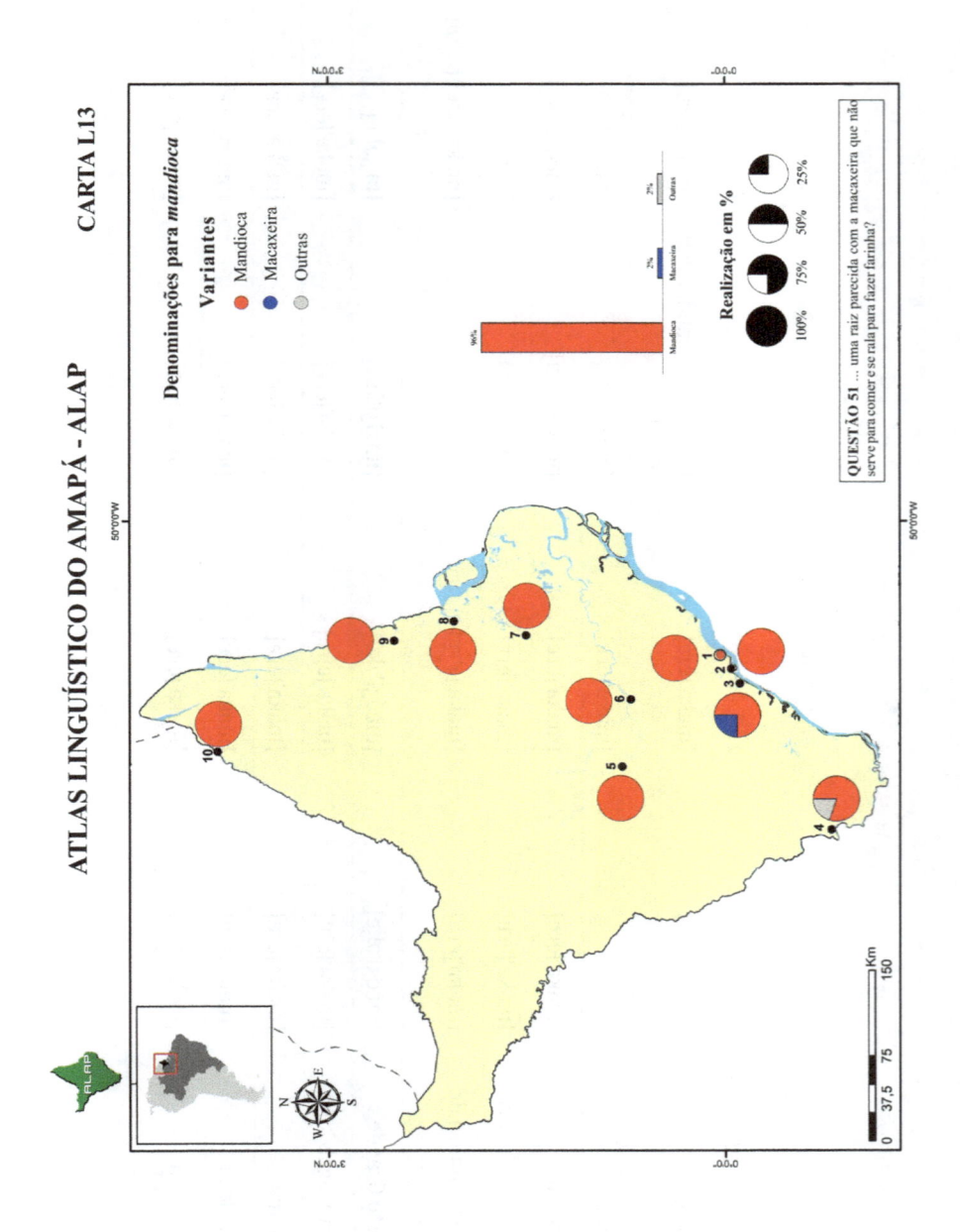

CARTA L13

Denominações para *mandioca*

Variantes
- Mandioca
- Macaxeira
- Outras

Realização em %
100% 75% 50% 25%

QUESTÃO 51 ... uma raiz parecida com a macaxeira que não serve para comer e se rala para fazer farinha?

Questão 51 – MANDIOCA

Pontos de Inquéritos	MA	FA	MB	FB
01 – Macapá	...	[mẽdʒiˈɔke]	[mẽdʒiˈɔke]	[mẽdʒiˈɔke]
02 – Santana	...	...	[mãdʒiˈɔke]	[mãdʒiˈɔke]
03 – Mazagão	[mẽdʒiˈɔke]	[mẽdʒiˈɔke]	[mãdʒiˈɔke]	[makaˈʃere]
04 – Laranjal do Jarí	[mẽdʒiˈɔke]	[mẽdʒiˈɔke ajˈpĩ]	[mẽdʒiˈɔke] [ajˈpĩ]	[mãdʒiˈɔke]
05 – Pedra Branca do Amaparí	[mẽdʒiˈɔke]	[mẽdʒiˈɔke]	[mãdʒiˈɔke]	[mãdʒiˈɔke]
06 – Porto Grande	[mẽdʒiˈɔke]	[mẽdʒiˈɔke]	[mæðʒiˈɔke]	[mæðʒiˈɔke]
07 – Tartarugalzinho	[mẽdʒiˈɔke]	[mẽdʒiˈɔke]	[mæðʒiˈɔke]	[mæðʒiˈɔke]
08 – Amapá	[mãdʒiˈɔke]	[mẽdʒiˈɔke]	[mæðʒiˈɔke]	[mæðʒiˈɔke]
09 – Calçoene	[mẽdʒiˈɔke]	[mẽdʒiˈɔke]	[mæðʒiˈɔke]	[mæðʒiˈɔke]
10 – Oiapoque	[mẽdʒiˈɔke]	[mẽdʒiˈɔke]	[mæðʒiˈɔpæ]	[mæðʒiˈɔpæ]

ATLAS LINGUÍSTICO DO AMAPÁ - ALAP

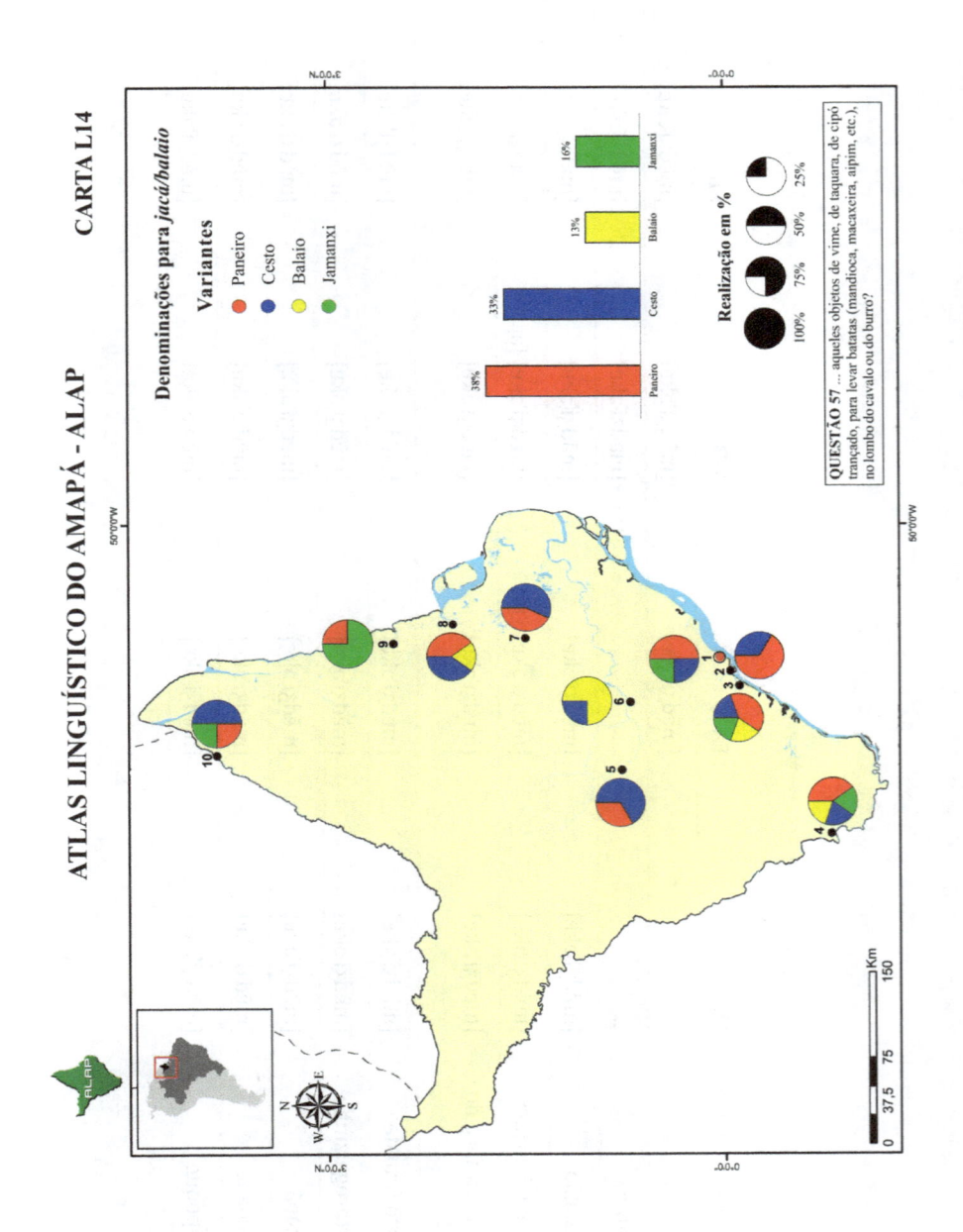

CARTA L14

Denominações para *jacá/balaio*

Variantes
- 🔴 Paneiro
- 🔵 Cesto
- 🟡 Balaio
- 🟢 Jamanxi

Paneiro	38%
Cesto	33%
Balaio	13%
Jamanxi	16%

Realização em %
100% · 75% · 50% · 25%

QUESTÃO 57 ... aqueles objetos de vime, de taquara, de cipó trançado, para levar batatas (mandioca, macaxeira, aipim, etc.), no lombo do cavalo ou do burro?

Atlas Linguístico do Amapá

Questão 57 – JACÁ/BALAIO

Pontos de Inquéritos	MA	FA	MB	FB
01 – Macapá	[pẽˈnerʊ]	...	[ʒamaˈʃi]	[seʃtʊ] [paˈnerʊ]
02 – Santana	[seʃtʊ]	[paˈnejrʊ]	[paˈnerʊ]	...
03 – Mazagão	[seʃtʊ] [pẽˈnerʊ]	[paˈnerʊ] [baˈlaju]	...	[ʒẽmaˈʃi]
04 – Laranjal do Jarí	[baˈlaju]	[paˈnerʊ] [pẽˈnerʊ]	[pẽˈnerʊ] [ʒẽmaˈʃi]	[seʃtɐ]
05 – Pedra Branca do Amaparí	...	...	[seʃtʊ] [pẽnerʊ]	[seʃtʊ]
06 – Porto Grande	[baˈlaju]	[baˈlẽw̃]	[baˈlaju]	[seʃtʊ]
07 – Tartarugalzinho	[seʃtɐ] [pẽˈnerʊ]	[seʃtʊ] [pẽˈnerʊ]	[seʃtɐ] [pẽˈnerʊ]	[seʃtɐ] [seʃtʊ]
08 – Amapá	[pẽˈnerʊ]	[baˈlaju]	[pẽˈnerʊ] [seʃtɐ]	[seʃtʊ]
09 – Calçoene	[ʒẽmẽʃi]	[ʒamaˈʃi]	[paˈnẽrʊ]	[ʒamaˈʃi]
10 – Oiapoque	[seʃtʊ]	[seʃtɐ]	[panerʊ]	[ʒẽmaˈʃi]

ATLAS LINGUÍSTICO DO AMAPÁ - ALAP

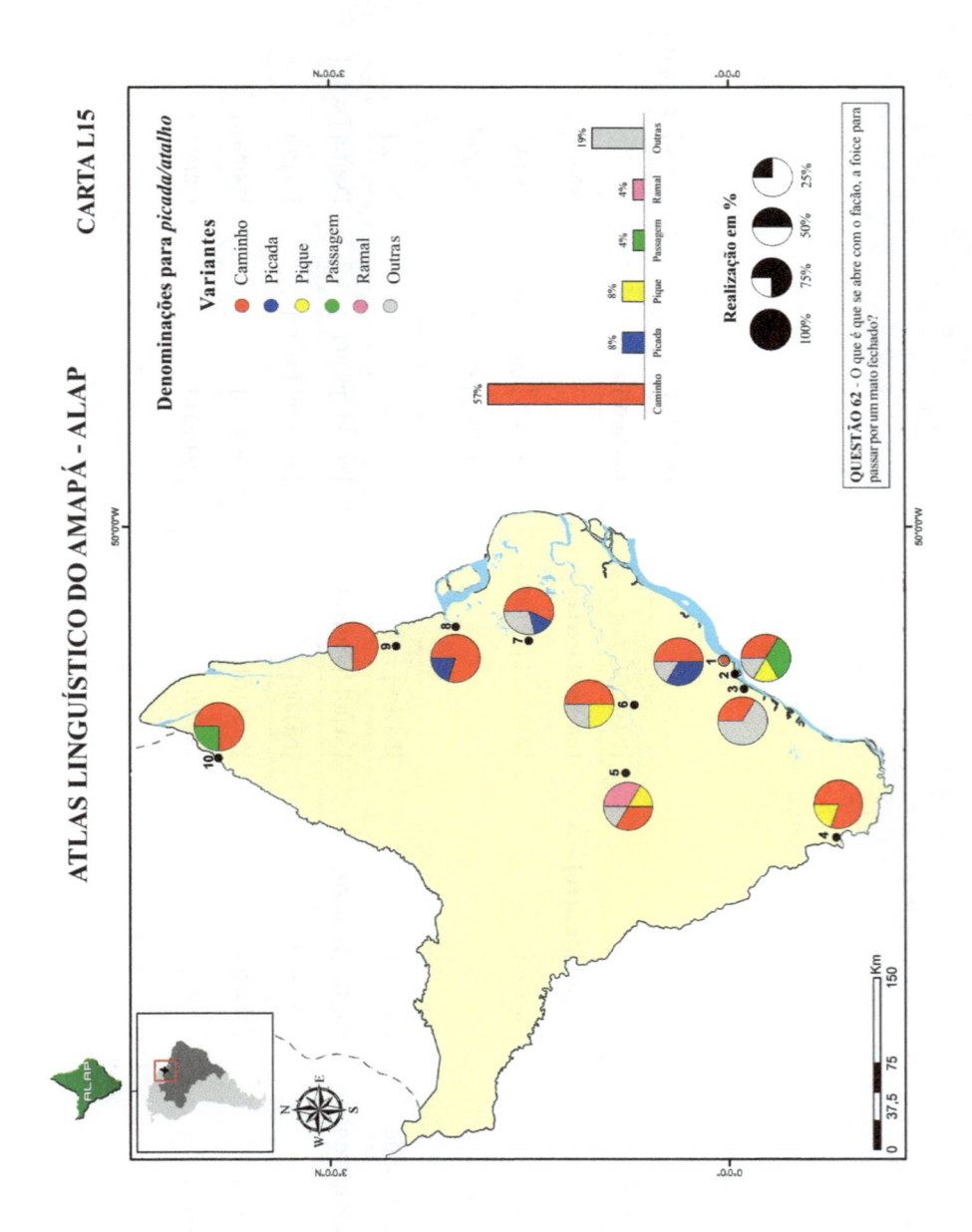

CARTA L15

Denominações para *picada/atalho*

Variantes
- Caminho
- Picada
- Pique
- Passagem
- Ramal
- Outras

Caminho 57%
Picada 8%
Pique 8%
Passagem 4%
Ramal 4%
Outras 19%

Realização em %: 100%, 75%, 50%, 25%

QUESTÃO 62 - O que é que se abre com o facão, a foice para passar por um mato fechado?

Questão 62 – PICADA/ATALHO/ESTREITO

Pontos de Inquéritos	MA	FA	MB	FB
01 – Macapá	[kaˈmĩɲʊ]	[kaˈmĩɲʊ]	[piˈkadɛ] [vaˈreda] [kaˈmĩɲʊ]	[piˈkadɛ]
02 – Santana	...	[kaˈmĩɲʊ paˈsaʒɪ]	[ˈpikɪ]	[kẽˈmĩɲʊ] [varaˈdoh]
03 – Mazagão	[iʃˈtradɛ] [kẽˈmĩɲʊ]	...	[iʃˈtradɛ] [klaˈrerɛ]	...
04 – Laranjal do Jarí	[kaˈmĩɲʊ]	[kẽˈmĩɲʊ]	[kaˈmĩɲʊ] [pikɪ]	[kaˈmĩɲʊ]
05 – Pedra Branca do Amaparí	[hẽˈmaw] [pikɪ]	...	[kẽˈmĩɲʊ] [iʃˈtradɛ]	[kaˈmĩɲʊ] [hẽˈmaw]
06 – Porto Grande	[aˈtaʎʊ ʃtrejtʊ]	[kaˈmĩɲʊ]	[kaˈmĩɲʊ]	[pikɪ]
07 – Tartarugalzinho	[ˈtrie] [kaˈmĩɲʊ] [piˈkadɛ]	[kaˈmĩɲʊ]	[kaˈmĩɲʊ]	[kaˈmĩɲʊ] [ˈtrie]
08 – Amapá	[kẽˈmĩ]	[kaˈmĩɲʊ]	[piˈkadɛ] [kaˈmĩɲʊ]	[kaˈmĩɲʊ]
09 – Calçoene	[abrikẽˈmĩɲʊ]	[kaˈmĩɲʊ]	[hɔˈsẽpʊ]	[kẽˈmĩɲʊ]
10 – Oiapoque	[kẽˈmĩɲʊ]	[kaˈmĩɲʊ] [paˈsaʒɪ]	...	[kaˈmĩɲʊ]

ATLAS LINGUÍSTICO DO AMAPÁ - ALAP

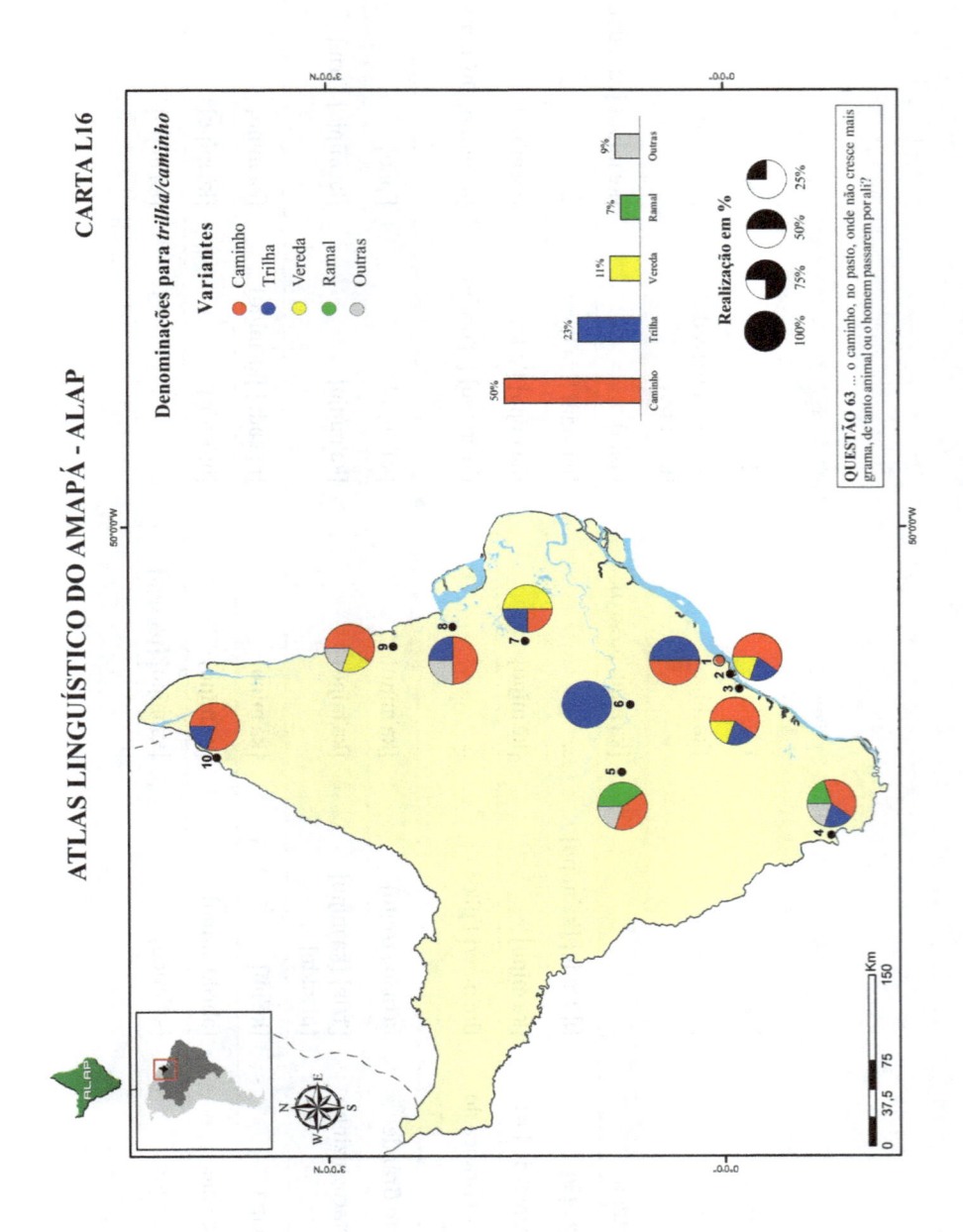

CARTA L16

Denominações para *trilha/caminho*

Variantes
- 🔴 Caminho
- 🔵 Trilha
- 🟡 Vereda
- 🟢 Ramal
- ⚪ Outras

Caminho 50%
Trilha 23%
Vereda 11%
Ramal 7%
Outras 9%

Realização em %
100% — 75% — 50% — 25%

QUESTÃO 63 ... o caminho, no pasto, onde não cresce mais grama, de tanto animal ou o homem passarem por ali?

Questão 63 – TRILHO/CAMINHO/VEREDA/TRILHA

Pontos de Inquéritos	MA	FA	MB	FB
01 – Macapá	[ˈtriʎe]	[kaˈmĩɲʊ]	[ˈtriʎe]	[kaˈmĩɲũ]
02 – Santana	[kaˈmĩɲʊ]	[triˈʎa]	[kẽˈmĩɲʊ] [vaˈredɛ]	[kẽˈmĩɲʊ]
03 – Mazagão	[kẽˈmĩɲʊ]	[kaˈmĩɲʊ] [ˈtriljɛ]	[veˈredɛ]	[kaˈmĩɲʊ]
04 – Laranjal do Jarí	[hẽˈmaw]	[kõˈtohnʊ]	[ˈtriʎe] [kẽˈmĩɲʊ]	[kaˈmĩɲʊ]
05 – Pedra Branca do Amaparí	[hẽˈmaw] [kaˈmĩɲʊ]	...	[iʃˈtradɐ][hẽˈmaw]	[kaˈmĩɲʊ]
06 – Porto Grande	[ˈtriʎʊ]	[ˈtriʎe]	[ˈtriʎe]	...
07 – Tartarugalzinho	[veˈredɛ] [vaˈhidɛ]	...	[vaˈredɛ] [kaˈmĩɲʊ]	[ˈtriˈe]
08 – Amapá	[ˈtriʎe]	[kaˈmĩɲʊ]	[piˈkadɛ]	[kaˈmĩɲʊ]
09 – Calçoene	[kẽˈmĩɲʊ]	[vaˈhidɛ] [kaˈmĩɲʊ]	[kaˈmĩɲʊ]	[iʃtraˈdʒiɲɛ]
10 – Oiapoque	[ˈtriʎe][kẽˈmĩɲʊ]	[kaˈmĩɲʊ]	[kẽˈmĩɲʊ]	[kaˈmĩɲʊ]

ATLAS LINGUÍSTICO DO AMAPÁ - ALAP CARTA L17

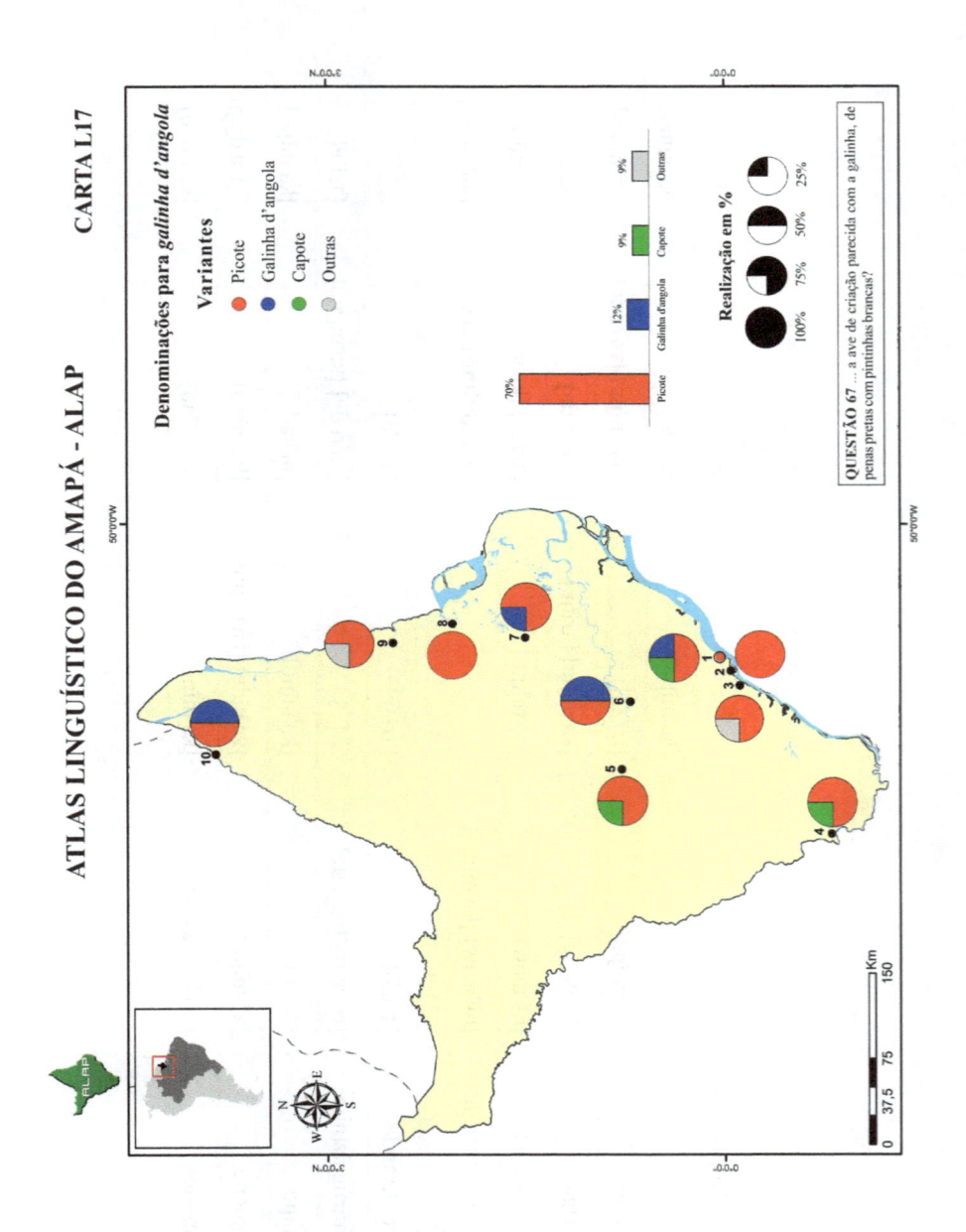

Denominações para *galinha d'angola*

Variantes
- Picote
- Galinha d'angola
- Capote
- Outras

Picote 70%
Galinha d'angola 12%
Capote 9%
Outras 9%

Realização em %: 100%, 75%, 50%, 25%

QUESTÃO 67 ... a ave de criação parecida com a galinha, de penas pretas com pintinhas brancas?

106 Atlas Linguístico do Amapá

Questão 67 – GALINHA D'ANGOLA/GUINPE/COCAR

Pontos de Inquéritos	MA	FA	MB	FB
01 – Macapá	...	[ga'ʎiɲɐ ap'ɐŋgɔlɐ]	[pi'kɔtʃi] [ka'pɔtʃi]	[pikɔtʃi]
02 – Santana	...	...	[pi'kɔtʃi]	[pi'kɔtʃi]
03 – Mazagão	[pi'kɔte]	[pi'kɔte]	[pi'kɔtʃi][ga'ʒɛ]	[pi'kɔte]
04 – Laranjal do Jarí	[pi'kɔtʃi]	[ka'pɔtʃi]	[nu'pĩ]	[pi'kɔtʃi]
05 – Pedra Branca do Amaparí	['kɔtʃi]	[pi'kɔtʃi]	...	[pi'kɔtʃi] [ka'pɔtʃi]
06 – Porto Grande	[ga'ʎiɲɐ apaŋgɔlɐ]	...	...	[pikɔtʃi]
07 – Tartarugalzinho	[pi'kɔtʃi] [ga'ʎiɲɐ apaŋgɔlɐ]	...	[pi'kɔtʃi]	[pi'kɔtʃi]
08 – Amapá	[pi'kɔtʃi]	[pi'kɔtʃi]	[pi'kɔtʃi]	[pi'kɔtʃi]
09 – Calçoene	[pikɔtʃi]	[nẽ'bu]	[pi'kɔtʃi]	[pi'kɔtʃi]
10 – Oiapoque	...	[ga'ʎiɲɐ apaŋgɔlɐ]	[pi'ʃtʃid]	...

ATLAS LINGUÍSTICO DO AMAPÁ - ALAP

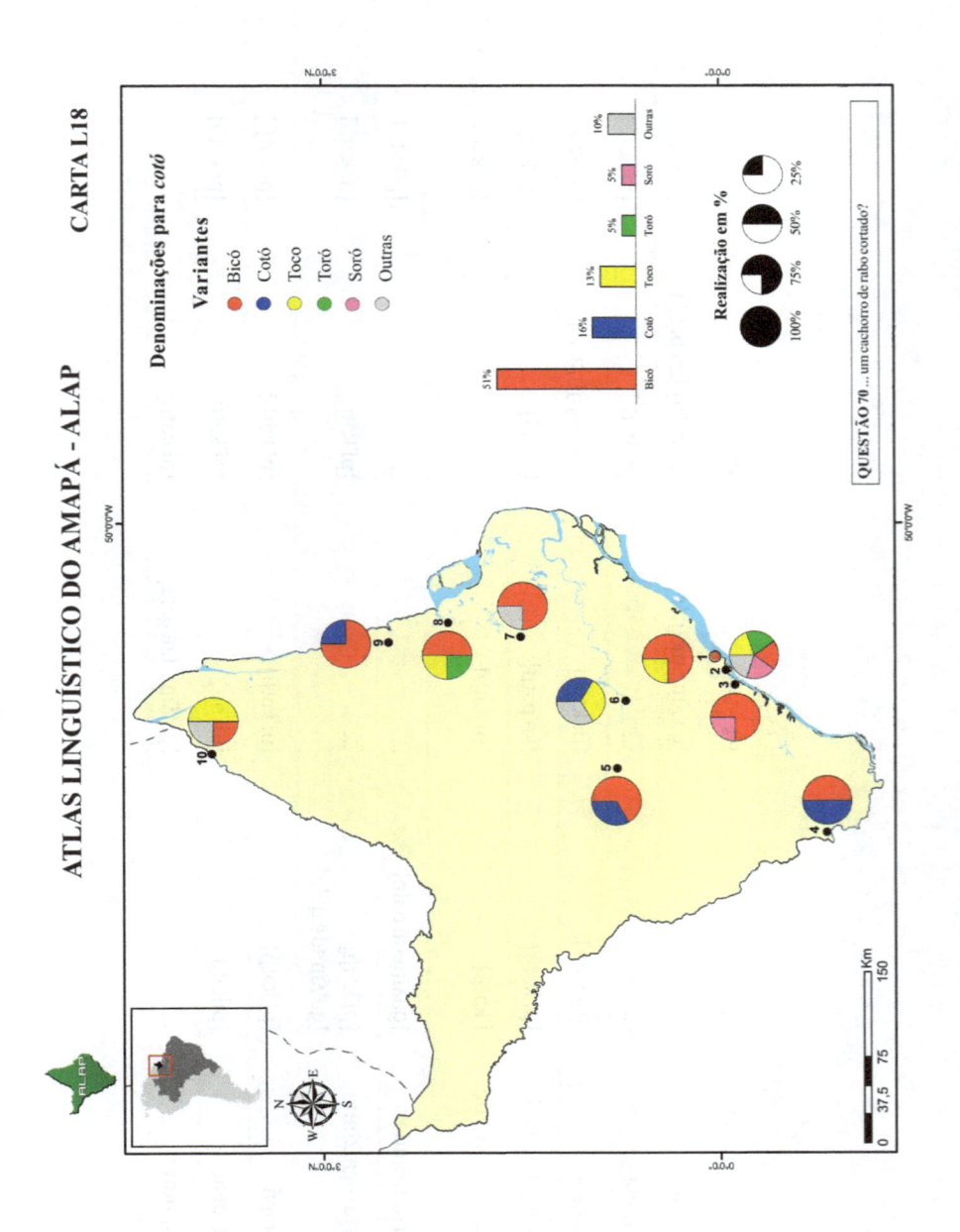

CARTA L18

Denominações para *cotó*

Variantes
- Bicó
- Cotó
- Toco
- Toró
- Soró
- Outras

Bicó 51%
Cotó 16%
Toco 13%
Toró 5%
Soró 5%
Outras 10%

Realização em %: 100%, 75%, 50%, 25%

QUESTÃO 70 ... um cachorro de rabo cortado?

Questão 70 – COTÓ

Pontos de Inquéritos	MA	FA	MB	FB
01 – Macapá	[to'kĩɲʊ]	[bi'kɔ]	[bi'kɔ]	[bi'kɔ]
02 – Santana	[sẽ'habiɲʊ]	[tɔ'tɔ]	[cɔ'cɔ]	[bi'kɔ] [tɔ'kɔ]
03 – Mazagão	[bi'kɔ]	[sɔ'tɔ]	[bi'kɔ]	[bi'kɔ]
04 – Laranjal do Jarí	[bi'kɔ]	[kɔ'tɔ]	[kɔ'tɔ]	[bi'kɔ]
05 – Pedra Branca do Amaparí	...	[bi'kɔ]	...	[bi'kɔ] [kɔ'tɔ]
06 – Porto Grande	[kɔ'tɔ]	[ha'bikɔ]	[to'kɔ]	...
07 – Tartarugalzinho	[bi'kɔ]	[habʊ'kohtadʊ]	[bi'kɔ]	[bi'kɔ]
08 – Amapá	[pi'tɔ] [kɔ'tɔ] [tɔ'kɔ]	[tɔ'tɔ]	[bi'kɔ]	[bi'kɔ]
09 – Calçoene	[kɔ'tɔ]	[bi'kɔ]	[bi'kɔ]	[bi'kɔ]
10 – Oiapoque	[to'kĩdʒihabʊ]	...	[bi'kɔ] [kɔ'tɔ]	[pi'kɔtʊ]

ATLAS LINGUÍSTICO DO AMAPÁ - ALAP

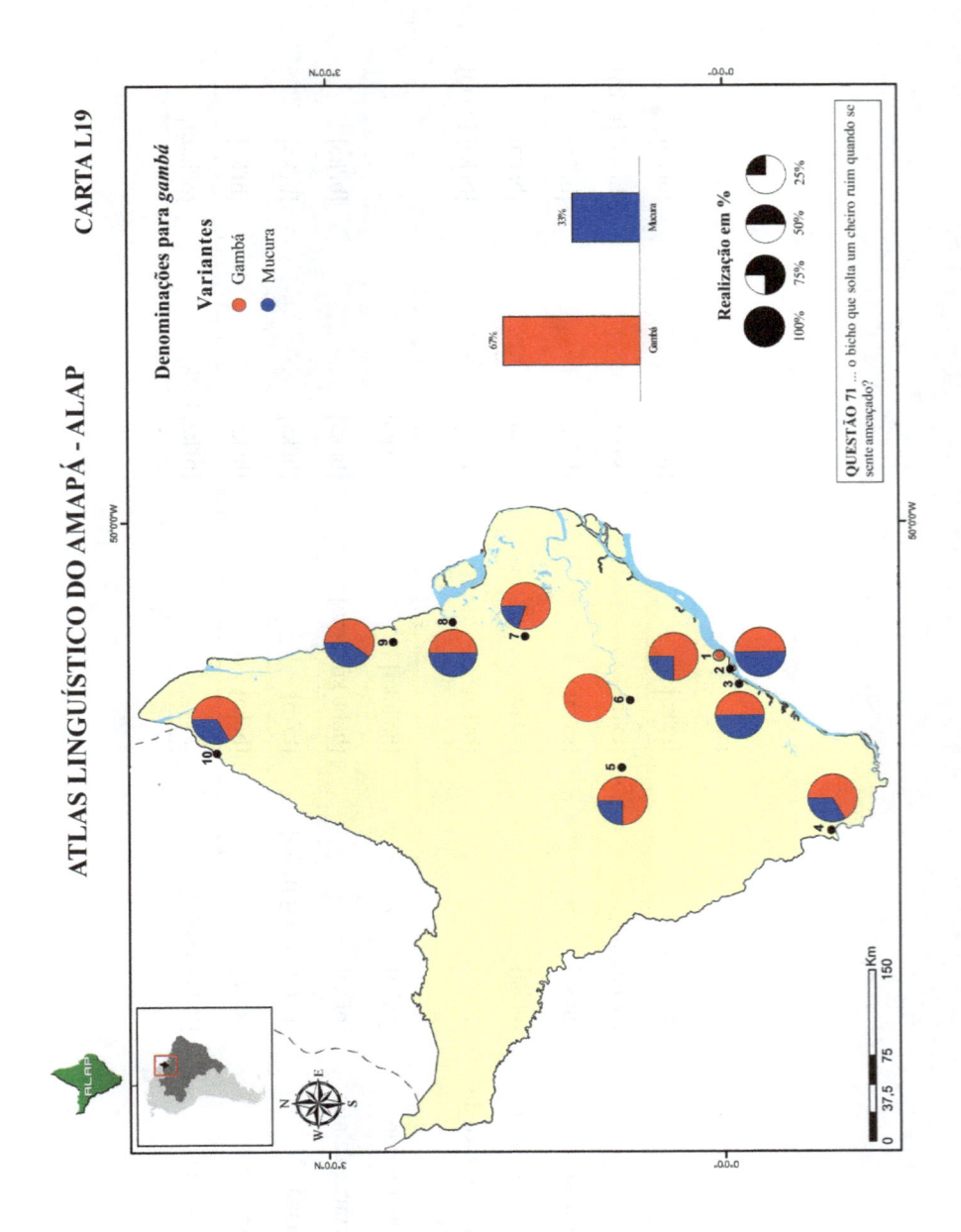

CARTA L19

Denominações para *gambá*

Variantes
- Gambá
- Mucura

Realização em %
- 100%
- 75%
- 50%
- 25%

Gambá 67%
Mucura 33%

QUESTÃO 71 ... o bicho que solta um cheiro ruim quando se sente ameaçado?

110 Atlas Linguístico do Amapá

Questão 71 – GAMBÁ

Pontos de Inquéritos	MA	FA	MB	FB
01 – Macapá	...	[gẽˈba]	[gẽˈba] [muˈkuɾɐ]	[gẽˈba]
02 – Santana	[gẽˈba]	[gẽˈba]	[muˈkuɾɐ]	[muˈkuɾɐ]
03 – Mazagão	[gẽˈba] [muˈkuɾɐ]	[muˈkuɾɐ]	[gẽˈba]	...
04 – Laranjal do Jarí	...	[gẽˈba]	[gẽˈba]	[muˈkuɾɐ]
05 – Pedra Branca do Amaparí	[gẽˈba]	[gẽˈba]	...	[muˈkuɾɐ] [gẽˈba]
06 – Porto Grande	[gẽˈba]	[gẽˈba]	[gẽˈba]	[gẽˈba]
07 – Tartarugalzinho	[gẽˈba]	[gẽˈba]	[gẽˈba] [muˈkuɾɐ]	[gẽˈba]
08 – Amapá	[gẽˈba] [muˈkuɾɐ]	[gẽˈba]	[gẽˈba] [muˈkuɾɐ]	[gẽˈba] [muˈkuɾɐ]
09 – Calçoene	[gẽˈba]	[gẽˈba]	[muˈkuɾɐ] [gẽˈba]	[muˈkuɾɐ]
10 – Oiapoque	[gẽˈba]	[gẽˈba]	[muˈkuɾɐ]	...

ATLAS LINGUÍSTICO DO AMAPÁ - ALAP

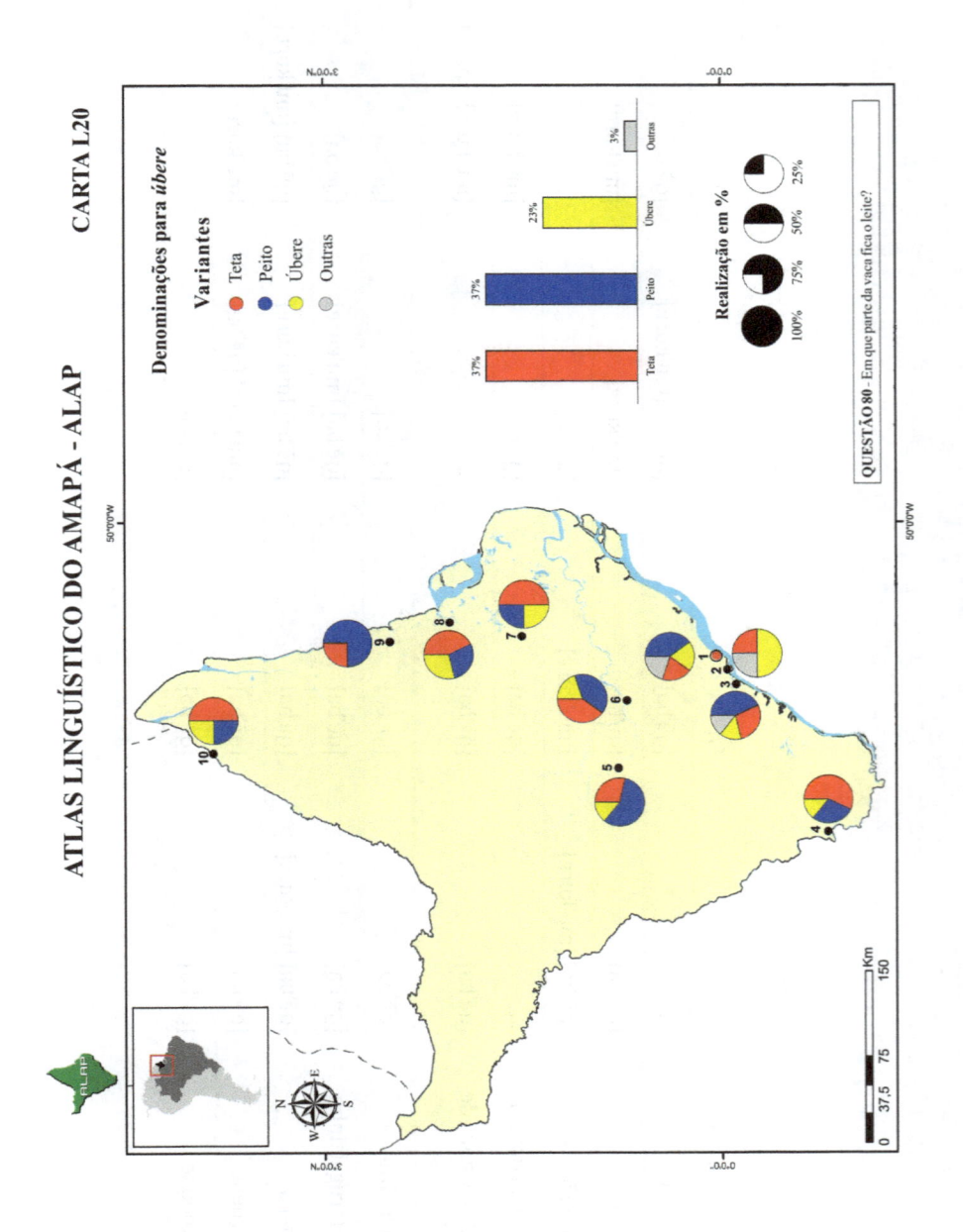

CARTA L20

Denominações para *úbere*

Variantes
- Teta
- Peito
- Úbere
- Outras

Realização em %
100% / 75% / 50% / 25%

QUESTÃO 80 - Em que parte da vaca fica o leite?

Variante	%
Teta	37%
Peito	37%
Úbere	23%
Outras	3%

Questão 80 – ÚBERE

Pontos de Inquéritos	MA	FA	MB	FB
01 – Macapá	['pejtʊ]	['ubrɪ]	['pejtʊ] ['tete]	['moʒʊ]
02 – Santana	['teteʃ]	[ma'mĩnɐmamĩɲa]	['ubrɪ]	['ubrɪ]
03 – Mazagão	['pejtʊ] ['tete]	['tete]	['ubrɪ] ['pejtʊ]	['pejtʊ] ['sejw]
04 – Laranjal do Jari	['tete] ['pejtʊ] ['ubrɪ]	['tete] ['pejtʊ]	['tete]	['tete]
05 – Pedra Branca do Amaparí	['tete] ['pejtʊ]	['pejtʊ]	['pejtʊ] ['tete]	['pejtʊ] ['ubrɪ]
06 – Porto Grande	['ubere]	['pejtʊ] ['tete]	['pejtʊ]	['tete]
07 – Tartarugalzinho	['teteʃ] [u'brɪ]	['pejtʊʃ] ['teteʃ]	['pejtʊ] ['tete]	['ubrɪ] ['tete]
08 – Amapá	['tete]	['tete] ['pejtʊ]	['ubrɪ] ['tete] ['pejtʊ]	['ubrɪ]
09 – Calçoene	['pejtʊ]	['pejtʊ]	['pejtʊ]	['ubrɪ]
10 – Oiapoque	['tete]	['pejtʊ] [naʃ'tete]	['ubrɪ]	...

ATLAS LINGUÍSTICO DO AMAPÁ - ALAP

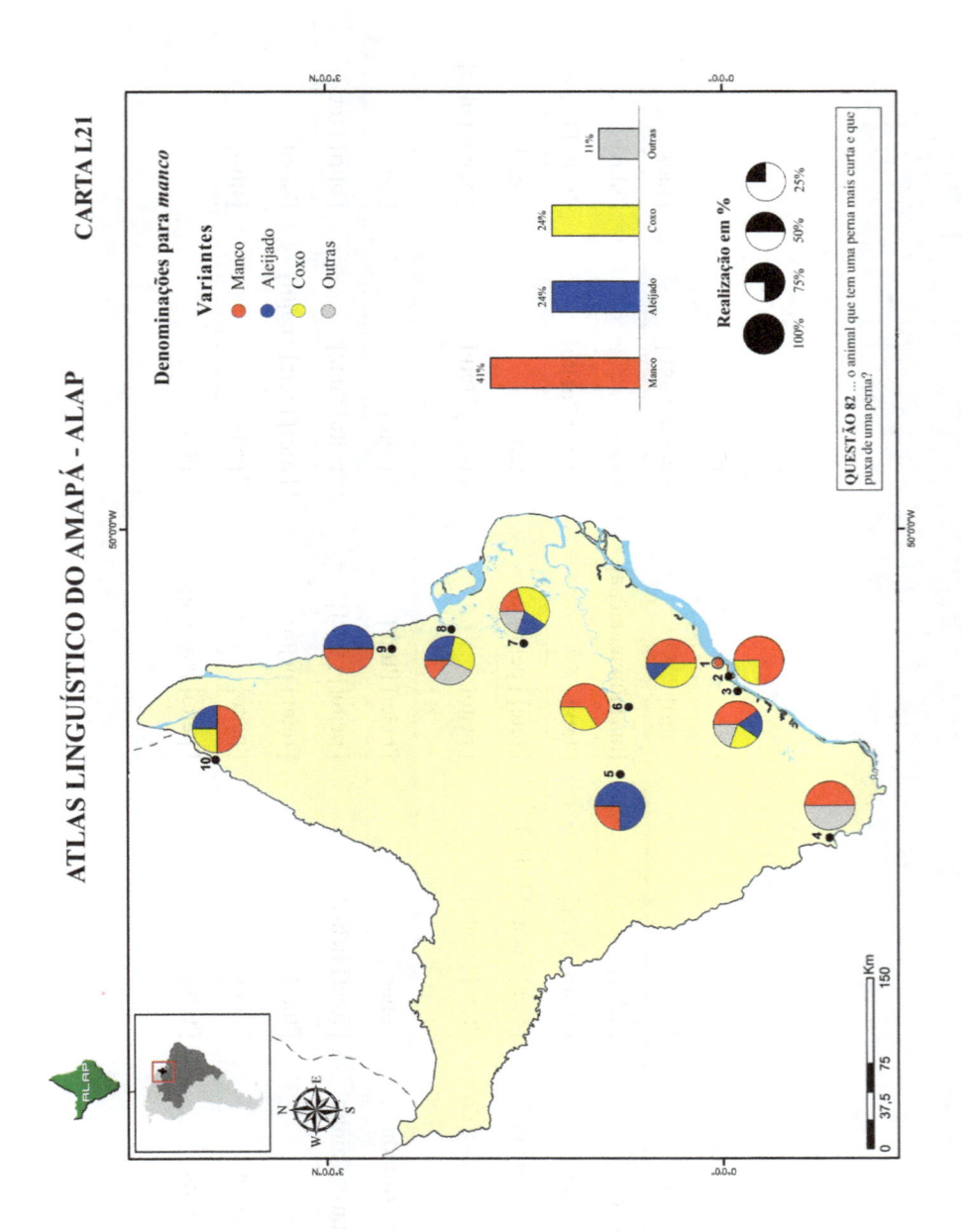

CARTA L21

Denominações para *manco*

Variantes
- 🔴 Manco
- 🔵 Aleijado
- 🟡 Coxo
- ⚪ Outras

Realização em %: 100%, 75%, 50%, 25%

Manco 41%
Aleijado 24%
Coxo 24%
Outras 11%

QUESTÃO 82 ... o animal que tem uma perna mais curta e que puxa de uma perna?

114 Atlas Linguístico do Amapá

Questão 82 – MANCO

Pontos de Inquéritos	MA	FA	MB	FB
01 – Macapá	[ˈmẽkʊ]	[ˈmẽkʊ] [ˈkoʃʊ]	[ˈmẽkʊ] [ˈkoʃʊ] [aleˈʒadʊ]	[ˈkoʃʊ] [ˈmẽkʊ]
02 – Santana	[mẽˈkẽdʊ]	[ˈmẽkʊ]	[ˈkoʃʊ]	[ˈmẽkʊ]
03 – Mazagão	[aleˈʒadʊ] [ˈmẽkʊ]	[ˈmẽkʊ]	[ˈkoʃʊ]	[defeʃtuˈozʊ] [defisiˈẽtʃi]
04 – Laranjal do Jarí	...	[ˈmẽkʊ]	[koˈtɔ]	...
05 – Pedra Branca do Amaparí	[leˈʒadʊ]	[aleˈʒadʊ]	[aleˈʒadʊ]	[ˈmẽkʊ]
06 – Porto Grande	[ˈmẽkʊ]	[ˈmẽkʊ]	[ˈkoʃʊ]	...
07 – Tartarugalzinho	[ˈmẽkʊ] [kaˈpẽge]	[aleˈʒadʊ]	[ˈkoʃʊ]	[ˈkoʃʊ]
08 – Amapá	[aleˈʒadʊ] [pɛhne keˈbradɛ]	[ˈmẽkʊ]	[ˈkoʃʊ]	[ˈkuʃʊ] [aleˈʒadʊ] [kõˈɲɔ]
09 – Calçoene	[aleˈʒadʊ]	[ˈmẽkʊ]	[aleˈʒadʊ]	[ˈmẽkʊ]
10 – Oiapoque	[aleˈʒadʊ]	[ˈmẽkʊ]	[ˈmẽkʊ]	[ˈcjɔ]

ATLAS LINGUÍSTICO DO AMAPÁ - ALAP

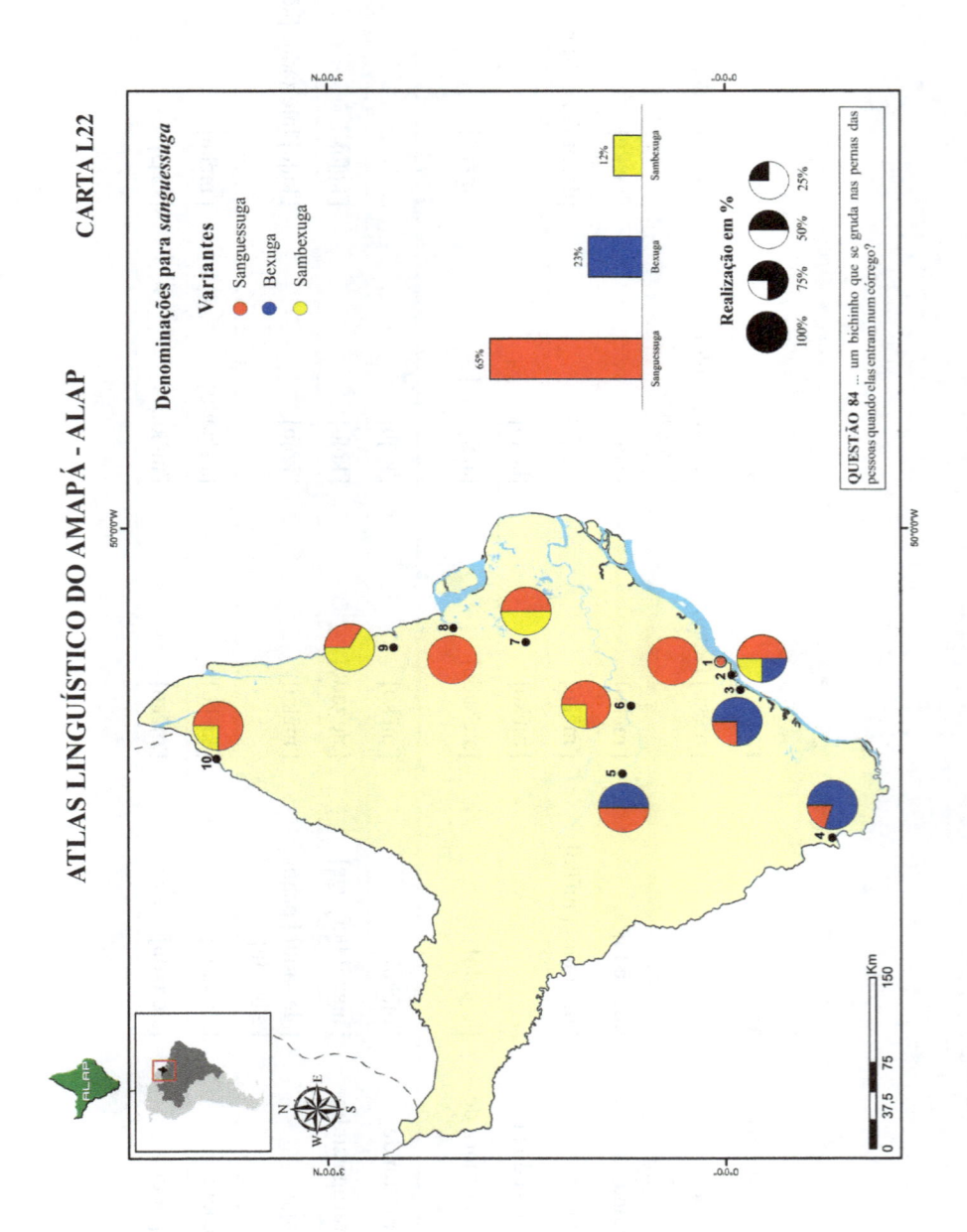

CARTA L22

Denominações para *sanguessuga*

Variantes:
- 🔴 Sanguessuga
- 🔵 Bexuga
- 🟡 Sambexuga

Sanguessuga 65%
Bexuga 23%
Sambexuga 12%

Realização em %: 100%, 75%, 50%, 25%

QUESTÃO 84 ... um bichinho que se gruda nas pernas das pessoas quando elas entram num córrego?

116   Atlas Linguístico do Amapá

Questão 84 - SANGUESSUGA

Pontos de Inquéritos	MA	FA	MB	FB
01 – Macapá	[sẽgiˈsuga]	[sẽgiˈsuga]	[sãgiˈsuga]	[sẽgiˈsuga]
02 – Santana	[sẽgiˈsuga]	[sẽgiˈsuga]	[biˈʃuga]	[sẽgiˈʃuga]
03 – Mazagão	[biˈʃuga]	[biˈʃuga]	[sãgiˈʃuga]	[biˈʃuga]
04 – Laranjal do Jarí	[biˈʃuga]	[biˈʃuga]	[biˈʃuga] [sãgiˈʃuga]	[biˈʃuga]
05 – Pedra Branca do Amaparí	[biˈʃuga]	[sãgiˈsuga]	[biˈʃuga]	[sãgiˈsuga]
06 – Porto Grande	[sẽgiˈsuga]	[sẽgiˈsuga]	[sãgiˈʃuga]	[sẽgiˈsuga]
07 – Tartarugalzinho	[sẽbiˈʃuga] [sãgiˈsuga]	[sãgiˈʃuga]	[sãgiˈʃuga]	[sãgiˈʃuga]
08 – Amapá	[sẽgiˈsuga]	[sẽgiˈsuga]	[sãgiˈʃuga]	[sãgiˈʃuga]
09 – Calçoene	[ˈleʒme]	[sẽgiˈsuga]	[ʃaˈʃuga]	[sãgiˈsuga]
10 – Oiapoque	[sẽgiˈsuga]	[sẽgiˈsuga]	[sẽbiˈʃuga]	[sãgiˈsuga]

Nota: Ao contrário do que se esperava, este item lexical só apresentou variantes fonéticas e não lexicais, como podemos observar no quadro acima.

ATLAS LINGUÍSTICO DO AMAPÁ - ALAP

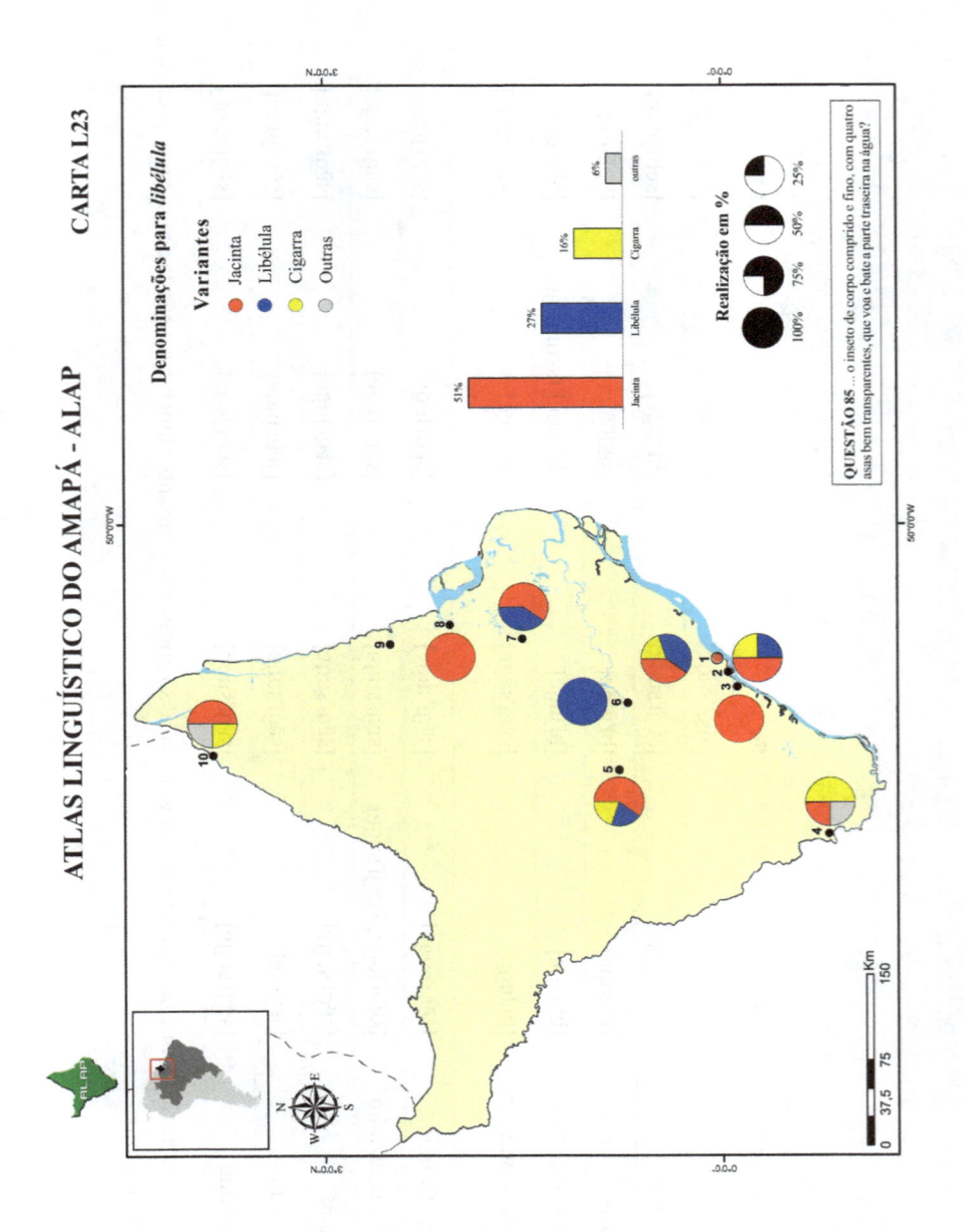

CARTA L23

Denominações para *libélula*

Variantes
- 🔴 Jacinta
- 🔵 Libélula
- 🟡 Cigarra
- ⚪ Outras

Jacinta 51%
Libélula 27%
Cigarra 16%
outras 6%

Realização em %
- 100%
- 75%
- 50%
- 25%

QUESTÃO 85. ... o inseto de corpo comprido e fino, com quatro asas bem transparentes, que voa e bate a parte traseira na água?

Questão 85 – LIBÉLULA/JACINTO			
Pontos de Inquéritos	MA	FA	MB	FB
01 – Macapá	[siˈgahɛ]	[lʲiˈbɛlulɐ] [ʒaˈsinɐ]	[ʒaˈsinɐ] [ʲiˈbɛlɛ]	[lʲiˈbɛrulɐ] [ʒaˈsĩtɛ]
02 – Santana	[ˈsigahɛ]	[liˈbɛlulɐ]	[ʒaˈsĩtɛ]	[ʒaˈsĩtɛ]
03 – Mazagão	...	[ʒaˈsĩtɛ]	[ʒaˈsĩtɛ]	...
04 – Laranjal do Jarí	[siˈgahɛ]	[siˈgãhɛ]	[ʒaˈsĩtɛ]	[siˈgahɛ]
05 – Pedra Branca do Amaparí	[ʒaˈsĩtɛ]	[siˈgahɛ] [lʲibeˈlulɐ]	[ʒaˈsĩtɛ]	[ʒaˈsĩtɛ]
06 – Porto Grande	[lʲibeˈlulɐ]	[lʲiˈbelulɐ]	[lʲiˈbelulɐ]	...
07 – Tartarugalzinho	[ʒasĩtɛ] [lʲiˈbɛlulɐ]	[lʲiˈbɛlulɐ]	[ʒasĩtɛ]	[ʒaˈsĩtʊ]
08 – Amapá	[ʒaˈsĩtɛ]	[ʒaˈsĩtɛ]	[ʒaˈsĩtɛ]	[ʒaˈsĩtɛ]
09 – Calçoene	...	...	...	...
10 – Oiapoque	[ʒaˈsĩtɛ]	[siˈgahɛ]	[ʒaˈsĩtɛ]	...

ATLAS LINGUÍSTICO DO AMAPÁ - ALAP

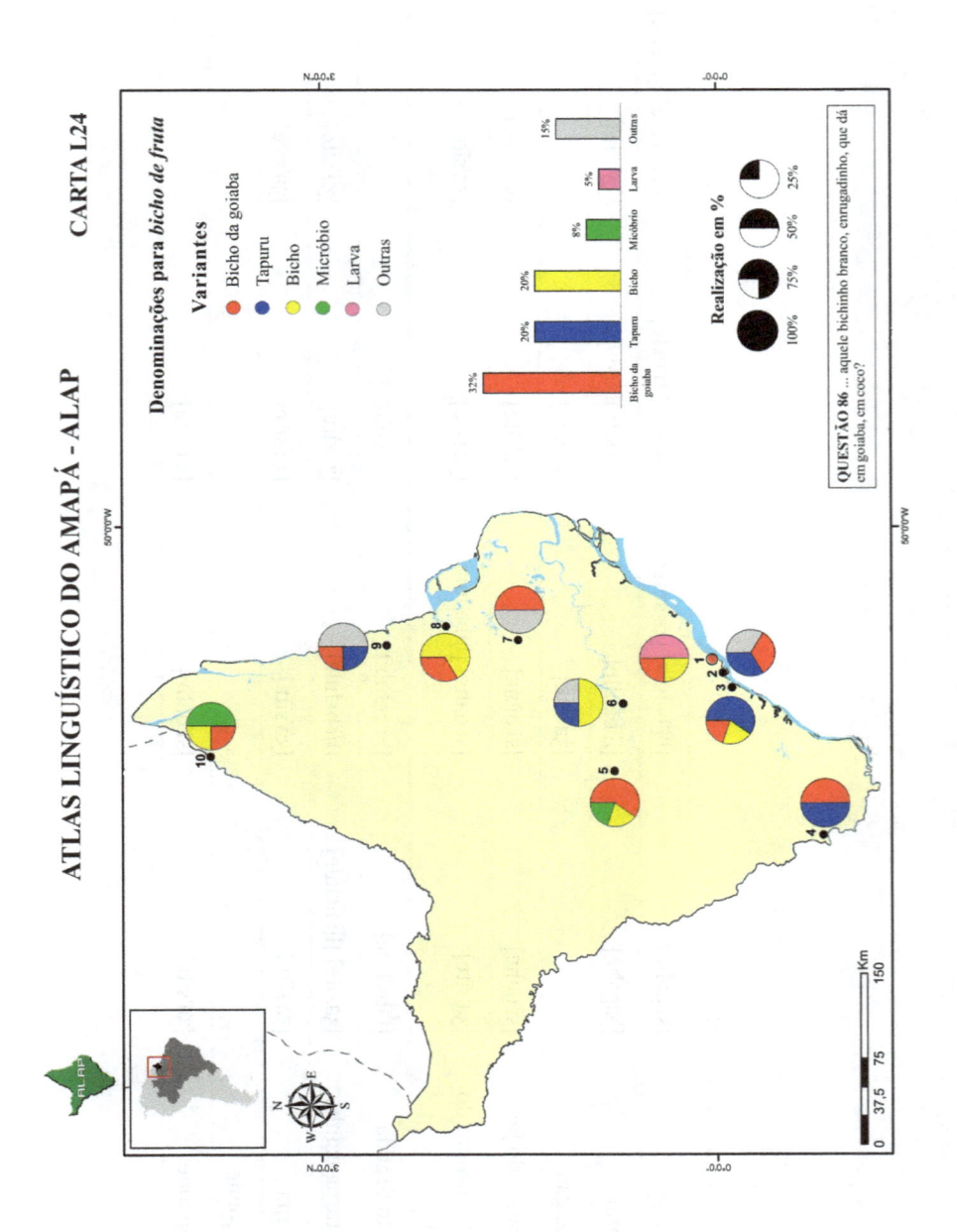

CARTA L24

Denominações para *bicho de fruta*

Variantes
- Bicho da goiaba
- Tapuru
- Bicho
- Micróbio
- Larva
- Outras

Variante	%
Bicho da goiaba	32%
Tapuru	20%
Bicho	20%
Micróbio	8%
Larva	5%
Outras	15%

Realização em %: 100%, 75%, 50%, 25%

QUESTÃO 86 ... aquele bichinho branco, enrugadinho, que dá em goiaba, em coco?

120 Atlas Linguístico do Amapá

Questão 86 – BICHO DE FRUTA

Pontos de Inquéritos	MA	FA	MB	FB
01 – Macapá	['laɦve]	['laɦve]	['biʃʊ]	['biʃʊdɛgojˈabɛ]
02 – Santana	...	['biʃʊdagojˈabɛ]	[tuˈɾu]	[tapuˈɾu]
03 – Mazagão	[tapuˈɾu]	['biʃʊ] [tapuˈɾu]	['biʃʊdʒɪgojˈabɛ]	[tapuˈɾu]
04 – Laranjal do Jarí	...	['biʃʊdagojˈabɛ] [tapuruˈzĩɲʊ]	[tapuruˈzĩɲʊ] ['biʃʊdagojˈabɛ]	...
05 – Pedra Branca do Amaparí	['biʃʊdagojˈabɛ]	['biʃʊ] [miˈkɔbɾɪʊ]	['biʃʊdagojˈabɛ]	['biʃʊdʒɪgojˈabɛ]
06 – Porto Grande	['biʃʊ ʤiˈfɾutʊ]	['biʃʊ]	['biʃʊ]	[tapuˈɾu]
07 – Tartarugalzinho	['biʃʊdɛgojˈabɛ]	[fiˊʊdʒɪˈmoʃkɛ]	['biʃʊdɛgojˈabɛ]	['biʃʊdʒɪˈmoʃkɛ]
08 – Amapá	['biʃʊ]	[biˈʃĩɲʊ]	...	['biʃʊdagojˈabɛ]
09 – Calçoene	[laɦˈgatʊ]	[tapuˈɾu]	['biʃʊdagojˈabɛ]	['biʃʊdʒɪbiˈʃeɾe]
10 – Oiapoque	[miˈkɔbɾɪʊ]	[mikɔbɾɪʊˈzĩɲʊ]	['biʃʊ]	['biʃʊdagojˈabɛ]

ATLAS LINGUÍSTICO DO AMAPÁ - ALAP

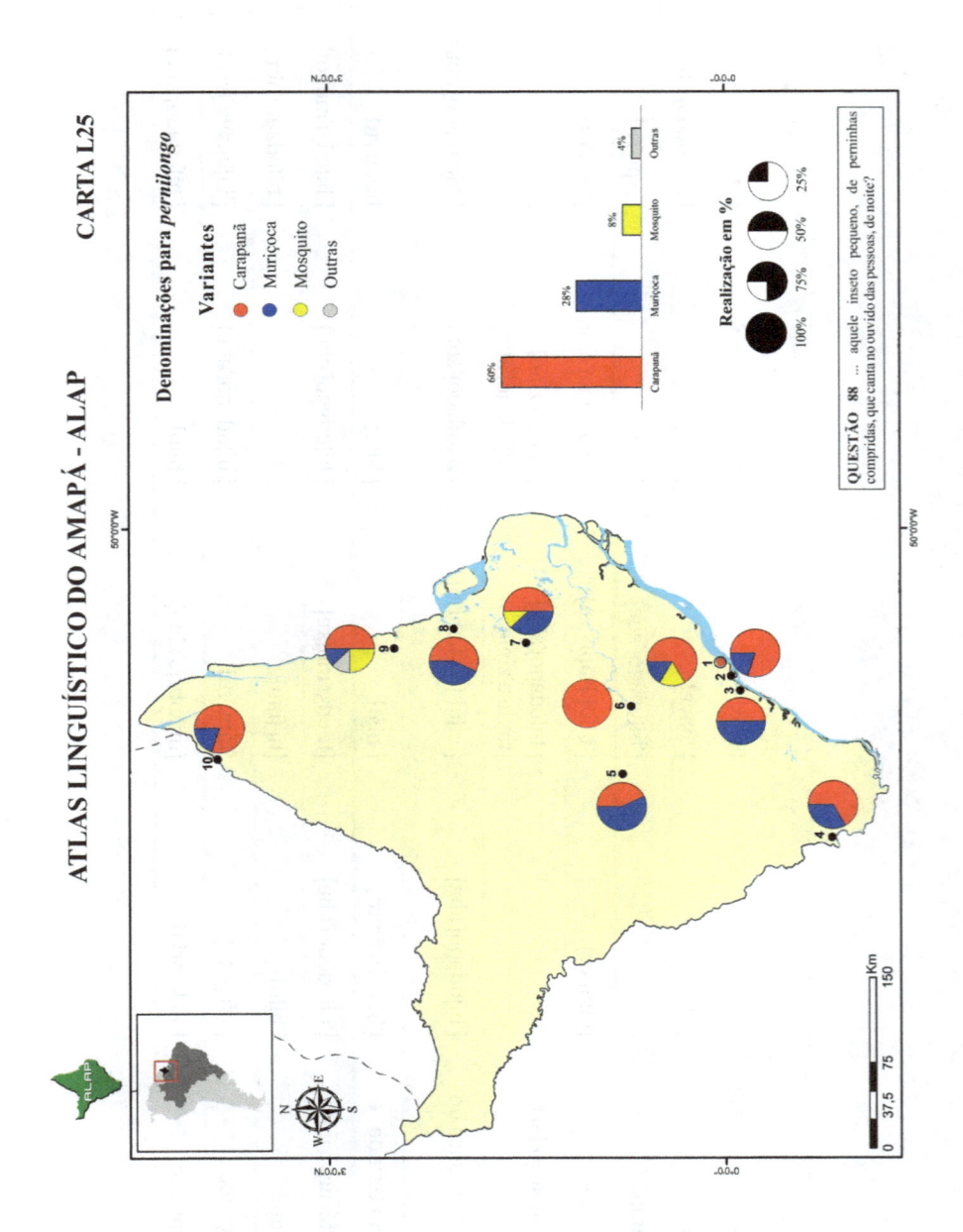

CARTA L25

Denominações para *pernilongo*

Variantes:
- 🔴 Carapanã
- 🔵 Muriçoca
- 🟡 Mosquito
- ⚪ Outras

Carapanã 60%
Muriçoca 28%
Mosquito 8%
Outras 4%

Realização em %
- 100%
- 75%
- 50%
- 25%

QUESTÃO 88 ... aquele inseto pequeno, de perninhas compridas, que canta no ouvido das pessoas, de noite?

Questão 88 – PERNILONGO/CARAPANÃ/MURIÇOCA

Pontos de Inquéritos	MA	FA	MB	FB
01 – Macapá	[karapẽ'nẽ] [muʃ'kitʊ]	[karapẽ'nẽ]	[karapẽ'nẽ]	[karapẽ'nẽ] [muri'sɔke]
02 – Santana	[karapẽ'nẽ]	[karapẽ'nẽ]	[karapẽ'nẽ]	[karapẽ'nẽ] [sɔ'ɾɔsɔke]
03 – Mazagão	[karapẽ'nẽ][mɔ'ɾɔsɔke]	[karapẽ'nẽ][mɔ'ɾɔsɔke]	[karapa'nẽ][takũ'piw] [muri'sɔke]	[kapẽ'nẽ] [mɔ'sɔke]
04 – Laranjal do Jarí	[karapa'nẽ]	[karapẽ'nẽ][muri'sɔke]	[karapẽ'nẽ] [muri'sɔke]	[karapẽ'nẽ]
05 – Pedra Branca do Amaparí	[karapẽ'nẽ] [muri'sɔke]	[karapẽ'nẽ] [muri'sɔke]	[muri'sɔke]	[karapẽ'nẽ] [mori'sɔke]
06 – Porto Grande	...	[karapã'nã]	...	...
07 – Tartarugalzinho	[muri'sɔke] [karapẽ'nẽ] [muʃ'kitʊ]	[karapẽ'nẽ]	[karapẽ'nẽ] [mori'sɔke]	[karapẽ'nẽ] [muri'sɔke]
08 – Amapá	[karapẽ'nẽ]	[muri'sɔke][karapẽ'nẽ]	[karapẽ'nẽ] [ɐ̃ŋɡã'nẽ]	[karapã'nã] [sɔ'ɾɔsɔke]
09 – Calçoene	[karapẽ'nẽ] [maru'ĩ]	[karapã'nã] [muʃ'kitʊ]	[karapẽ'nẽ] [muʃ'kitʊ]	[mɔ'sɔke] [karapã]
10 – Oiapoque	[karapẽ'nẽ]	[karapã'nã]	[karapẽ'nẽ] [mɔ'ɾɔsɔke]	[karapẽ'nẽ]

ATLAS LINGUÍSTICO DO AMAPÁ - ALAP

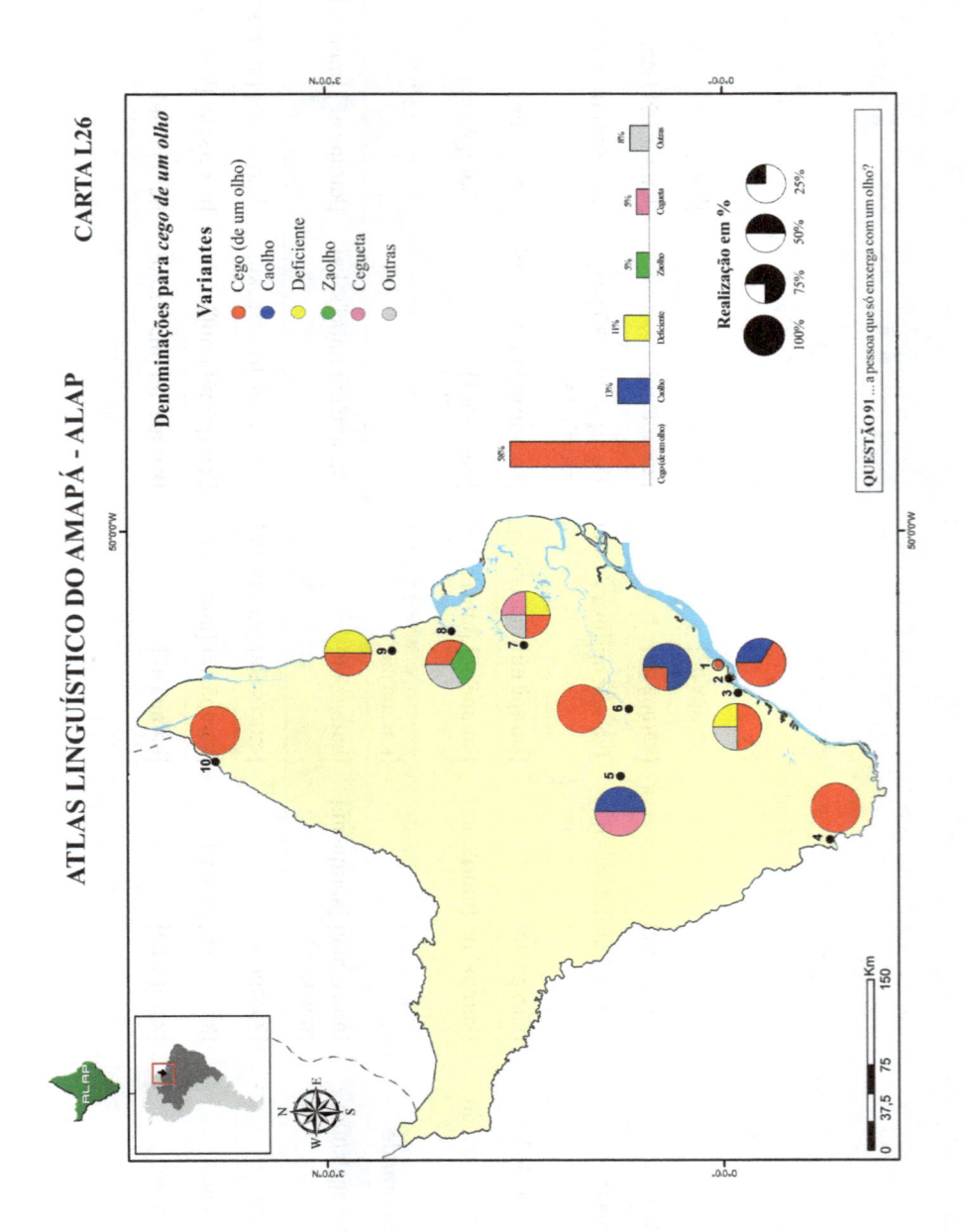

CARTA L26

Denominações para *cego de um olho*

Variantes
- Cego (de um olho)
- Caolho
- Deficiente
- Zaolho
- Cegueta
- Outras

Realização em %: 100%, 75%, 50%, 25%

Cego (de um olho) 58%; Caolho 15%; Deficiente 10%; Zaolho 5%; Cegueta 5%; Outras 8%

QUESTÃO 91 ... a pessoa que só enxerga com um olho?

124 Atlas Linguístico do Amapá

Questão 91 – CEGO DE UM OLHO

Pontos de Inquéritos	MA	FA	MB	FB
01 – Macapá	[ka'oljʊ]	[ka'oljʊ]	['sɛgʊ]	[ka'oljʊ]
02 – Santana	...	[kaoʎʊ] ['sɛgũdũ'oʎʊ]	['sɛgʊ]	...
03 – Mazagão	[defisj'êtʃi]	[sɛĩ'ɛɦgaɖũ'oljʊ]	[bi'ɔɲikʊ]	['sɛgʊdʒiũladʊ]
04 – Laranjal do Jarí	['sɛgʊ]	['sɛgʊdũ'ladʊ]	['sɛgʊ'dũ'ladʊ]	...
05 – Pedra Branca do Amaparí	[ka'oljʊ]	...	...	[se'getʊ]
06 – Porto Grande	[②sɛgʊ dʒiũ'oʎʊ]	['sɛgʊ]	['sɛgʊ]	[aβas]
07 – Tartarugalzinho	[se'getɐ]	[defisi'êtʃi]	['sɛgʊdotuladʊ]	[fawtʊdũladʊɒɐvi∫tɐ]
08 – Amapá	[pi'ratɛ] ['sɛgʊ]	[za'oʎʊ] [za'noʎʊ]	['sɛgʊ]	[ɲʊ'ez]
09 – Calçoene	[defisi'êtʃi]	[defisi'êtʃi]	['sɛgʊ]	['sɛɐsaβɔcsʒiũ'ladʊ]
10 – Oiapoque	[aβas]	[aβas]	[aβas]	[aβas]

ATLAS LINGUÍSTICO DO AMAPÁ - ALAP   CARTA L27

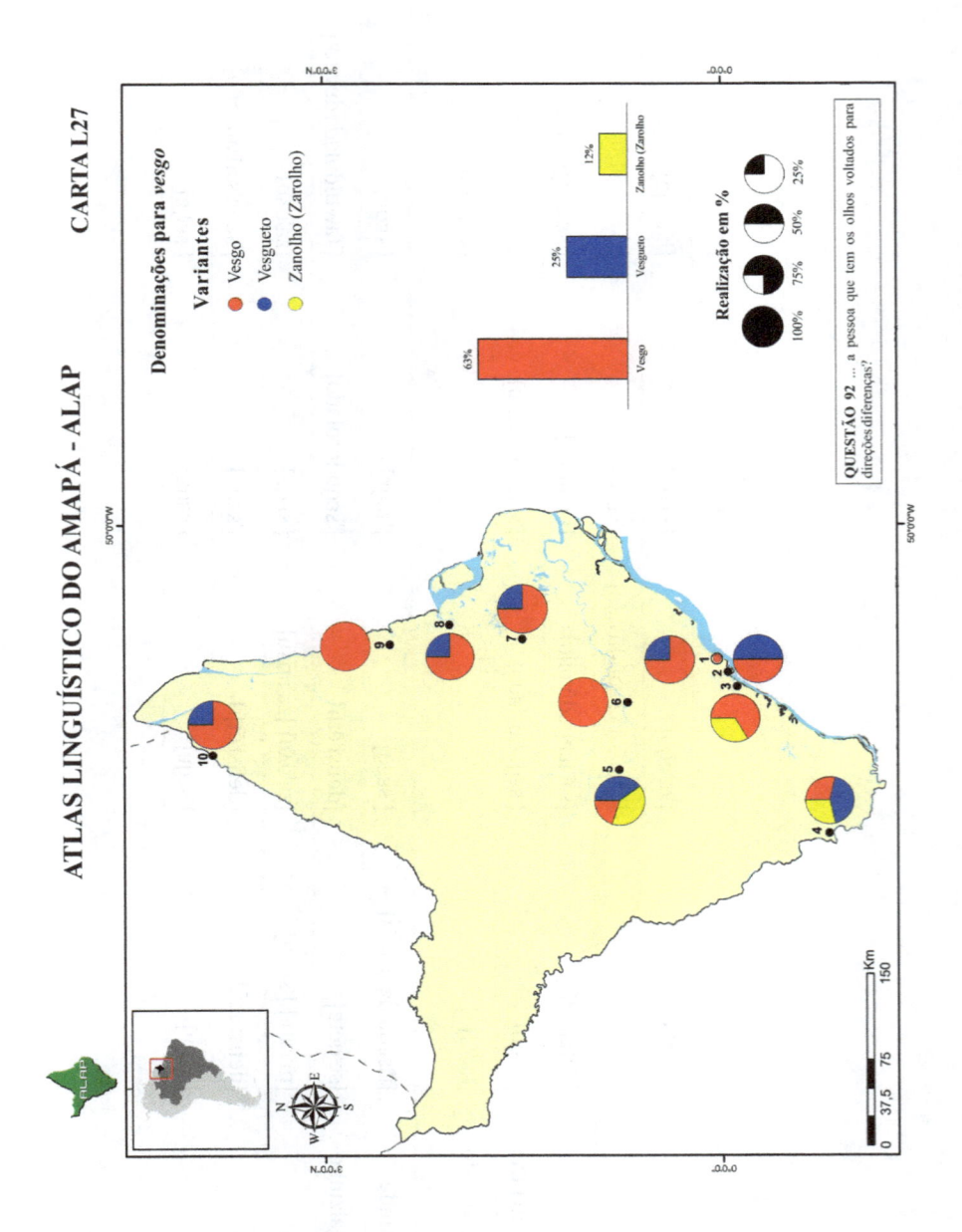

Denominações para *vesgo*

Variantes
- 🔴 Vesgo
- 🔵 Vesgueto
- 🟡 Zanolho (Zarolho)

Vesgo 63%
Vesgueto 25%
Zanolho (Zarolho) 12%

Realização em %: 100%, 75%, 50%, 25%

QUESTÃO 92 ... a pessoa que tem os olhos voltados para direções diferenças?

Questão 92 – VESGO				
Pontos de Inquéritos	MA	FA	MB	FB
01 – Macapá	[veʒˈgetʊ]	[ˈveʒgʊ]	[ˈveʒgʊ]	[ˈveʒgʊ]
02 – Santana	[veʒˈgetʊ]	[veʒˈgetʊ]	[ˈveʒgʊ]	[ˈvehgʊ]
03 – Mazagão	[iˈveʒkʊ]	...	[ˈveʒgʊ]	[zẽˈnoljʊ]
04 – Laranjal do Jarí	[ˈveʒgʊ]	[viʒˈgetʊ] [zaˈroʎʊ]	[zaˈroʎʊ] [veʒˈgetʊ]	[veʒˈgetʊ] [ˈveʒgʊ]
05 – Pedra Branca do Amaparí	[ˈgetʊ]	[vejʒˈgetʊ]	[zẽˈnoljʊ]	[zẽˈnoljʊ] [ˈvejʒgʊ]
06 – Porto Grande	[ˈvejʒgɐ]	[ˈvejʒgʊ]	[ˈvejʒgʊ]	[ˈvejʒgɐ]
07 – Tartarugalzinho	[ˈveʒgʊ] [veʒˈgete]	[ˈvejʒgʊ]	[ˈvejʒgʊ]	...
08 – Amapá	[veʒˈgetʊ]	[ˈveʒgʊ]	[ˈveʒgɐ]	[ˈveʒgʊ]
09 – Calçoene	[ˈveʒgʊ]	[ˈveʒgʊ]	[ˈveʒgʊ duˈoʎʊ]	[ˈveʒgʊ]
10 – Oiapoque	[vejʒˈgetʊ]	[ˈveʒgʊ]	[ˈveʒgʊ]	[ˈveʒgʊ]

ATLAS LINGUÍSTICO DO AMAPÁ - ALAP

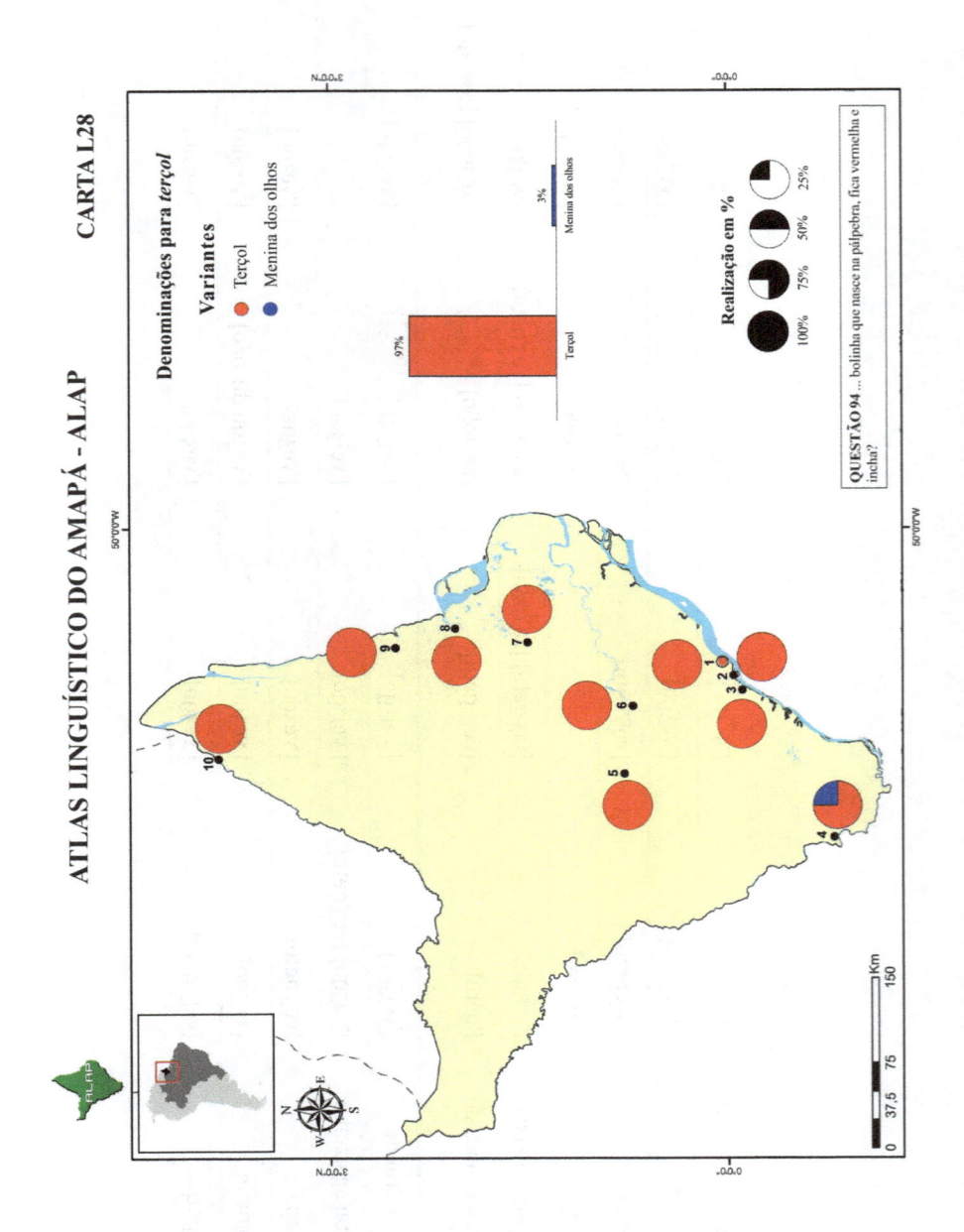

CARTA L28

Denominações para *terçol*

Variantes
- Terçol
- Menina dos olhos

Menina dos olhos 3%
Terçol 97%

Realização em %
100% 75% 50% 25%

QUESTÃO 94 ... bolinha que nasce na pálpebra, fica vermelha e incha?

Questão 94 – TERÇOL

Pontos de Inquéritos	MA	FA	MB	FB
01 – Macapá	[te'sɔw]	[tri'sɔw]	[tre'sɔw]	[te'sæ]
02 – Santana	[tri'sɔw]	[tre'sɔw]	[tri'sɔw]	[tre'sɔ]
03 – Mazagão	...	[tre'sɔw]	[tɛh'sɔw]	[trej'sɔw trej'sɔw]
04 – Laranjal do Jarí	[tre'sɔw]	[trej'sɔw]	[tre'sɔw]	[ami'ɲinadu'ʒʌɲ]
05 – Pedra Branca do Amaparí	[tri'sɔw]	[tre'sɔw]	[tre'sɔw]	[tri'sɔw]
06 – Porto Grande	[tɛh'sɔw]	[tri'sɔw]	[tri'sɔw]	[tre'sɔw]
07 – Tartarugalzinho	[tɛh'sɔw]	[tri'sɔw]	[tre'sɔw]	[tɛh'sɔw]
08 – Amapá	[tri'sɔw]	[tre'sɔw]	[tre'sɔw]	[tɛh'sɔw]
09 – Calçoene	[tre'sɔw]	[trẽ'sɔw]	[tɛh'sɔw]	[tɛh'sɔ]
10 – Oiapoque	...	[tri'sɔw]	[trɛ'sɔw]	[tri'sɔw]

Nota: Ao contrário do que se esperava, este item lexical só apresentou variantes fonéticas e não lexicais.

ATLAS LINGUÍSTICO DO AMAPÁ - ALAP

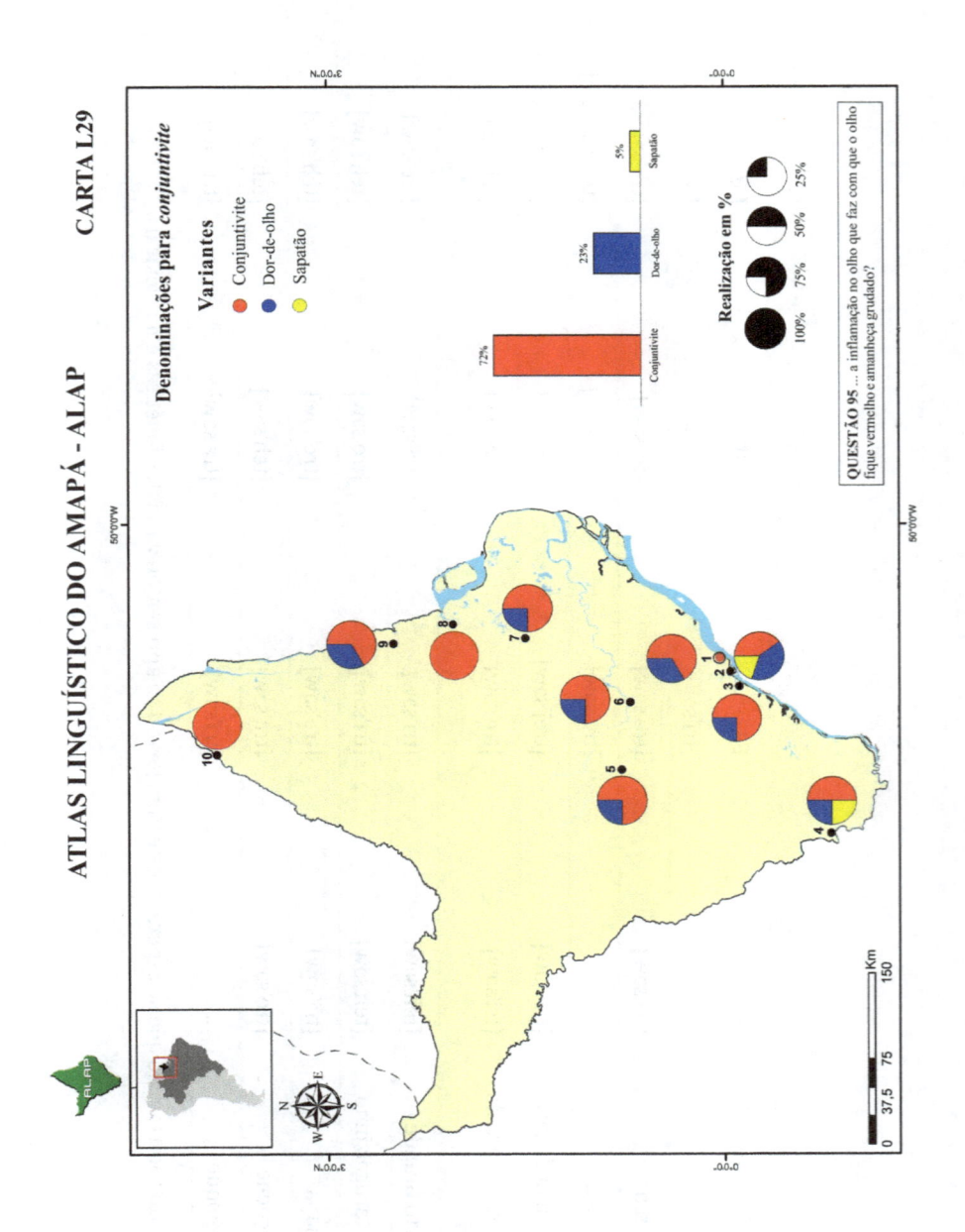

CARTA L29

Denominações para *conjuntivite*

Variantes
- 🔴 Conjuntivite
- 🔵 Dor-de-olho
- 🟡 Sapatão

Conjuntivite 72%
Dor-de-olho 23%
Sapatão 5%

Realização em %: 100%, 75%, 50%, 25%

QUESTÃO 95 ... a inflamação no olho que faz com que o olho fique vermelho e amanheça grudado?

Questão 95 – CONJUNTIVITE

Pontos de Inquéritos	MA	FA	MB	FB
01 – Macapá	...	[kõʒũtʃi'vitʃɪ]	['doɦdʒɪ'oʎjʊ]	[kõʒũtʃi'vitʃɪ]
02 – Santana	...	[kõʒũtʃi'vitʃɪ]	['doh'dʒɪ'oʎʊ] [buki'vitʃɪ]	['doh'dʒɪ'ɔʎʊ] [sapa'tẽw̃]
03 – Mazagão	[kõvitʃi'vitʃɪ]	[kõvitʃi'vitʃɪ]	[kõʒũtʃi'vitʃɪ]	[doɦdʒɪ'oljʊ]
04 – Laranjal do Jarí	['kahɲɪkre'side]	[kõʒũtʃi'vitʃɪ] [sapa'tẽw̃]	[koʒutʃi'vitʃɪ]	['do'dʒɪ'ɔʎʊ]
05 – Pedra Branca do Amaparí	[kõʒũtʃi'vitʃɪ]	[kõʒũtʃi'vitʃɪ]	...	[kõʒũtʃi'vitʃɪ] [doɦdʒɪ'oljʊ]
06 – Porto Grande	[kõʒutʃi'vitʃɪ]	[kõʒũtʃi'vitʃɪ]	['doɦdʒɪ'oʎʊ]	[kõvitʃi'vitʃɪ]
07 – Tartarugalzinho	[kõʒũtʒi'vitʃɪ]	[kõhutʒi'vitʃɪ]	[dodʒi'oljʊ]	[kõʒutʃi'vitʃɪ]
08 – Amapá	[koʒitʃi'vitʃɪ]	[kõvitʃi'vitʃɪ]	[kovitʃi'vitʃɪ]	[koʒitʃi'vitʃɪ]
09 – Calçoene	['vitʃi' vitʃɪ]	['vitʃi'vitʃɪ]	['donu'oʎʊ]	[tewoʎʊ'taiɦla'madu]
10 – Oiapoque	[kõʒũtʃi'vitʃɪ]	[kõʒũtʃi'vitʃɪ]	[kõvitʃi'vitʃɪ]	[kõhutʃi'vitʃɪ]

ATLAS LINGUÍSTICO DO AMAPÁ - ALAP

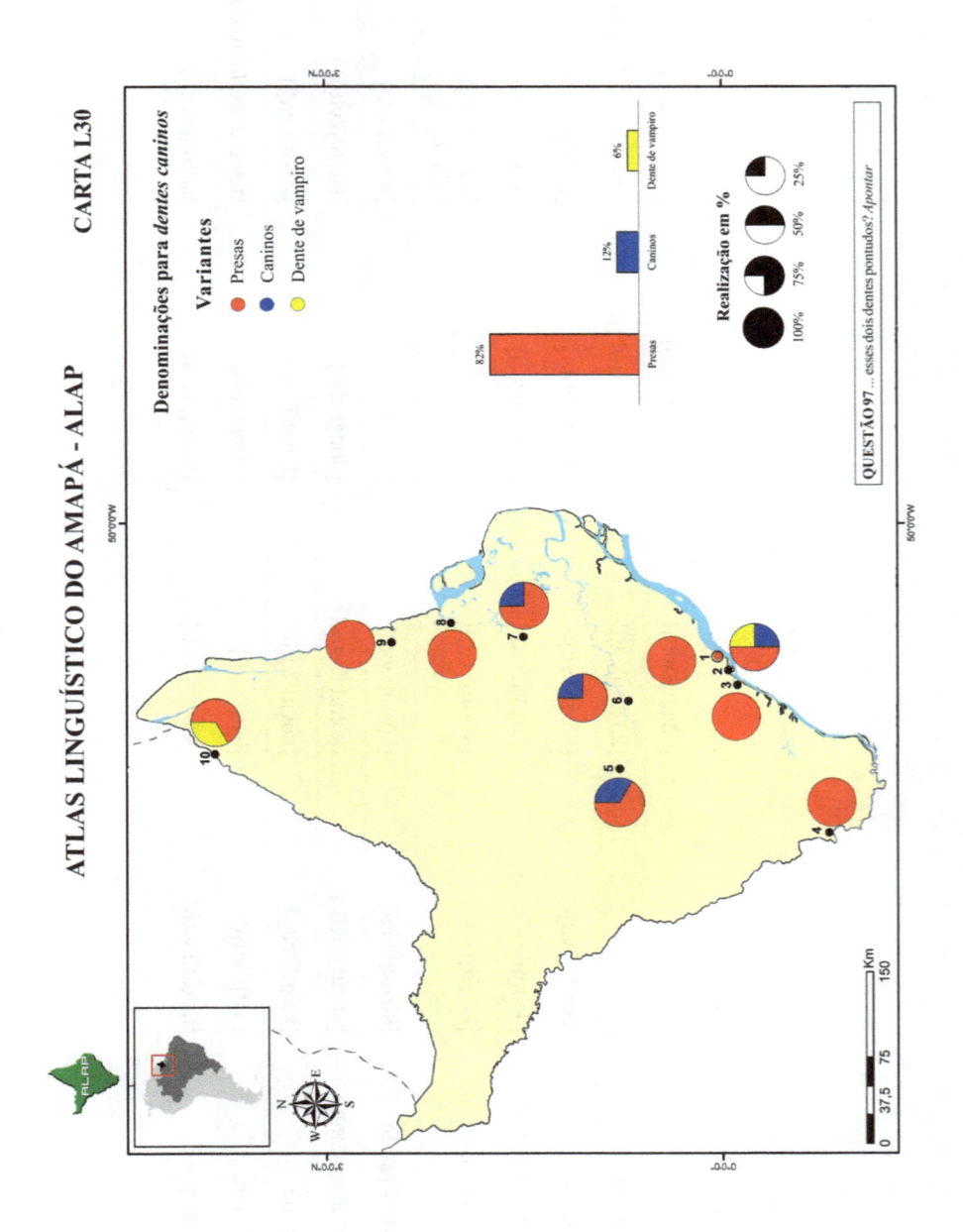

CARTA L30

Denominações para *dentes caninos*

Variantes:
- 🔴 Presas
- 🔵 Caninos
- 🟡 Dente de vampiro

Realização em %: 100%, 75%, 50%, 25%

- Presas: 82%
- Caninos: 12%
- Dente de vampiro: 6%

QUESTÃO 97 ... esses dois dentes pontudos? *Apontar*

132   Atlas Linguístico do Amapá

Questão 97 – DENTES CANINOS

Pontos de Inquéritos	MA	FA	MB	FB
01 – Macapá	...	['pɾeze]	['pɾeze]	['pɾeze]
02 – Santana	[vẽpiɾʊ]	[kẽ'ɲiw]	['pɾeze]	['pɾeze]
03 – Mazagão	['pɾeze]	['pɾeze]	['pɾeze]	...
04 – Laranjal do Jari	...	['pɾeze]	['pɾeze]	...
05 – Pedra Branca do Amaparí	[kẽ'ɲinuʃ]	...	['pɾeze]	['pɾeze]
06 – Porto Grande	[dẽtʃis ktẽ'ninus]	['pɾezeʃ]	['pɾezeʃ]	['pɾezeʃ]
07 – Tartarugalzinho	[kẽ'ɲinʊ]	['pɾezeʃ]	['pɾeze]	['pɾeze]
08 – Amapá	['pɾeze]	['pɾeze]	['pɾeze]	['pɾeze]
09 – Calçoene	['pɾeze]	['pɾeze]	['pɾeze]	['pɾeze]
10 – Oiapoque	['pɾeze]	[dẽtʃdʒivẽ'piɾʊ]	[dẽtʃdukɛ'ʃaw]	['pɾeze]

ATLAS LINGUÍSTICO DO AMAPÁ - ALAP

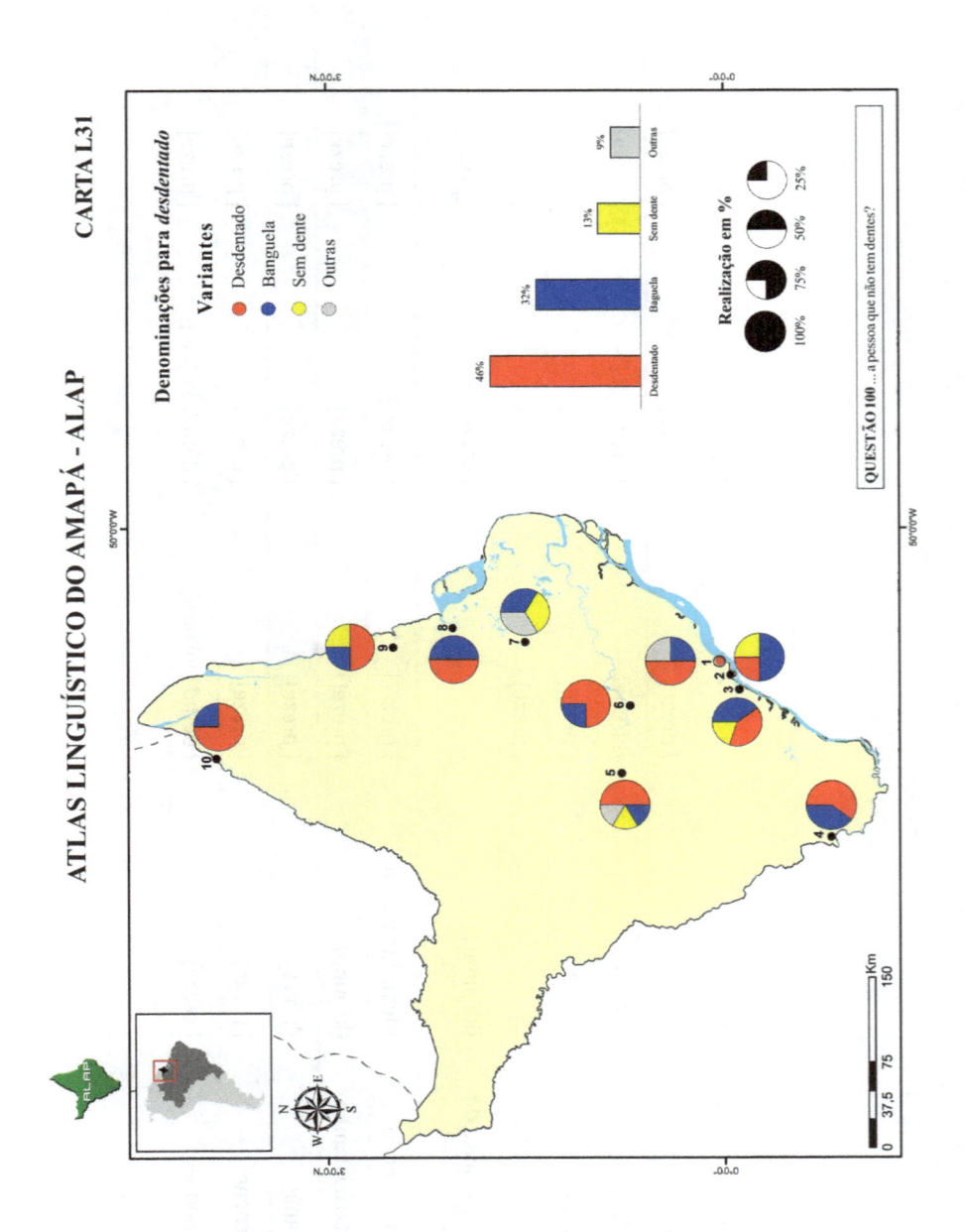

CARTA L31

Denominações para *desdentado*

Variantes: Desdentado, Banguela, Sem dente, Outras

- Desdentado: 46%
- Banguela: 32%
- Sem dente: 13%
- Outras: 9%

Realização em %: 100%, 75%, 50%, 25%

QUESTÃO 100 ...a pessoa que não tem dentes?

Questão 100 – DESDENTADO

Pontos de Inquéritos	MA	FA	MB	FB
01 – Macapá	['nẽwtẽjnẽjũ'dẽtʃɪ]	[bẽ'gɛla]	[dʒɪʒdẽ'tadʊ]	[dʒɪʒdẽ'tadʊ]
02 – Santana	[sẽ'dẽtʃɪ]	[bẽ'gɛla]	[dʒɪʒdẽ'tadʊ]	[bẽ'gɛla]
03 – Mazagão	[bẽ'gɛla]	[dʒɪʒdẽ'tadʊ]	[sẽj'dẽtʃɪ] [bẽ'gɛlʊ]	[dʒɪʒdẽ'tadʊ]
04 – Laranjal do Jarí	[dʒɪʒ'dẽtadʊ]	[bẽ'gɛla]	[bẽ'gɛla] [dʒɪsdẽ'tadʊ]	[dʒɪdẽ'tadʊ]
05 – Pedra Branca do Amaparí	[dʒɪʒdẽ'tadʊ] [bokɛ'ʎivɾɪ]	[dʒɪʒdẽ'tadʊ]	[sẽj'dẽtʃɪ]	[bẽ'gɛla] [dʒɪʒdẽ'tadʊ]
06 – Porto Grande	[dejʒdẽ'tadʊ]	[bẽ'gɛla]	[dejʒdẽ'tadʊ]	[dejʒdẽ'tadɐ]
07 – Tartarugalzinho	[bẽ'gɛla] ['bokɛ' nua]	[bẽ'gɛlʊ] [pokɛ'tɛlja]	[sẽj'dẽtʃɪ]	[sẽj'dẽtʃɪ]
08 – Amapá	[dʒɪʒ'dẽtadʊ]	[bẽ'gɛla]	[dʒɪsdẽ'tadʊ]	[bẽ'gɛla]
09 – Calçoene	['sẽj'dẽtʒɪ]	[dʒɪʒdẽ'tadʊ]	[dʒɪbo'kadʊ][dʒɪdẽ'tadʊ]	[bẽ'gɛla]
10 – Oiapoque	[bẽ'gɛla]	[dʒɪʒdẽ'tadʊ]	[dʒɪʒdẽ'tadʊ]	[dʒɪʒdẽ'tadʊ]

ATLAS LINGUÍSTICO DO AMAPÁ - ALAP   CARTA L32

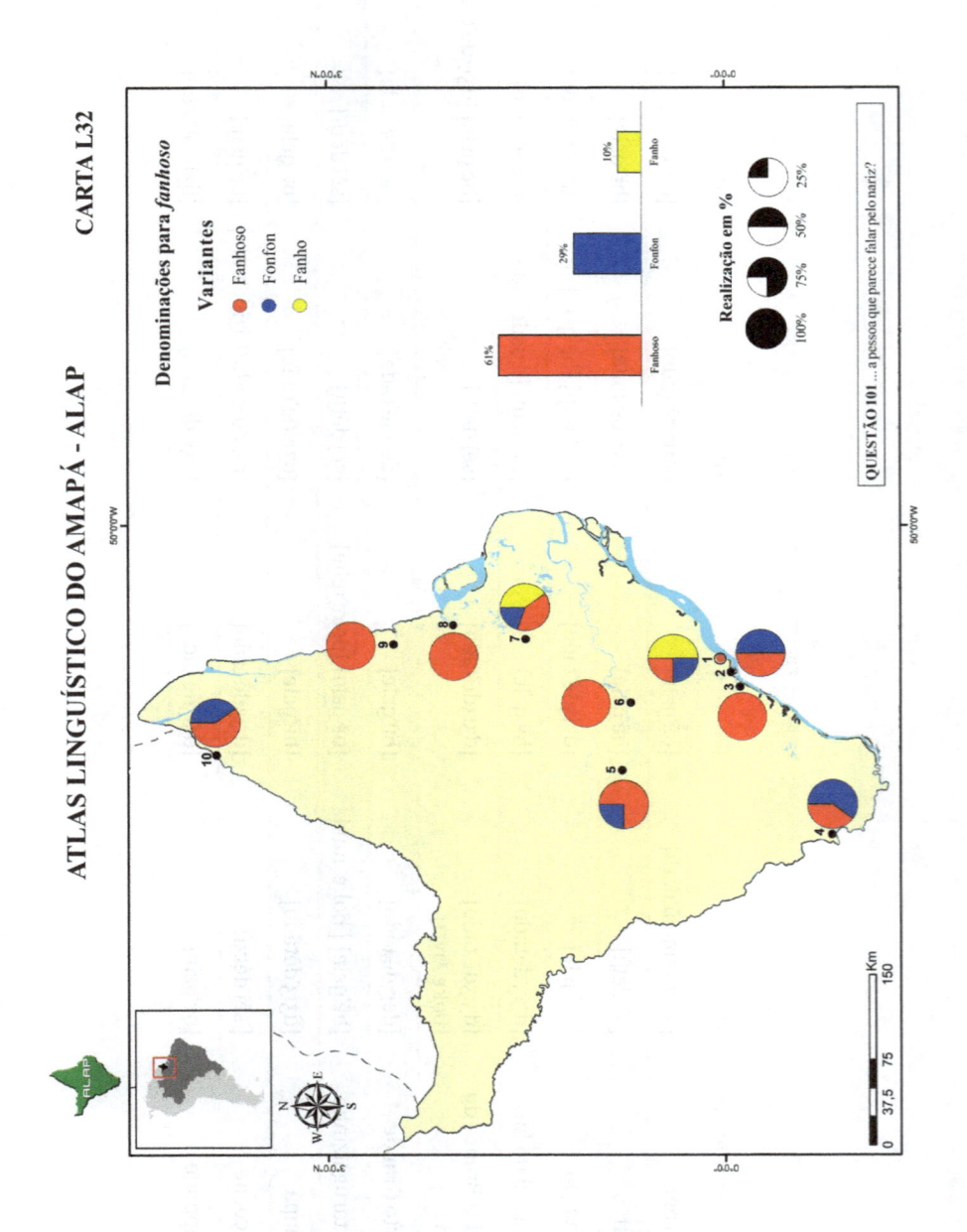

Denominações para *fanhoso*

Variantes
- 🔴 Fanhoso
- 🔵 Fonfon
- 🟡 Fanho

Fanhoso 61%
Fonfon 29%
Fanho 10%

Realização em %
100% · 75% · 50% · 25%

QUESTÃO 101 ... a pessoa que parece falar pelo nariz?

Questão 101 – FANHOSO

Pontos de Inquéritos	MA	FA	MB	FB
01 – Macapá	[ˈfõnjʊ]	[fõˈfõ]	[faˈɲozʊ]	[fẽˈɲʊ]
02 – Santana	[fõˈfõ]	[fõtõˈtõ]	[fẽˈɲozʊ]	[fẽˈɲozʊ]
03 – Mazagão	[fẽˈɲozʊ]	[fẽˈɲozʊ]	[fẽˈɲozʊ]	[fẽˈnjozʊ]
04 – Laranjal do Jarí	[foˈfẽw̃]	[fõˈfõ]	[faˈɲozʊ] [fõˈfõ]	[fẽˈɲozʊ]
05 – Pedra Branca do Amaparí	[fẽˈnjozʊ]	[fõˈfõ]	[fẽˈnjozʊ]	[fẽˈnjozʊ]
06 – Porto Grande	[fẽˈɲosʊ]	[fẽˈɲozʊ]	[asoˈfa]	[fẽˈɲozʊ]
07 – Tartarugalzinho	[ˈfẽɲʊ][fẽˈɲozʊ]	[fẽˈɲozʊ]	[fõˈfõ]	[ˈfẽɲʊ]
08 – Amapá	[fẽˈɲozʊ]	[fẽˈɲozʊ]	[faˈɲozʊ]	[fẽˈɲozʊ]
09 – Calçoene	...	[fẽˈfã]	[ˈfala ˈpelʊ naˈriʃ]	[fõˈfõ]
10 – Oiapoque	[fõˈfõ][fẽˈnjozʊ]	[fõˈfõ]	[fẽˈɲozʊ]	[azcĩu̯ɐ]

ATLAS LINGUÍSTICO DO AMAPÁ - ALAP

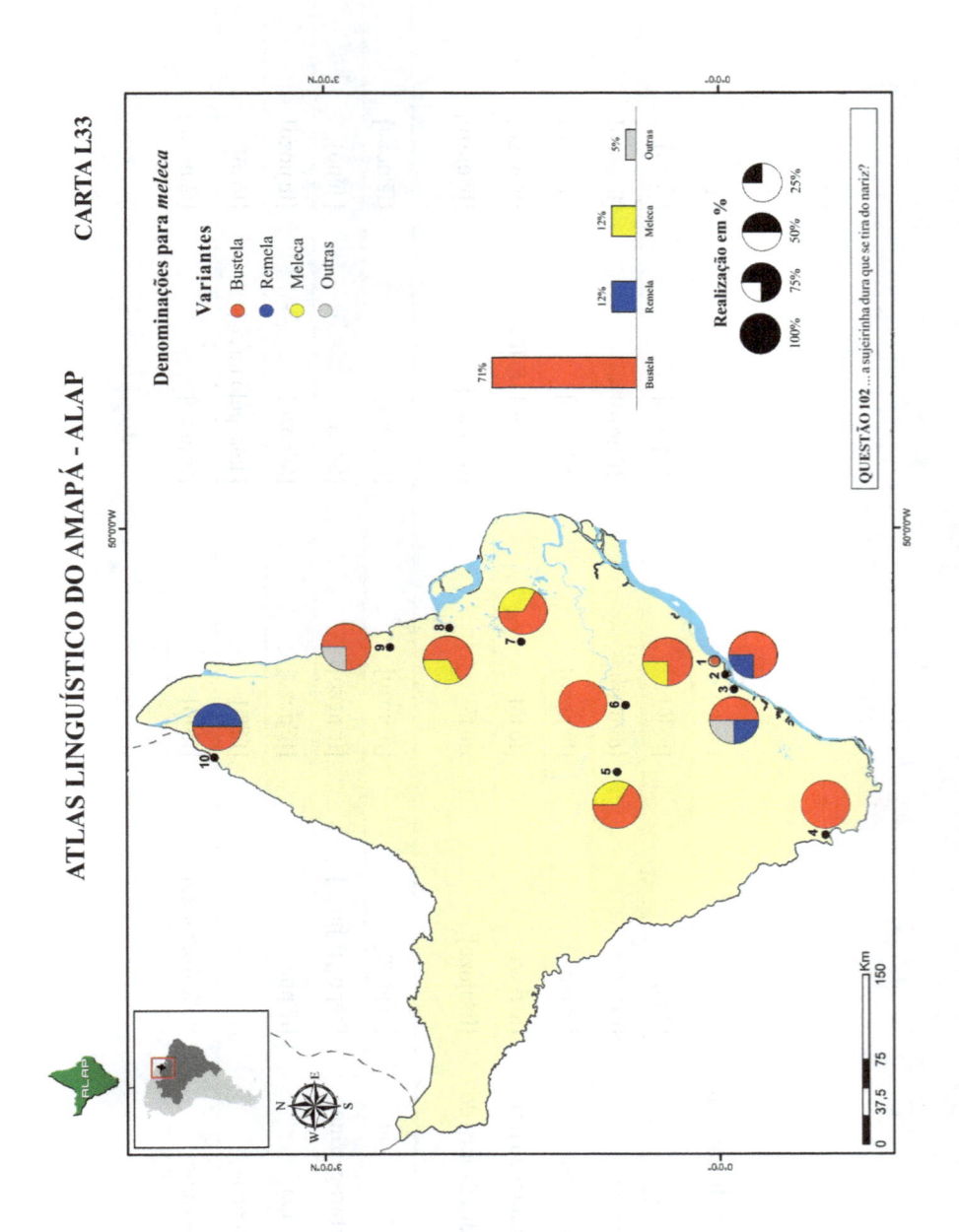

CARTA L33

Denominações para *meleca*

Variantes
- 🔴 Bustela
- 🔵 Remela
- 🟡 Meleca
- ⚪ Outras

Bustela 71%
Remela 12%
Meleca 12%
Outras 5%

Realização em %
- ● 100%
- ◕ 75%
- ◐ 50%
- ◔ 25%

QUESTÃO 102 ... a sujeirinha dura que se tira do nariz?

Questão 102 – MELECA/TATU/BUSTELA/BOSTELA

Pontos de Inquéritos	MA	FA	MB	FB
01 – Macapá	[buʃˈtɛlɐ]	[buˈtɛlɐ]	[mɛˈlekɐ]	[buʃˈtɛlɐ]
02 – Santana	[heˈmɛlɐ]	[buʃˈtɛlɐ]	[buʃˈtɛlɐ]	[buʃˈtɛlɐ]
03 – Mazagão	[buʃˈtɛlɐ]	...	[karaˈpatɐ] [buʃˈtɛlɐ]	[hɛˈmɛlɐ]
04 – Laranjal do Jarí	[buʃˈtɛlɐ]	[buʃˈtɛlɐ]	[buʃˈtɛlɐ]	...
05 – Pedra Branca do Amaparí	[buʃˈtɛlɐ]	[buʃˈtɛlɐ]	[buʃˈtɛlɐ]	[buʃˈtɛlɐ]
06 – Porto Grande	[mɛˈlekɐ]	...	[buʃˈtɛlɐ]	[buʃˈtɛlɐ]
07 – Tartarugalzinho	[mɛˈlekɐ] [buʃˈtɛlɐ]	[buʃˈtɛlɐ]	[buʃˈtɛlɐ]	[mɛˈlekɐ] [buʃˈtɛlɐ]
08 – Amapá	[buʃˈtɛlɐ]	[mɛˈlekɐ] [buʃˈtɛlɐ]	[buʃˈtɛlɐ] [mɛˈlekɐ]	[mɛˈlekɐ] [buʃˈtɛlɐ]
09 – Calçoene	[suʒuɾinɐ]	[buʃˈtɛlɐ]	[buʃˈtɛlɐ]	[buʃˈtɛlɐ]
10 – Oiapoque	[heˈmɛlɐ]	[buʃˈtɛlɐ]	[buʃˈtɛlɐ]	[hɛˈmɛlɐ]

Cartas Lexicais

ATLAS LINGUÍSTICO DO AMAPÁ - ALAP

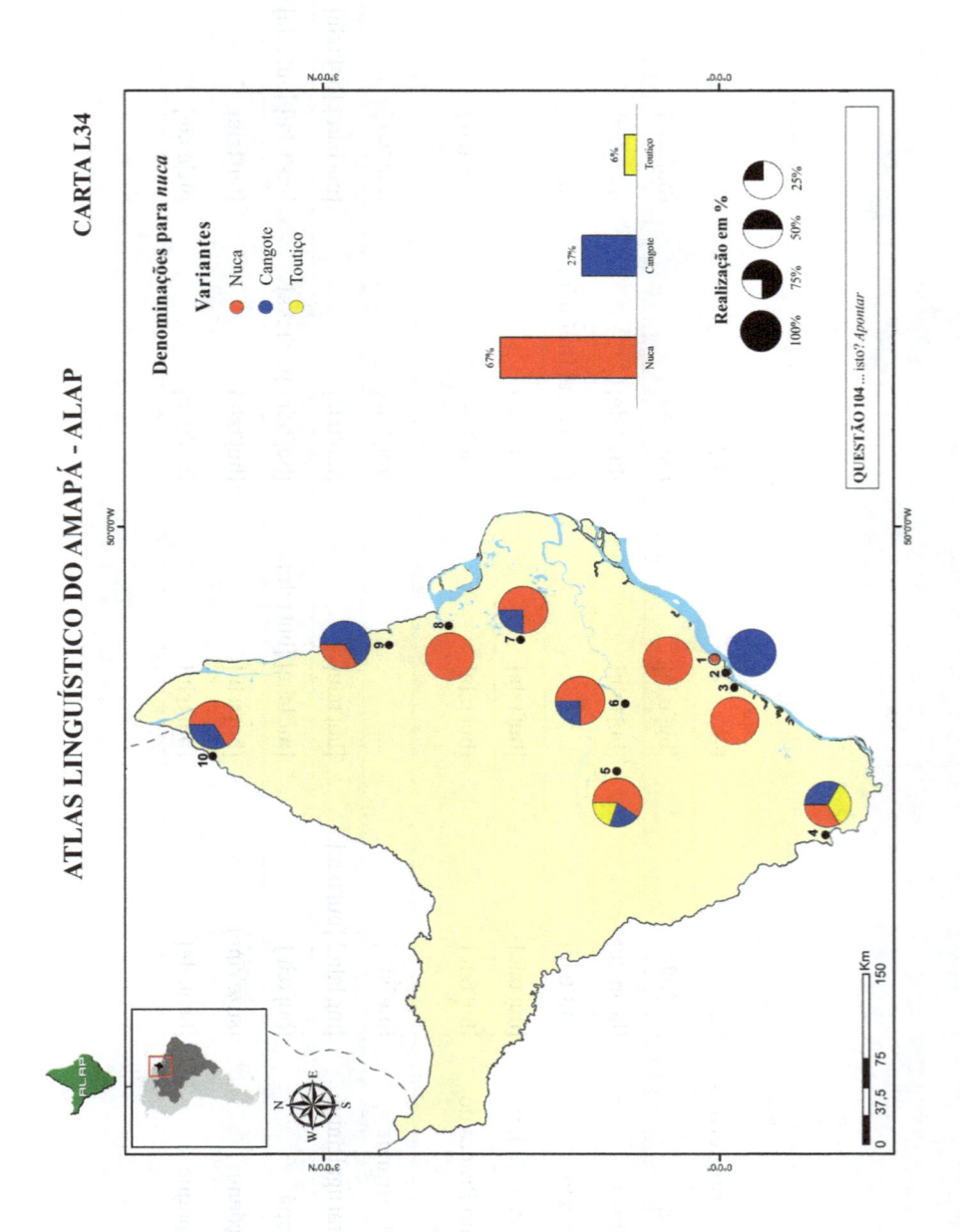

CARTA L34

Denominações para *nuca*

Variantes:
- Nuca
- Cangote
- Toutiço

Nuca 67%
Cangote 27%
Toutiço 6%

Realização em %: 100%, 75%, 50%, 25%

QUESTÃO 104. ... Isto? *Apontar*

Questão 104 – NUCA

Pontos de Inquéritos	MA	FA	MB	FB
01 – Macapá	...	[siˈnuke]	[ˈnuke]	[ˈnuke]
02 – Santana	[peʃˈkosʊ]	...	[kɛ̃ˈgɔtʃi]	[kɛ̃ˈgɔtʃi]
03 – Mazagão	[ˈnũke]	[ˈnuke]	[ˈnũke]	[pejˈkosʊ]
04 – Laranjal do Jarí	[kuˈkɔtʃi]	...	[ˈnuke] [tuˈtʃisʊ]	...
05 – Pedra Branca do Amaparí	[ˈnuke]	[aˈnuke]	[ˈnũke]	[kɛ̃ˈgɔtʃi] [tuˈtʃiʃkʊ]
06 – Porto Grande	[ˈnuke]	[ˈnuke]	[kɛ̃ˈgɔtʃi]	[ˈnuke]
07 – Tartarugalzinho	[ˈnuke]	[ˈnuke]	[kɛ̃ˈgɔtʃi]	[ˈnuke]
09 – Amapá	[ˈnuke]	[ˈnuke]	...	[ˈnuke]
08 – Calçoene	[kɛ̃ˈgɔtʃi]	[kɛ̃ˈgɔtʃi]	[peʃˈkosʊ] [ˈnuke]	...
10 – Oiapoque	[ˈnuke]	[aˈnuke]	[kɛ̃ˈgɔtʃi]	[pejˈkosʊ]

ATLAS LINGUÍSTICO DO AMAPÁ - ALAP   CARTA L35

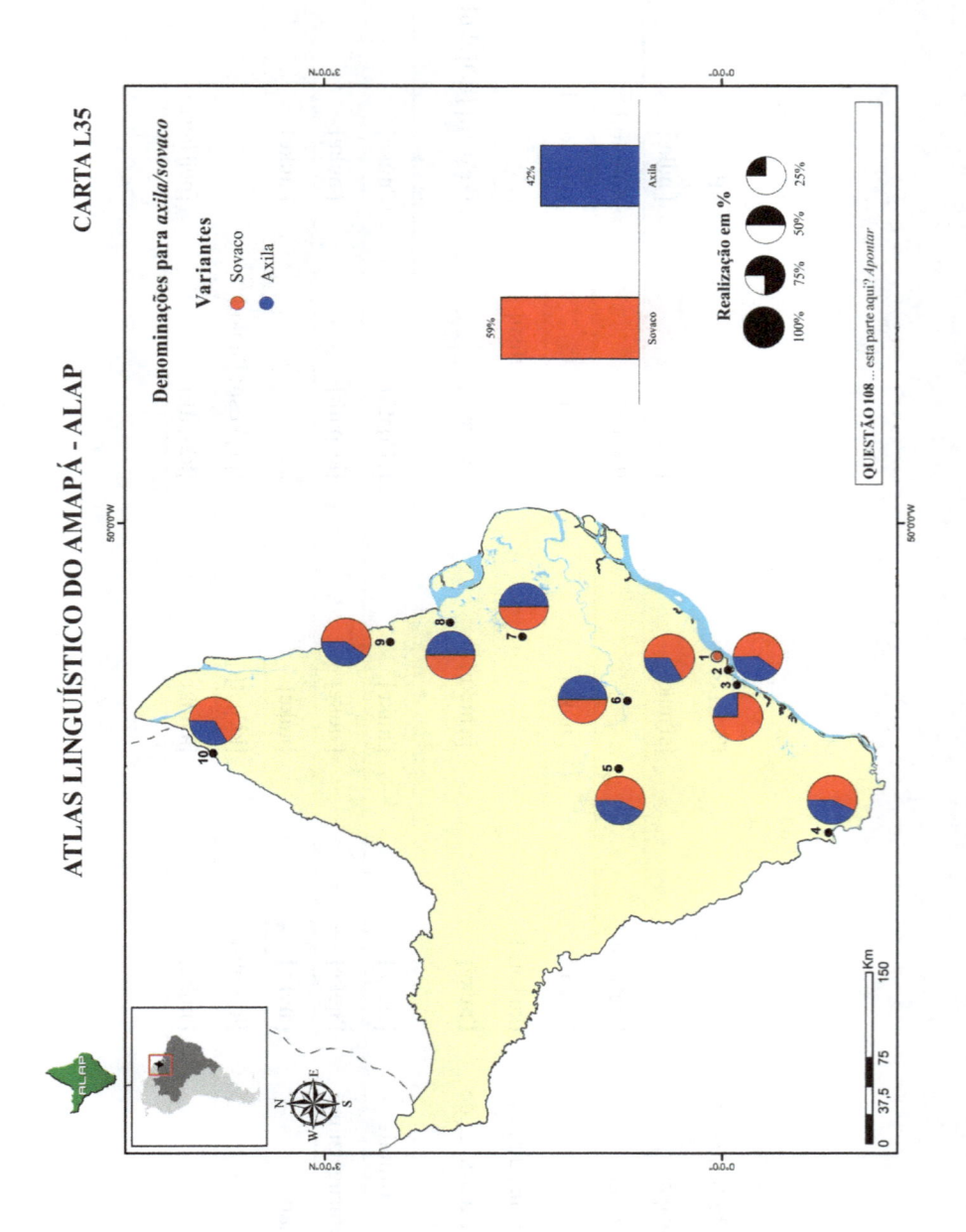

Denominações para *axila/sovaco*

Variantes
- Sovaco
- Axila

Sovaco 59%
Axila 42%

Realização em %: 100%, 75%, 50%, 25%

QUESTÃO 108 ...esta parte aqui? *Apontar*

Questão 108 – AXILA/SOVACO

Pontos de Inquéritos	MA	FA	MB	FB
01 – Macapá	[su'vaku]	[su'vaku] [aki'silɛ]	[ki'silɛ] [su'vaku]	[su'vaku]
02 – Santana	[aki'silɛ]	[su'vaku] [aki'silɛ]	[su'vaku]	[su'vaku]
03 – Mazagão	[aki'silɛ]	[su'vaku]	[su'vaku]	[su'vaku]
04 – Laranjal do Jarí	[su'vaku] [aki'silɛ]	[aki'silɛ] [su'vaku]	[su'vaku] [aki'silɛ]	[su'vaku]
05 – Pedra Branca do Amaparí	[su'vaku] [aki'silɛ]	[ku'vaku] [aki'silɛ]	[su'vaku]	[aki'silɛ] [su'vaku]
06 – Porto Grande	[aki'silɛ]	[aki'silɛ]	[su'vaku]	[su'vaku]
07 – Tartarugalzinho	[su'vaku] [aki'sila]	[aki'silɛ] [su'vaku]	[su'vaku] [aki'silɛ]	[aki'silɛ] [su'vaku]
08 – Amapá	[aki'silɛ]	[aki'silɛ] [su'vaku]	[su'vaku]	[aki'silɛ] [su'vaku]
09 – Calçoene	[su'vaku] [aki'silɛ]	[aki'silɛ]	[su'vaku]	[su'vaku]
10 – Oiapoque	[aki'silɛ] [su'vaku]	[su'vaku] [aki'silɛ]	[su'vaku]	[su'vaku]

ATLAS LINGUÍSTICO DO AMAPÁ - ALAP

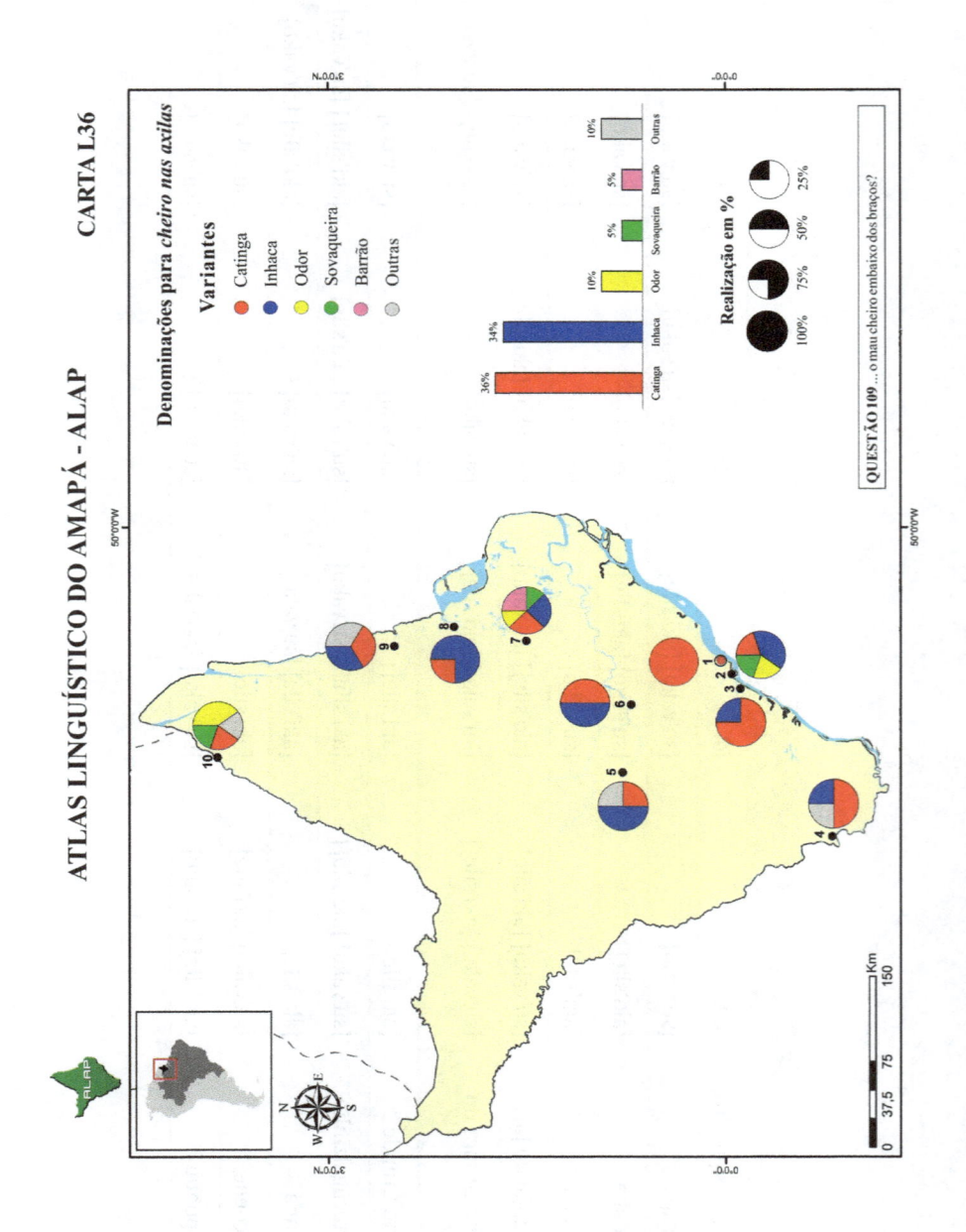

CARTA L36

Denominações para *cheiro nas axilas*

Variantes
- Catinga
- Inhaca
- Odor
- Sovaqueira
- Barrão
- Outras

Catinga	36%
Inhaca	34%
Odor	10%
Sovaqueira	5%
Barrão	5%
Outras	10%

Realização em %: 100%, 75%, 50%, 25%

QUESTÃO 109 ... o mau cheiro embaixo dos braços?

144 Atlas Linguístico do Amapá

Questão 109 – CHEIRO NAS AXILAS

Pontos de Inquéritos	MA	FA	MB	FB
01 – Macapá	...	[ka'tʃigɛ]	[katʃi'gozʊ]	[ka'tʃigɛ]
02 – Santana	[o'doh] [ˈɲakaˈpurɛ]	[ɲaˈka]	[ka'tʃigɛ]	[suva'kɛrɛ]
03 – Mazagão	[ĩˈɲakɛ]	[ka'tʃigɛ]	[ka'tʃigɛ]	[ka'tʃigɛ]
04 – Laranjal do Jarí	[ĩˈɲakɛ]	[ka'tʃigɛ] [o'doh]	[suˌɔˈfʃhtʃɪ]	[ka'tʃigɛ]
05 – Pedra Branca do Amaparí	[fe'doh]	[katĩgɛ]	[ĩˈɲakɛ]	[ĩˈɲakɛ]
06 – Porto Grande	...	...	[ka'tʃigɛ]	[iˈɲakɛ]
07 – Tartarugalzinho	[bahẽw̃] [suvakejrɛ] [ĩˈɲakɛ]	[ĩˈɲakɛ] [bahẽw̃]	[ka'tʃigɛ]	[o'doh] [ba'hẽw̃]
08 – Amapá	[ĩˈɲakɛ]	[ĩˈɲakɛ]	[ka'tĩgɛ]	[ĩˈɲakɛ]
09 – Calçoene	['maw'ʃerʊ]	[katĩgɛ]	[ĩˈɲakɛ]	...
10 – Oiapoque	[o'doh]	[o'dohzĩɲʊ] [maw'ʃerʊ]	[ka'tʃigɛ]	[sava'kerɛ]

ATLAS LINGUÍSTICO DO AMAPÁ - ALAP

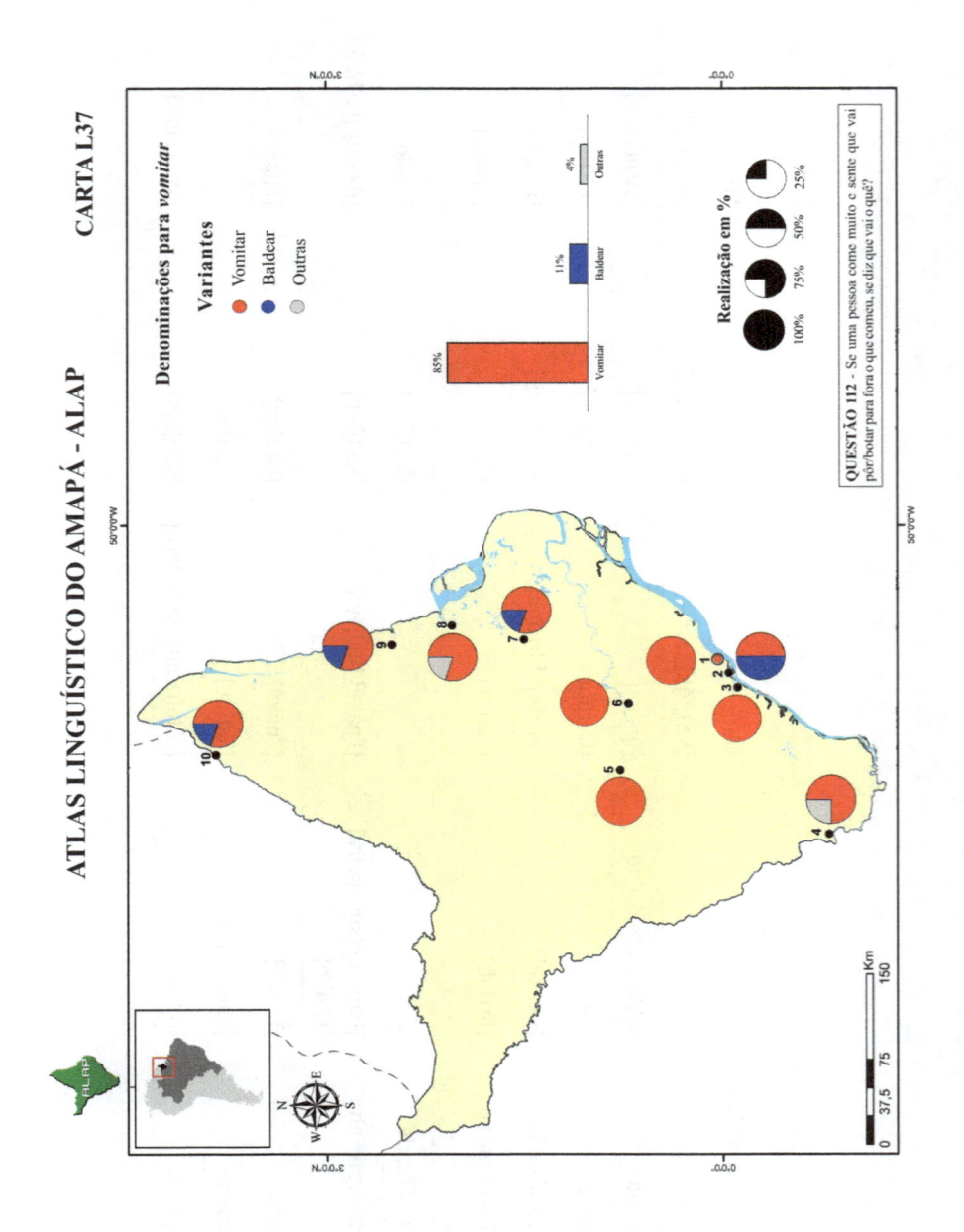

CARTA L37

Denominações para *vomitar*

Variantes:
- Vomitar (vermelho)
- Baldear (azul)
- Outras (cinza)

Realização em %: 100%, 75%, 50%, 25%

- Vomitar: 85%
- Baldear: 11%
- Outras: 4%

QUESTÃO 112 - Se uma pessoa come muito e sente que vai pôr/botar para fora o que comeu, se diz que vai o quê?

146 Atlas Linguístico do Amapá

Questão 112 – VOMITAR

Pontos de Inquéritos	MA	FA	MB	FB
01 – Macapá	[vumiˈta]	[vumiˈta]	[vomiˈta]	[võmiˈta]
02 – Santana	[bawdʒiˈa] [humiˈta]	[vumiˈte]	[vumiˈte]	[ˈhõmitu] [bafiˈdʒɪe]
03 – Mazagão	[vũmiˈta]	[vũmiˈta]	[vũmiˈta]	[võmiˈta]
04 – Laranjal do Jarí	...	[vũmiˈta]	[võmiˈta]	[vũmiˈta] [pɾɔvɔˈka]
05 – Pedra Branca do Amaparí	[vomiˈta]	[vumiˈta]	[võmiˈta]	[võmiˈta]
06 – Porto Grande	[võmiˈta]	[vumiˈta]	[võmiˈta]	[võmiˈta]
07 – Tartarugalzinho	[vumiˈta]	[vomiˈta]	[võmiˈta]	[vomiˈta] [bawdeˈa]
08 – Amapá	[võmiˈta]	[ẽigoˈfa] [gowˈfa] [vumiˈta]	[vumiˈta]	[vumiˈta]
09 – Calçoene	[bawdʒiˈa] [võmiˈta]	[vumiˈta]	[vumiˈta]	[võmiˈta]
10 – Oiapoque	[bawdʒiˈa] [humiˈta]	[vumiˈta]	[vomiˈta]	[vumiˈta]

ATLAS LINGUÍSTICO DO AMAPÁ - ALAP

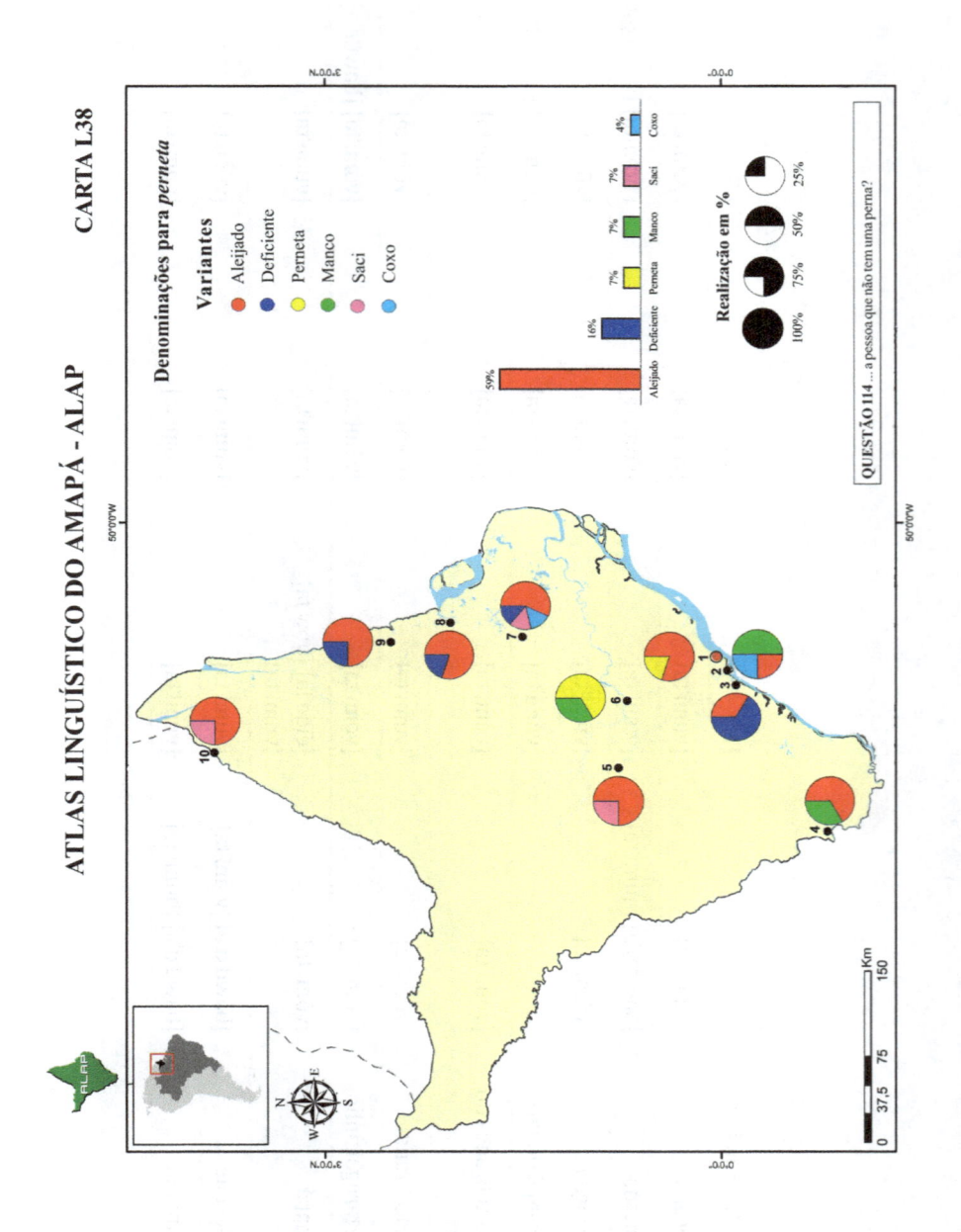

CARTA L38

Denominações para *perneta*

Variantes:
- Aleijado
- Deficiente
- Perneta
- Manco
- Saci
- Coxo

Aleijado 59%
Deficiente 16%
Perneta 7%
Manco 7%
Saci 7%
Coxo 4%

Realização em %: 100%, 75%, 50%, 25%

QUESTÃO 114 ... a pessoa que não tem uma perna?

Questão 114 – PERNETA

Pontos de Inquéritos	MA	FA	MB	FB
01 – Macapá	[alɛˈʒadɐ]	[aleˈʒadʊ]	[aleˈʒadʊdũmeˈpɛɦnɐ] [peɦˈnetɐ]	[aleˈʒadʊ]
02 – Santana	[ˈmẽkʊ] [ˈmẽkɐ]	[ˈmẽkʊ]	[aleiˈʒadʊ]	[ˈkoʃʊ]
03 – Mazagão	[leˈʒadʊ] [defisiˈẽtʃɪ]	[defisiˈẽtʃɪ] [aleˈʒadʊ]	[defisiˈẽtʃɪ]	[defesiˈẽtʃɪ]
04 – Laranjal do Jarí	...	[aleˈʒadʊ]	[aleˈʒadʊ] [ˈmẽkʊ]	[paraˈʎitʃiku]
05 – Pedra Branca do Amaparí	[aleˈʒadʊ]	[aleˈʒadʊ]	[leˈʒadɐ]	[saˈsi]
06 – Porto Grande	[peɦˈnetɐ]	[peɦˈnetɐ]	[ˈmẽkʊ]	...
07 – Tartarugalzinho	[saˈsɪ] [aleˈʒadʊ]	[aleˈʒadʊ] [defisiˈẽtʃɪ]	[aleˈʒadʊ] [ˈkoʃʊ]	[aleˈʒadʊ]
08 – Amapá	[aleˈʒadʊ]	[aleˈʒadʊ]	[aleˈʒadʊ] [defisiˈẽtʃɪ]	[aleˈʒadʊ]
09 – Calçoene	[defisiˈẽtʃɪ]	[aleˈʒadɐ]	[aleˈʒadʊ]	[aleˈʒadɐ]
10 – Oiapoque	[aleˈʒadʊ]	[aleˈʒadɐ]	[aleˈʒadɐ]	[saˈsi]

ATLAS LINGUÍSTICO DO AMAPÁ - ALAP

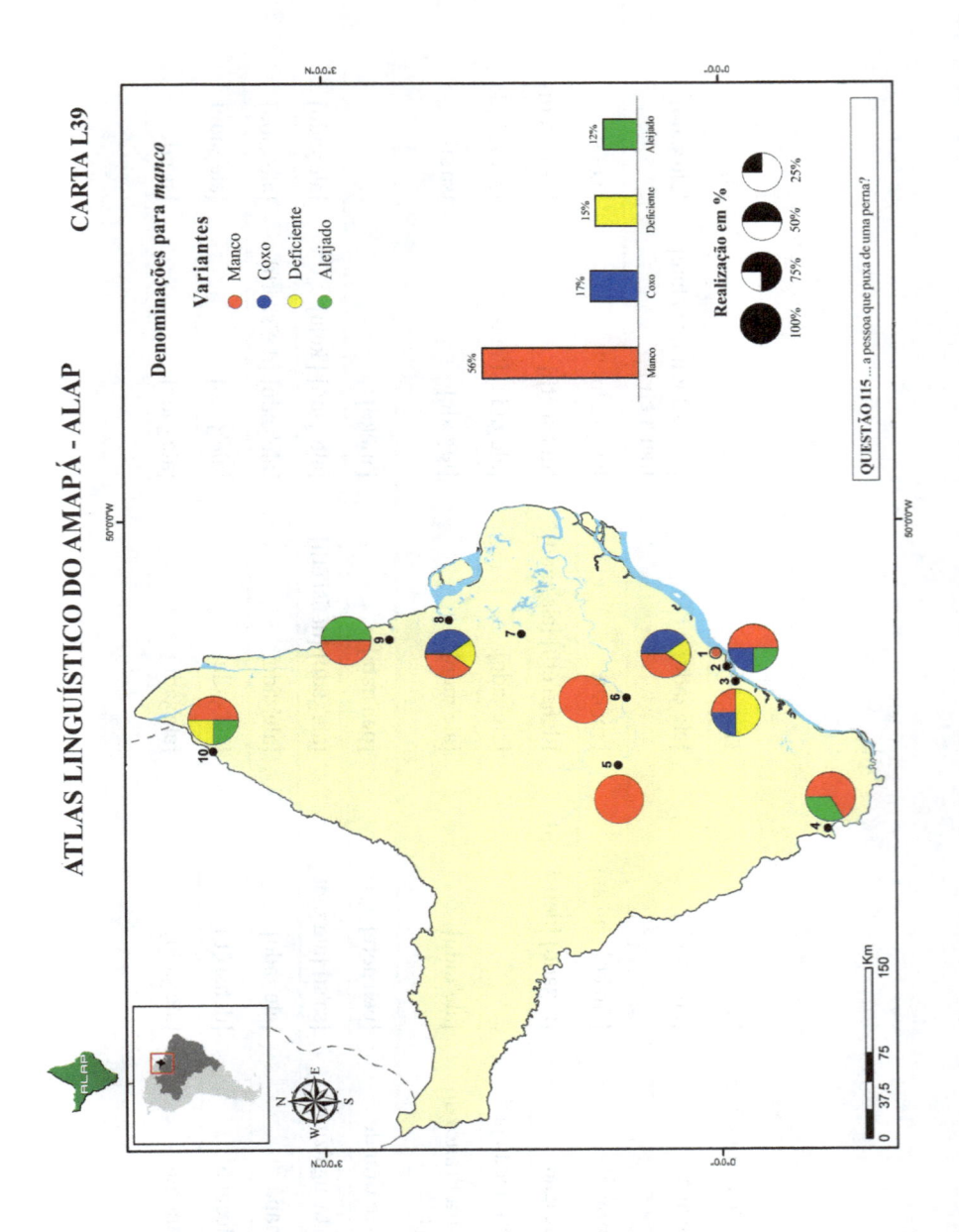

CARTA L39

Denominações para *manco*

Variantes
- 🔴 Manco
- 🔵 Coxo
- 🟡 Deficiente
- 🟢 Aleijado

Manco 56%
Coxo 17%
Deficiente 15%
Aleijado 12%

Realização em %
- 100%
- 75%
- 50%
- 25%

QUESTÃO 115. ...a pessoa que puxa de uma perna?

Questão 115 – MANCO

Pontos de Inquéritos	MA	FA	MB	FB
01 – Macapá	[defisi'êtʃɪ]	['koʃʊ]	['mẽkʊ]	['koʃʊ] ['mẽkʊ]
02 – Santana	[mẽ'ke]	[ale'ʒadʊ]	[kɔ'ɔ]	['mẽkʊ]
03 – Mazagão	['mẽkʊ]	[defisi'êtʃɪ]	['koʃʊ]	[defesi'êtʃɪ]
04 – Laranjal do Jarí	...	[mẽke] ['mẽkʊ]	[kɔ'ɔ]	[ale'ʒadʊ] ['mẽke]
05 – Pedra Branca do Amaparí	['mẽke]	[ta'mẽkẽdʊ]	...	[mẽ'kẽdʊ]
06 – Porto Grande	['mẽkʊ]	['mẽkʊ]	['mẽkʊ] [peʃi'nɛtɐ]	...
07 – Tartarugalzinho	...	...	...	...
08 – Amapá	[defisi'êtʃɪ]	['mẽkʊ]	['kuʃʊ]	[kõ'ɔ] ['mẽkʊ]
09 – Calçoene	[alɛ'ʒadʊ]	['mẽkʊ]	['mẽkʊ]	[ale'ʒadʊ]
10 – Oiapoque	[mẽ'kẽdʊ]	['mẽke]	[defisi'êtʃɪ]	[ale'ʒadɐ]

ATLAS LINGUÍSTICO DO AMAPÁ - ALAP

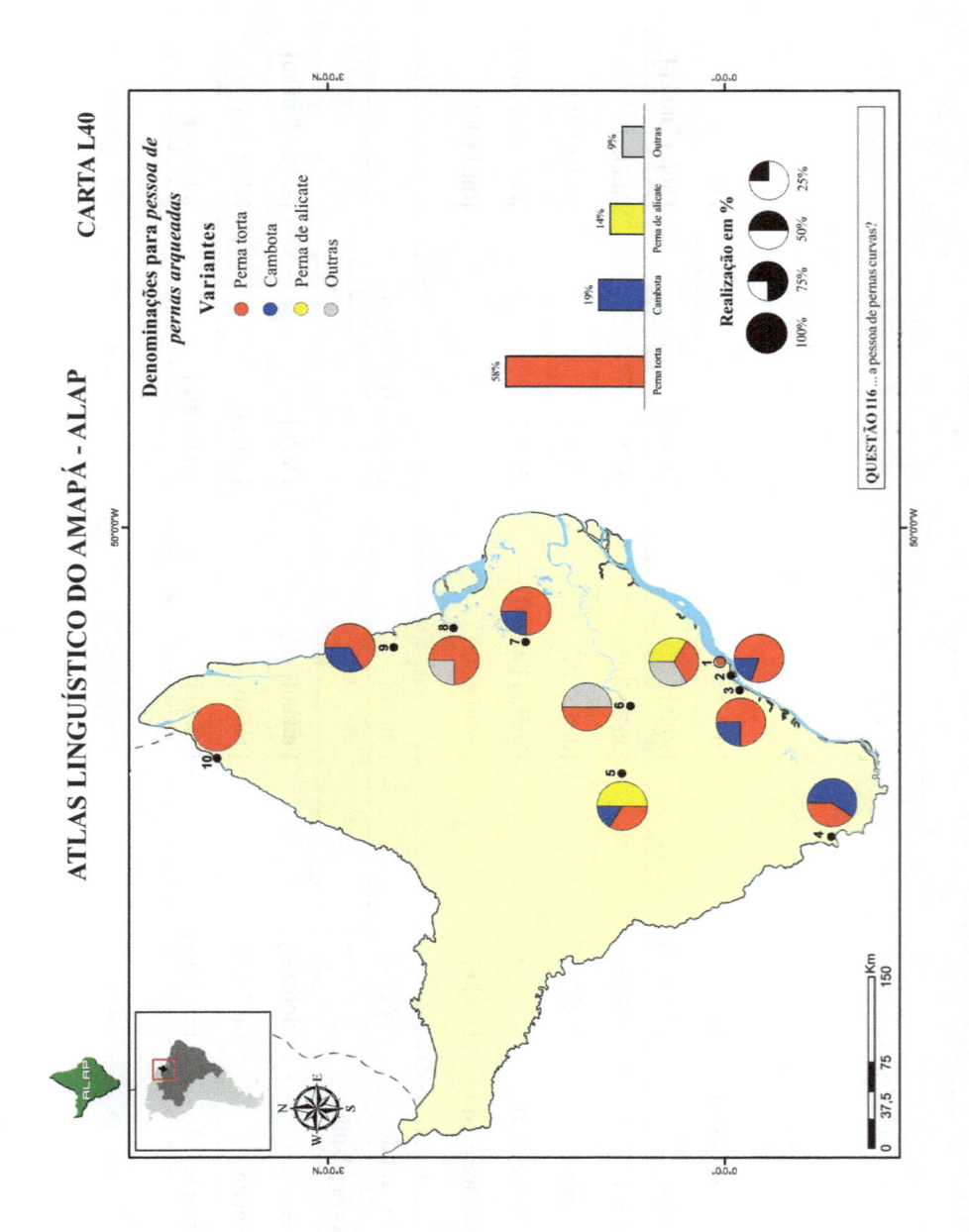

CARTA L40

Denominações para *pessoa de pernas arqueadas*

Variantes
- Perna torta
- Cambota
- Perna de alicate
- Outras

Perna torta 58%
Cambota 19%
Perna de alicate 14%
Outras 9%

Realização em %: 100%, 75%, 50%, 25%

QUESTÃO 116. ...a pessoa de pernas curvas?

152 Atlas Linguístico do Amapá

Questão 116 – PESSOA DE PERNAS ARQUEADAS

Pontos de Inquéritos	MA	FA	MB	FB
01 – Macapá	...	[pɛɦnedʒɹaʎiˈkatʃɪ]	[pɛɦneˈtɔhte]	[ʒũˈterʊ]
02 – Santana	[pɛɦˈnaˈtohte]	[pɛɦnaˈtohte]	[pɛɦneˈtɔhte]	[kɐ̃bɔte] [pɛɦneˈtɔhte]
03 – Mazagão	[ˈtɔhte]	[ˈtɔhte]	[kɐ̃ˈbɔte]	[pɛɦneˈtɔhte]
04 – Laranjal do Jarí	[kɐ̃ˈbɔte]	[kɐ̃ˈbɔte] [pɛɦneˈtohte]	[kɐ̃ˈbɔte]	[pɛɦneˈtɔhte]
05 – Pedra Branca do Amaparí	[pɛɦnedʒɹaʎiˈkatʃɪ]	[pɛɦnedʒɹaʎiˈkatʃɪ] [pɛɦneˈtɔhte]	[pɛɦneˈtɔhte]	[kɐ̃ˈbɔte] [pɛɦnedʒɹaʎiˈkatʃɪ]
06 – Porto Grande	[peˈsoɐdʒɹaʎɦɐpɦɐhˈkiades]	[pɛɦneˈtohte]	[pɛɦneˈtohte]	[ɐkuˈvaɦɐde]
07 – Tartarugalzinho	[pɛɦneˈtohte] [pɛɦnedʒɹaˈiˈkatʃɪ]	[pɛɦneˈtohte] [dʒɹaʎiˈkatʃɪ]	[kɐ̃ˈbɔte]	[pɛɦneˈtohte]
08 – Amapá	[pɛɦneˈtɔhte]	[pɛɦneˈtɔhte]	[pɛɦneˈtɔhte]	[pɛɦneˈdʒiˈahkʊ]
09 – Calçoene	...	[ˈtɔhte]	...	[kɐ̃ˈbɔte]
10 – Oiapoque	[pɛɦnaˈtohte]	[tohˈɦɲɛ]	[pɛɦneˈtɔhte]	[pɛɦneˈtɔhte]

ATLAS LINGUÍSTICO DO AMAPÁ - ALAP   CARTA L41

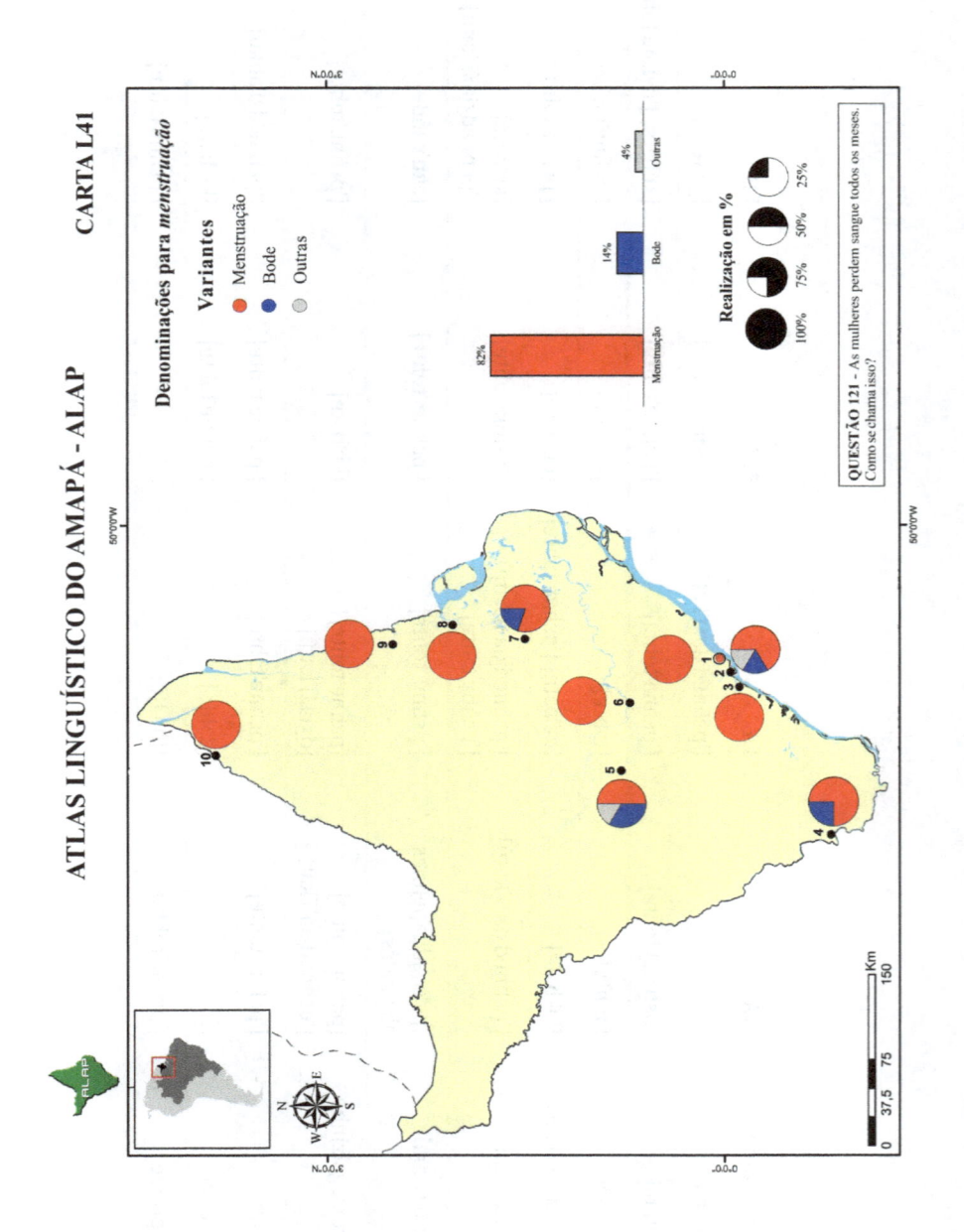

Denominações para *menstruação*

Variantes
- 🔴 Menstruação
- 🔵 Bode
- ⚪ Outras

Menstruação 82%
Bode 14%
Outras 4%

Realização em %
- ● 100%
- ◕ 75%
- ◑ 50%
- ◔ 25%

QUESTÃO 121 - As mulheres perdem sangue todos os meses. Como se chama isso?

154   Atlas Linguístico do Amapá

Questão 121 – MENSTRUAÇÃO

Pontos de Inquéritos	MA	FA	MB	FB
01 – Macapá	[meʃtrua'sẽw̃]	[meʃtrua'sẽw̃]	[me'trua'sẽw̃]	[meʃtrua'sẽw̃]
02 – Santana	[me'trua] [meʃtrua'sẽw̃]	[meʃtrua'sẽw̃] ['tepe'eme]	[meʃtrua'sẽw̃] ['bɔdʒɪ]	[miʃtrua'sẽw̃]
03 – Mazagão	...	[miʃtrua'sẽw̃]	[mẽʃtru'asãu]	[meʃtrua'sẽw̃]
04 – Laranjal do Jarí	...	[meʃtrua'sẽw̃]	[mẽʃtrua'sãu] [tadʒɪ'bɔdʒɪ]	[meʃtru'a]
05 – Pedra Branca do Amaparí	[meʃtrua'sẽw̃] [bẽdejreveh'meʎɐ] [muʎetadʒɪ'bɔdʒɪ]	[meʃtrua'sẽw̃] ['bɔdʒɪ]	['bɔdʒɪ]	[meʃtrua'sẽw̃]
06 – Porto Grande	[mẽʃtrua'sẽw̃]	[miʃtrua'sẽw̃]	[meʃtrua'sẽw̃]	[meʃtrua'sẽw̃]
07 – Tartarugalzinho	[mẽʃtrua'sẽw̃] ['bɔdʒɪ]	[mẽʃtrua'sẽw̃]	[miʃtrua'sẽw̃]	[mẽstrua'sẽw̃]
08 – Amapá	[meʃtrua'sẽw̃]	[meʃtrua'sẽw̃]	[miʃtru'adɛ]	[miʃtrua'sẽw̃]
09 – Calçoene	[mẽʃtrua'sẽw̃]	[meʃtrua'sẽw̃]	[meʃtrua'sẽw̃]	[meʃtrua'sẽw̃]
10 – Oiapoque	[meʃtrua'sẽw̃]	[mẽʃtrua'sẽw̃]	[mẽʃtru'adɛ]	[mẽʃtrua'sẽw̃]

ATLAS LINGUÍSTICO DO AMAPÁ - ALAP

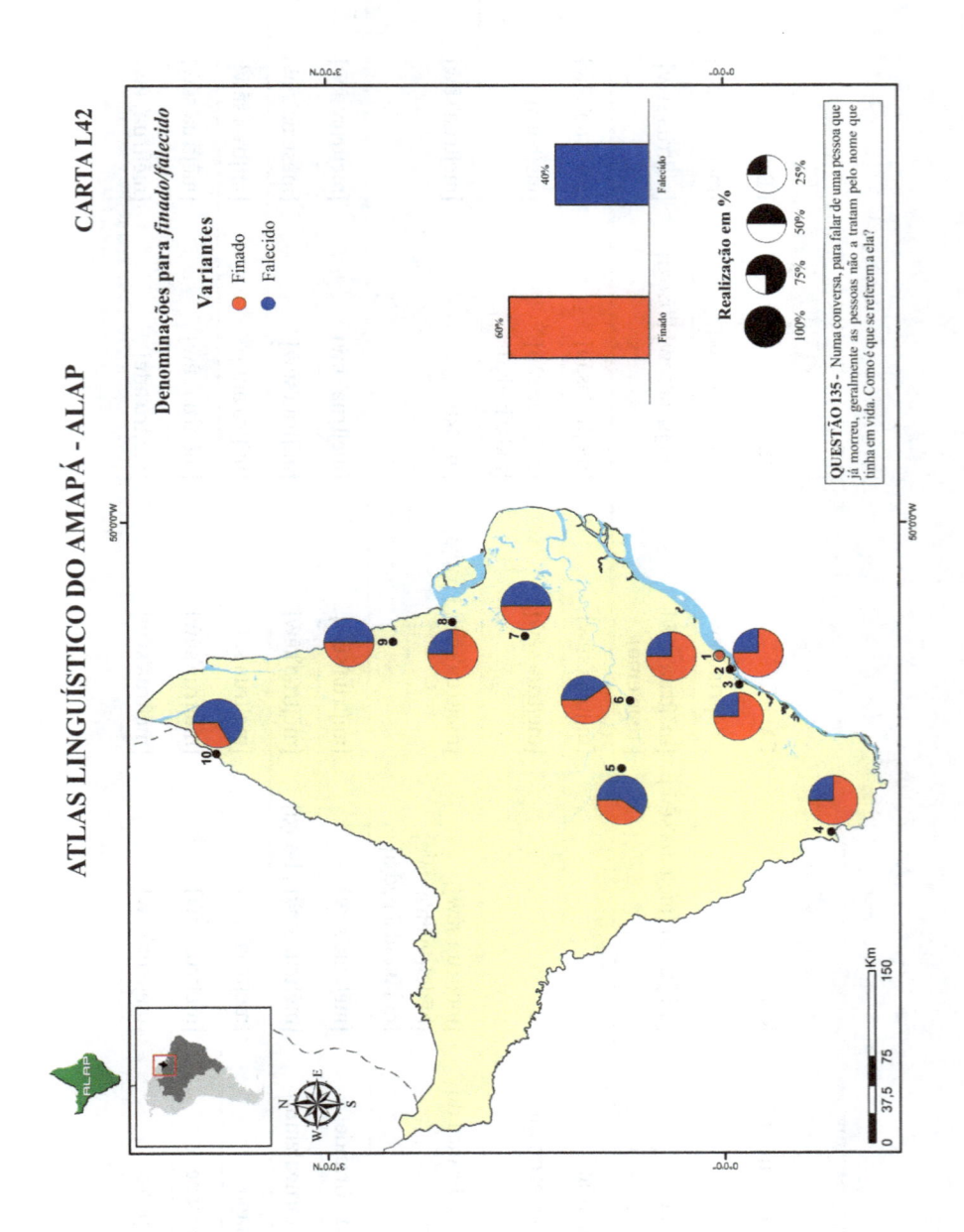

CARTA L42

Denominações para *finado/falecido*

Variantes
- Finado
- Falecido

Finado 60%
Falecido 40%

Realização em %
100% 75% 50% 25%

QUESTÃO 135 - Numa conversa, para falar de uma pessoa que já morreu, geralmente as pessoas não a tratam pelo nome que tinha em vida. Como é que se referem a ela?

156 Atlas Linguístico do Amapá

Questão 135 – FINADO/FALECIDO

Pontos de Inquéritos	MA	FA	MB	FB
01 – Macapá	[faleˈsidʊ]	[fiˈnadʊ]	[fiˈnadʊ]	[fiˈnadʊ]
02 – Santana	[fiˈnadʊʃ]	[faleˈsidʊ] [etʃikeˈridʊ]	[fiˈnadʊ]	[fiˈnadʊ]
03 – Mazagão	[fiˈnadɐ]	[fiˈnadʊ]	[faleˈsidʊ]	[fiˈnadʊ]
04 – Laranjal do Jarí	...	[fiˈnadʊ] [faleˈsidʊ]	[fiˈnadʊ]	[fiˈnadʊ] [mohtʊ]
05 – Pedra Branca do Amaparí	[faleˈsidʊ]	[faleˈsidɐ]	[fiˈnadʊ]	[faleˈsidʊ] [fiˈnadʊ]
06 – Porto Grande	[faleˈsidʊ]	[faleˈsidʊ] [fiˈnadʊ]	[fiˈnadʊ]	[fiˈnadʊ]
07 – Tartarugalzinho	[deˈfutʊ] [fiˈnadʊ] [faleˈsidʊ]	[fiˈnadʊ] [faleˈsidʊ]	[fiˈnadʊ] [faleˈsidʊ]	[fiˈnadʊ] [faleˈsidʊ]
09 – Amapá	[fiˈnadʊ]	[fiˈnadʊ]	[faleˈsidʊ]	[fiˈnadʊ]
08 – Calçoene	[deˈfutʊ]	[faleˈsidʊ]	[faleˈsew] [fiˈnadʊ]	[fiˈnadʊ]
10 – Oiapoque	[faleˈsidʊ]	[faleˈsidʊ]	...	[fiˈnadɐ]

ATLAS LINGUÍSTICO DO AMAPÁ - ALAP

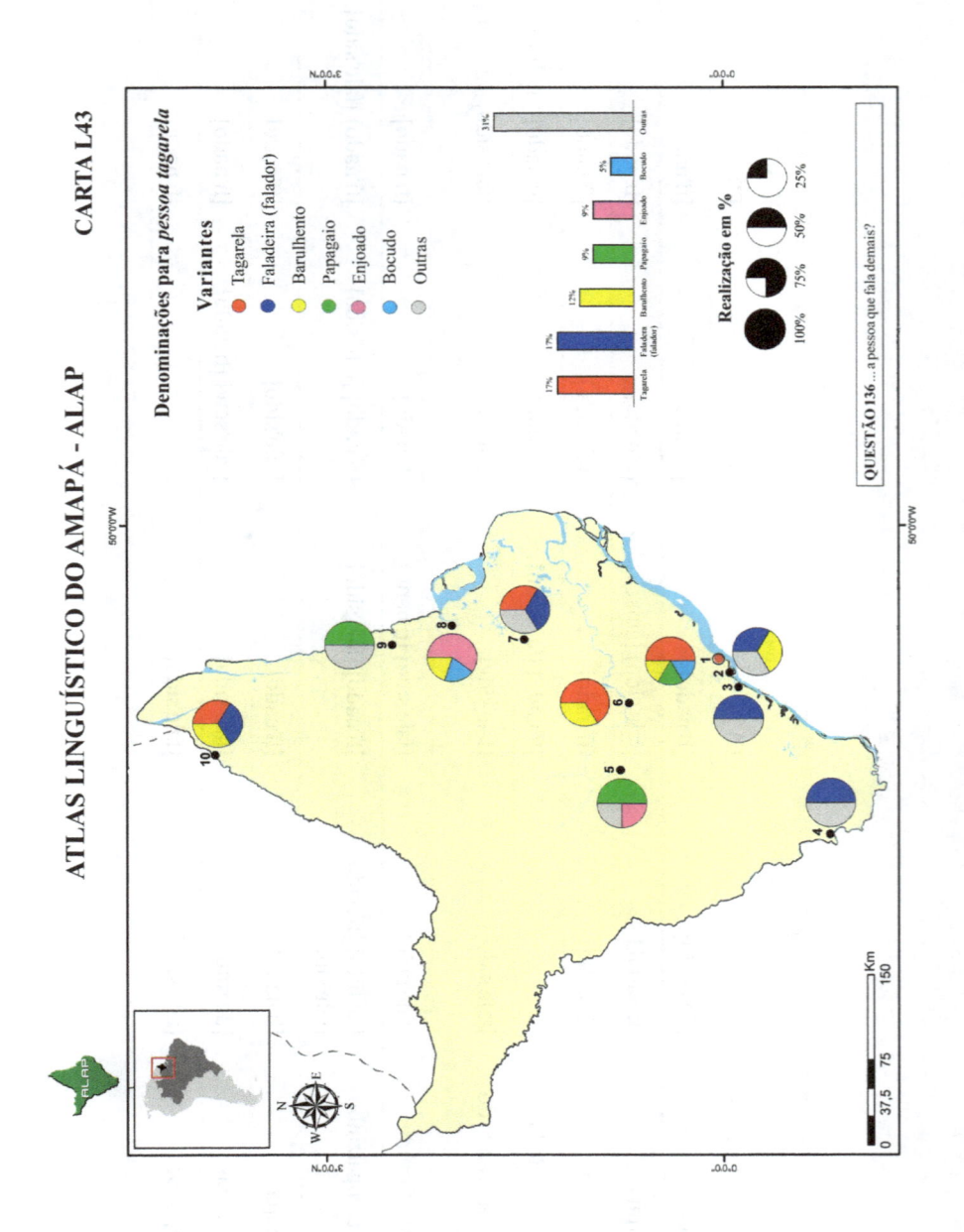

CARTA L43

Denominações para *pessoa tagarela*

Variantes:
- Tagarela
- Faladeira (falador)
- Barulhento
- Papagaio
- Enjoado
- Bocudo
- Outras

Realização em %: 100%, 75%, 50%, 25%

QUESTÃO 136 ... a pessoa que fala demais?

Percentuais: Tagarela 17%, Faladeira (falador) 17%, Barulhento 12%, Papagaio 9%, Enjoado 9%, Bocudo 5%, Outras 31%.

Questão 136 – PESSOA TAGARELA				
Pontos de Inquéritos	MA	FA	MB	FB
01 – Macapá	[taga'rɛtɛ] [bo'kudɛ]	[taga'rɛtɛ]	[papa'gajʊ]	[fala'derɛ] [lĩgwɛ'sowtɛ] [taga'rɛtɛ] [baru'ʎẽtʊ]
02 – Santana	...	[fala'mujtʊ] [fala'ʤi'majʃ]	[baru'ʎẽtʊ]	[fala'doh]
03 – Mazagão	[ma'trakɛ]	[fa'lẽtʃɪ]	[fala'derɛ] [fa'radɛ]	[fala'dʊ]
04 – Laranjal do Jari	...	[fala'derʊ]	[ʎigua'rudʊ]	[fala'derʊ]
05 – Pedra Branca do Amapari	[ĩʒu'adʊ] [ʃatʊ] [kahi'tɛw]	[papa'gajʊ]	...	[fa'lẽtʃɪ] [kinẽʃpapa'gajʊ]
06 – Porto Grande	[pe'soɛtaga-'latɛɾ]	[baruʎẽtʊ]	[tẽga.rɛɾɛ]	...
07 – Tartarugalzinho	[lĩgwa'rudʊ]	[taga.rɛɾɛ] [adɛh'baw]	[fala'do]	[lĩgwa'rudɛ]
08 – Amapá	[bo'kudʊ]	[ĩʒu'adʊ]	[ĩʒu'adʊ]	[baru'ʎẽtʊ] [ĩʒu'adʊ]
09 – Calçoene	[papa'gajʊ]	[fofo'kejɾʊ] [meʃiɾi'kejɾʊ]	[falẽw]	['fala'mũjtʊ]
10 – Oiapoque	[taga'rɛtɛ]	[falẽtʃɪ] ['buhʊfa'lẽtʃɪ]	[baru'ʎẽtʊ]	[fala'derɛ]

ATLAS LINGUÍSTICO DO AMAPÁ - ALAP

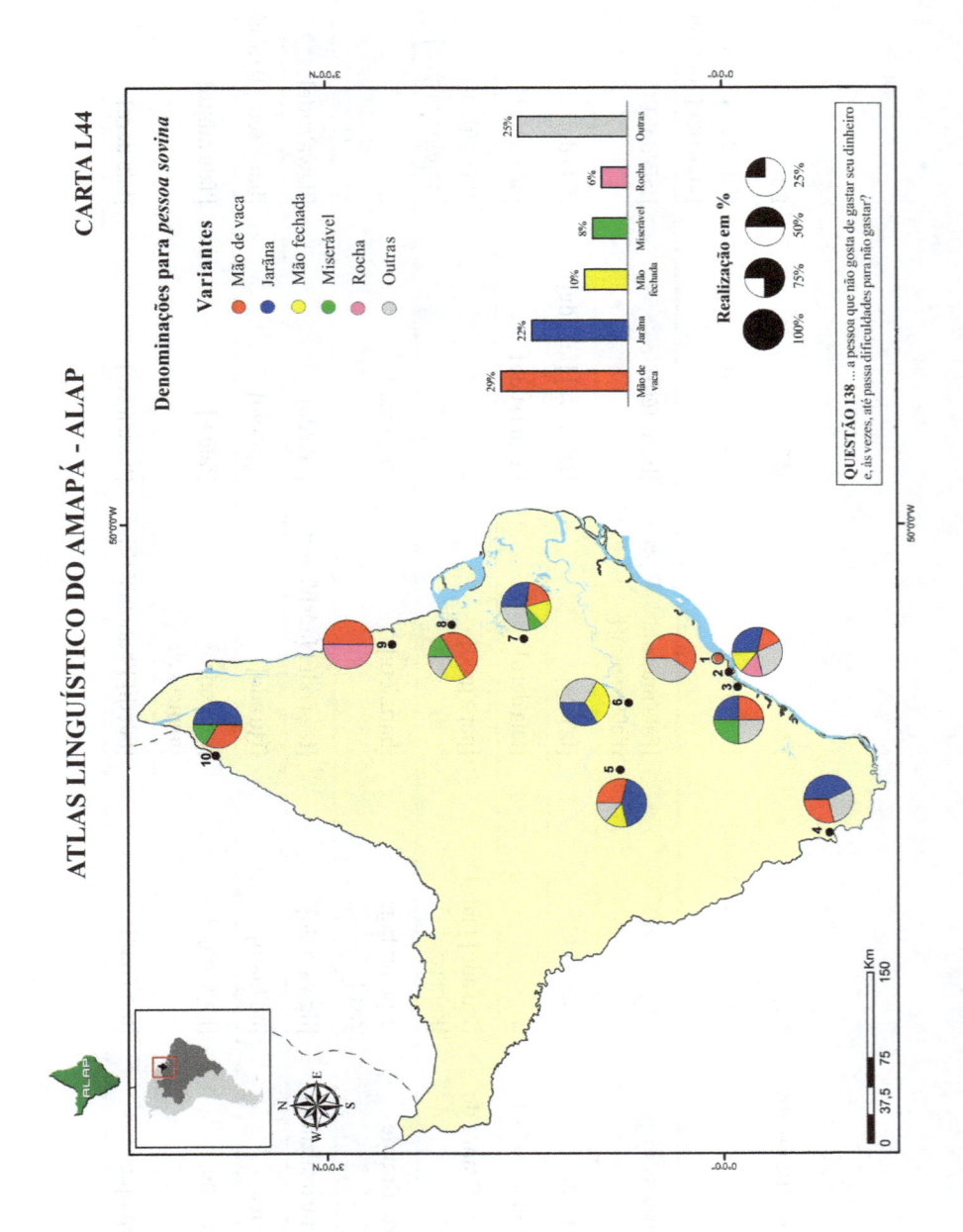

CARTA L44

Denominações para *pessoa sovina*

Variantes
- Mão de vaca
- Jarãna
- Mão fechada
- Miserável
- Rocha
- Outras

Variante	%
Mão de vaca	29%
Jarãna	22%
Mão fechada	10%
Miserável	8%
Rocha	6%
Outras	25%

Realização em %: 100%, 75%, 50%, 25%

QUESTÃO 138 ... a pessoa que não gosta de gastar seu dinheiro e, às vezes, até passa dificuldades para não gastar?

160 Atlas Linguístico do Amapá

Questão 138 – PESSOA SOVINA

Pontos de Inquéritos	MA	FA	MB	FB
01 – Macapá	[ʒaˈɾẽne] [mãw̃ˈdʒiˈvake] [pãwˈduɾʊ]	[mẽwdʒɪˈvake] [mukiˈɾẽne]	[mẽwdʒɪˈvake] [iʃˈkasʊ]	[mẽwdʒɪˈvake]
02 – Santana	[pãwˈduɾe]	[ʒaˈɾẽne] [mẽwdʒiˈvake]	[hɔʃa] [mẽwfeˈʃade]	[mẽwapehˈtade] [ʒaˈɾẽne]
03 – Mazagão	[ʒaˈɾẽne]	[mẽwdʒi ˈvake]	[ekoˈnõmikʊ]	[mizɛˈɾaviʃ]
04 – Laranjal do Jarí	[ʒaˈɾẽne]	[ʒaˈɾẽne] [pẽwˈduɾʊ]	[ʒaˈɾẽne] [mẽwdʒiˈvake] [mẽwdʒinẽˈnẽ]	[mẽwˈdʒiˈvake]
05 – Pedra Branca do Amaparí	[mẽwdʒiˈvake] [ʒaˈɾẽne]	[mẽwdʒiˈvake] [ʒaˈɾẽne]	[mẽwfeˈʃade] [traˈvosʊ]	[mẽwdʒiˈvake] [ʒaˈɾẽne]
06 – Porto Grande	[soˈvĩne]	[suˈvĩne]	[mẽwfeˈʃade]	[ʒaˈɾẽne]
07 – Tartarugalzinho	[ʒaˈɾẽne] [mẽwdʒiˈvake] [mẽwfeˈʃade]	[ʒaˈɾẽne] [mẽwfeˈʃade]	[ikunũˈmiʃte] [ʒaˈɾẽne] [trɛˈkadʊ]	[miseˈɾavew] [ũɲedʒiˈfõmi] [mẽwdʒiˈvake]
08 – Amapá	[mizeˈɾavew] [mẽwdʒiˈvake]	[mẽwdʒiˈvake] [mẽwfeˈʃade]	[mẽwˈnahõde] [mizeˈɾavi]	[mẽwdʒiˈvake]
09 – Calçoene	[mẽwdʒiˈvake]	[mẽwdʒiˈvake]	[hɔʃa]	[aʃcʊ]
10 – Oiapoque	[ʒaˈɾẽne] [mẽwdʒiˈvake]	[ʒaˈɾẽne] [mẽwdʒiˈvake]	[mizeˈɾavi]	[ʒaˈɾẽne]

ATLAS LINGUÍSTICO DO AMAPÁ - ALAP CARTA L45

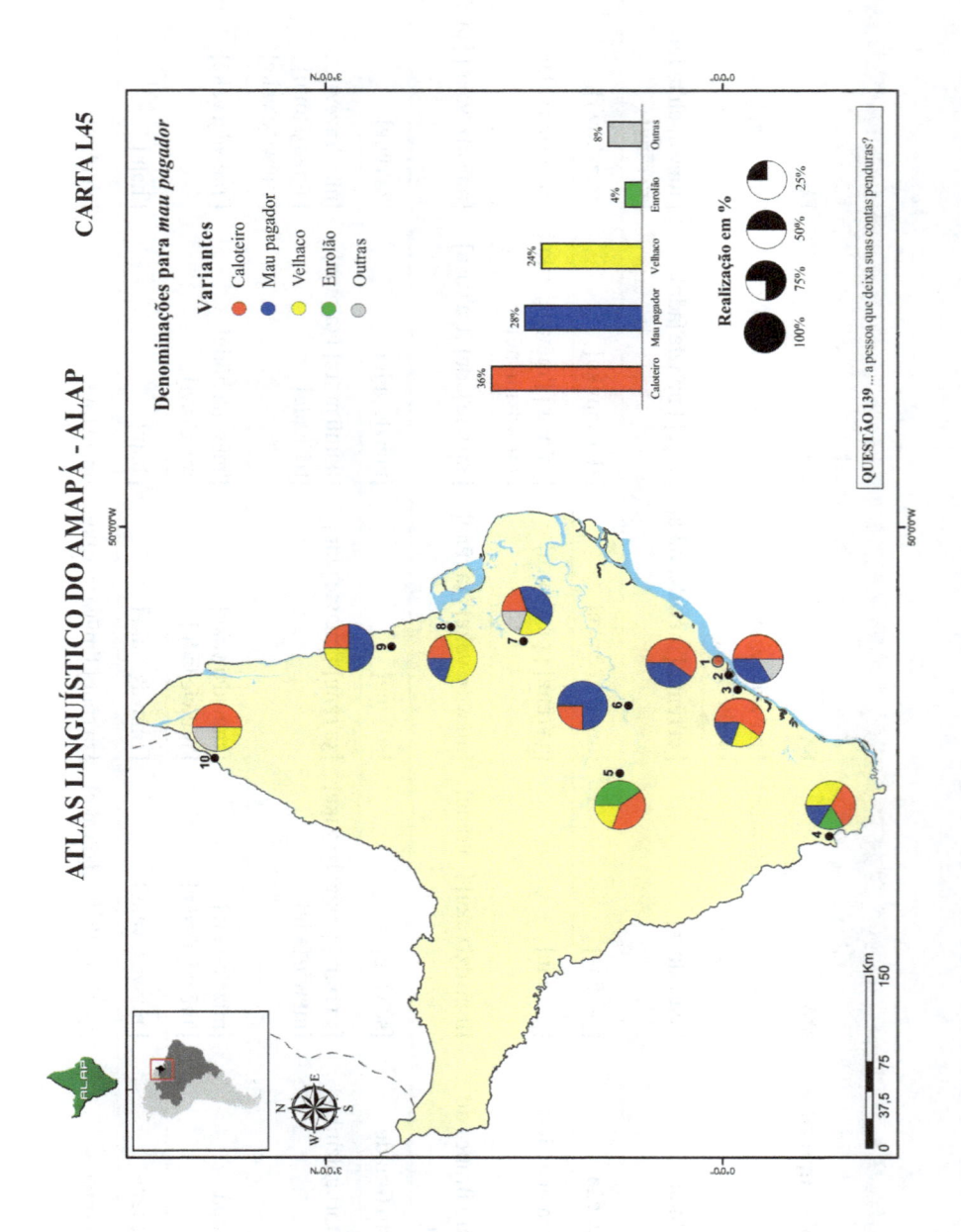

Denominações para *mau pagador*

Variantes
- 🔴 Caloteiro
- 🔵 Mau pagador
- 🟡 Velhaco
- 🟢 Enrolão
- ⚪ Outras

Caloteiro 36% | Mau pagador 28% | Velhaco 24% | Enrolão 4% | Outras 8%

Realização em %: 100%, 75%, 50%, 25%

QUESTÃO 139. ... a pessoa que deixa suas contas penduras?

Questão 139 – MAU PAGADOR

Pontos de Inquéritos	MA	FA	MB	FB
01 – Macapá	[kaloˈtɐʊ]	[kaloˈtɐʊ]	[mawpagaˈdo]	[mawpagaˈdo] [kaloˈtɐʊ]
02 – Santana	[deveˈdoh]	[kaloˈtɐʊ]	[kaluˈtɐʊ] [mawpagaˈdoh]	[kaluˈtɐʊ] [mawpagaˈdoh]
03 – Mazagão	[kaloˈtere]	[kaloˈtere]	[vɛjˈakʊ]	[mawpagaˈdo]
04 – Laranjal do Jarí	[viˈʎakʊ]	[kaloˈtɐʊ ĩhoˈlẽw̃]	[kaloˈtɐʊ] [viˈʎakʊ]	[mawpagaˈdo]
05 – Pedra Branca do Amaparí	[ĩhɔˈlẽw̃]	[kaloˈtɐʊ ĩhoˈlãw̃]	[vɛˈʎakʊ]	[kaloˈteʲrʊ]
06 – Porto Grande	[mawpagaˈdo]	[mawpagaˈdoh]	[mawpagaˈdo]	[kaloˈtɐʊ]
07 – Tartarugalzinho	[kalotejrʊ] [ˈhuɪdʒinɛˈgɔsiw]	[mawpagaˈdo]	[viˈljakʊ]	[mawpagaˈdoh]
08 – Amapá	[kaloˈtɐʊ]	[vɛˈljakʊ]	[mawpagaˈdo] [vɛˈljakʊ]	[viˈʎakʊ]
09 – Calçoene	[kaloˈtɐʊ]	[mawpagaˈdo]	[vɛˈʎakʊ]	[mawpagaˈdoh]
10 – Oiapoque	[kaloˈtɐʊ]	[kaloˈtɐʊ]	[saˈfadʊ]	[vɛˈljakʊ]

ATLAS LINGUÍSTICO DO AMAPÁ - ALAP

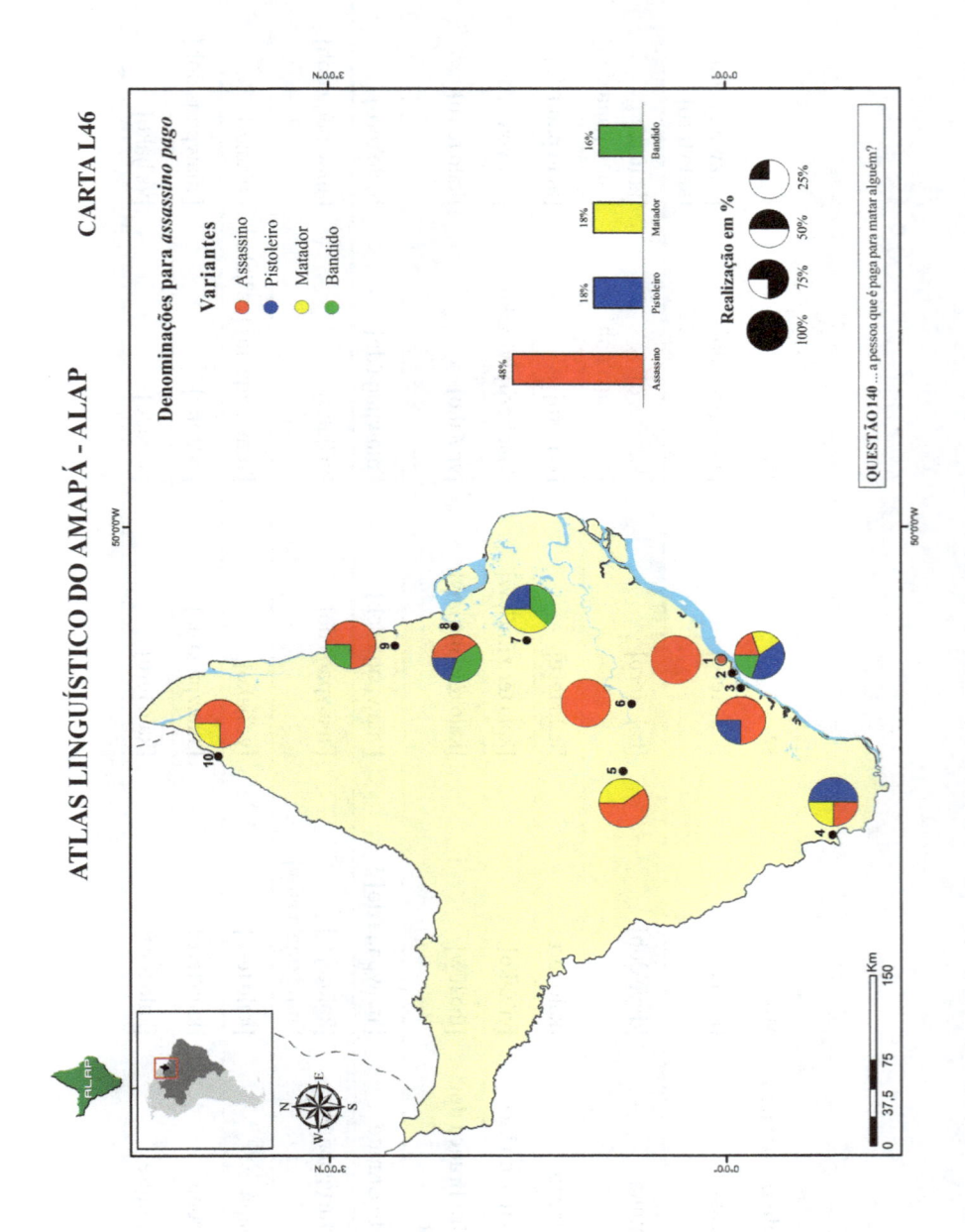

CARTA L46

Denominações para *assassino pago*

Variantes
- 🔴 Assassino
- 🔵 Pistoleiro
- 🟡 Matador
- 🟢 Bandido

Assassino	Pistoleiro	Matador	Bandido
48%	18%	18%	16%

Realização em %: 100%, 75%, 50%, 25%

QUESTÃO 140 ... a pessoa que é paga para matar alguém?

Questão 140 – ASSASSINO PAGO

Pontos de Inquéritos	MA	FA	MB	FB
01 – Macapá	[asaˈsinʊ]	[asaˈsinʊ]	[asaˈsinʊ]	[asaˈsinʊ]
02 – Santana	[ˈkũplisɪ] [ˈkupadʊmataˈdoh]	[asaˈsĩnʊdʒialuˈgɛw]	[piʃtoˈlerʊ]	[bẽˈdʒidʊ] [piʃtoˈlerʊ]
03 – Mazagão	[asaˈsĩnʊ]	[asaˈsĩnʊ]	[piʃtoˈlerʊ]	[saˈsĩnʊ]
04 – Laranjal do Jarí	...	[piʃtoˈlerʊ] [asaˈsinʊ]	[piʃtoˈlerʊ] [ʒaˈgũsʊ]	[mataˈdo]
05 – Pedra Branca do Amaparí	[mataˈdo]	[asaˈsĩnʊ]	[matadodʒialuˈgɛw] [saˈsĩnʊ]	[asaˈsinʊ]
06 – Porto Grande	[asaˈsinʊ]	...	...	...
07 – Tartarugalzinho	[piʃtoˈlerʊ] [mataˈdodʒialuˈgɛw]	[bẽˈdʒidʊ] [mataˈdo]	[bẽˈdʒidʊ] [piʃtoˈlerʊ]	[mataˈdo] [bẽˈdʒidʊ]
08 – Amapá	[bẽˈdʒidʊ]	[asaˈsinʊ]	[bẽˈdʒidʊ] [piʃtoˈlerʊ]	[asaˈsinʊ]
09 – Calçoene	[asaˈsĩnɛ]	[bẽˈdʒidɛ]	[asaˈsĩnɛ]	[asaˈsĩnʊ]
10 – Oiapoque	[ˈkũplisɪ] [asaˈsĩnʊ]	[asaˈsĩnʊdʒialuˈgɛw]	[mataˈdo]	[asaˈsinʊ]

ATLAS LINGUÍSTICO DO AMAPÁ - ALAP CARTA L47

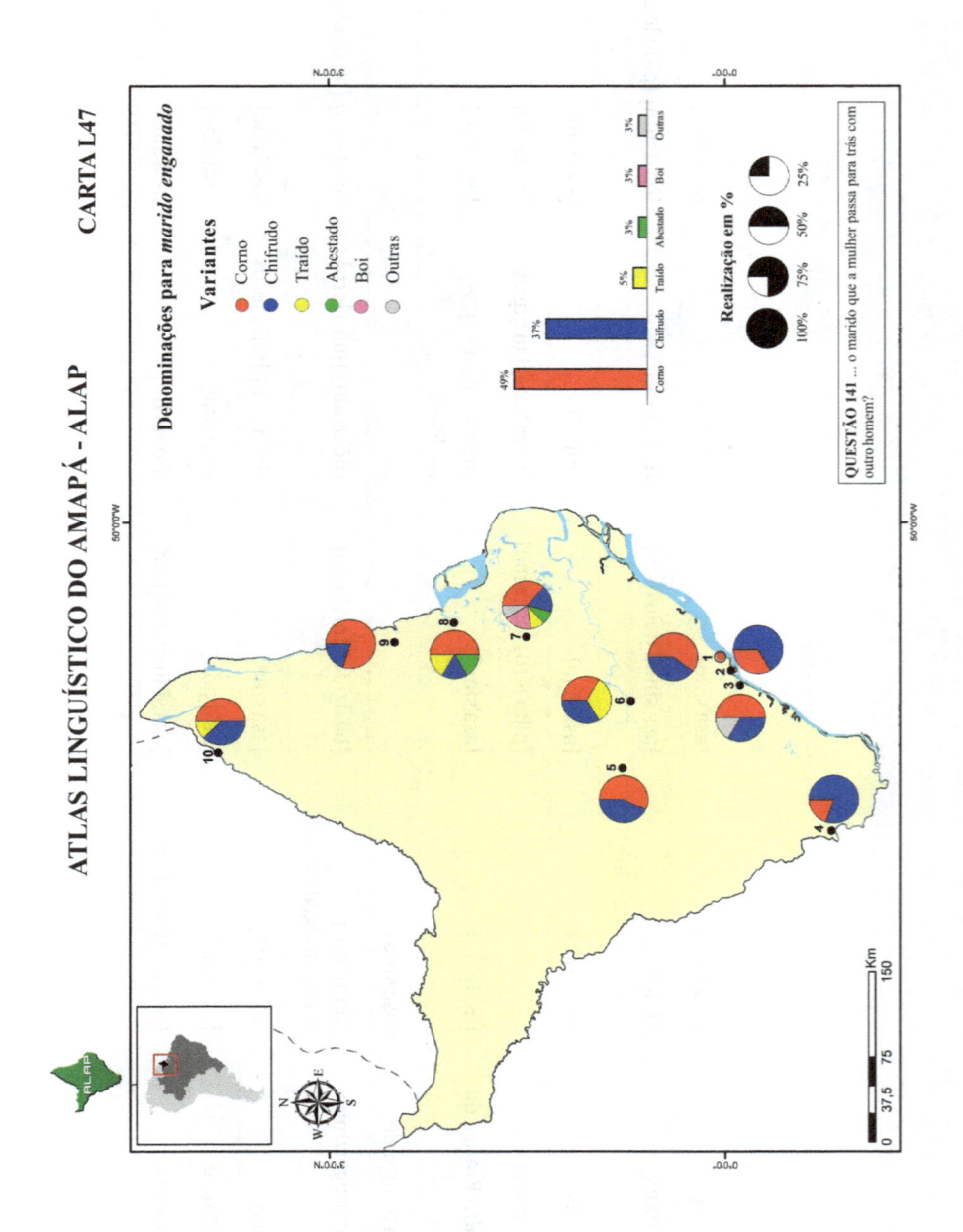

Denominações para *marido enganado*

Variantes:
- 🔴 Corno
- 🔵 Chifrudo
- 🟡 Traído
- 🟢 Abestado
- 🟣 Boi
- ⚪ Outras

Corno 49%
Chifrudo 37%
Traído 5%
Abestado 3%
Boi 3%
Outras 3%

Realização em %: 100%, 75%, 50%, 25%

QUESTÃO 141 ... o marido que a mulher passa para trás com outro homem?

Questão 141 – MARIDO ENGANADO

Pontos de Inquéritos	MA	FA	MB	FB
01 – Macapá	[ˈkoɦnʊ] [ʃiˈfrudʊ]	[ˈkoɦnʊ]	[ˈkoɦnʊ]	[ʃiˈfrudʊ]
02 – Santana	[ʃiˈfrudʊ]	[ʃiˈfrudʊ] [ˈkoɦnʊ]	[ʃiˈfrudʊ] [ˈkoɦnʊ]	[ʃiˈfrudʊ]
03 – Mazagão	[saˈfadʊ] [ˈkoɦnʊ]	[kornʊ] [ʃiˈfrudʊ]	[ʃiˈfrudʊ]	[ˈkoɦnʊ]
04 – Laranjal do Jarí	[ʃiˈfrudʊ]	[ʃiˈfrudʊ]	[ˈkoɦnʊ] [ʃiˈfrudʊ]	[ʃiˈfrudʊ]
05 – Pedra Branca do Amaparí	[ˈkoɦnʊ] [ʃiˈfrudʊ]	[ˈkoɦnʊ]	[ˈkoɦnʊ] [ʃiˈfrudʊ]	[ʃiˈfrudʊ] [ˈkoɦnʊ]
06 – Porto Grande	...	[ˈkoɦnʊ]	[traˈidʊ]	[ʃiˈfrudʊ]
07 – Tartarugalzinho	[ˈkoɦnʊ] [ʃiˈfrudʊ] [ˈboj]	[ˈkoɦnʊ] [ˈboj] [abeʃˈtadʊ]	[ˈkoɦnʊ] [ʃiˈfrudʊ] [tuˈfẽw̃]	[ˈkoɦnʊ] [maˈridʊtraˈidʊ]
08 – Amapá	[traˈidʊ] [abeʃˈtadʊ]	[ˈkoɦnʊ]	[ˈkoɦnʊ]	[ʃiˈfrudʊ] [ˈkoɦnʊ]
09 – Calçoene	[ˈkoɦnʊ] [ʃiˈfrudʊ]	[ˈkoɦnʊ]	[ˈkoɦnʊ]	[ˈkoɦnʊ]
10 – Oiapoque	[ˈkoɦnʊ]	[traˈidʊ] [ʃiˈfrudʊ] [ˈkoɦnʊ]	[ʃiˈfrudʊ] [ˈkoɦnʊ]	[traˈidʊ] [ʃiˈfrudʊ] [ˈkoɦnʊ]

ATLAS LINGUÍSTICO DO AMAPÁ - ALAP

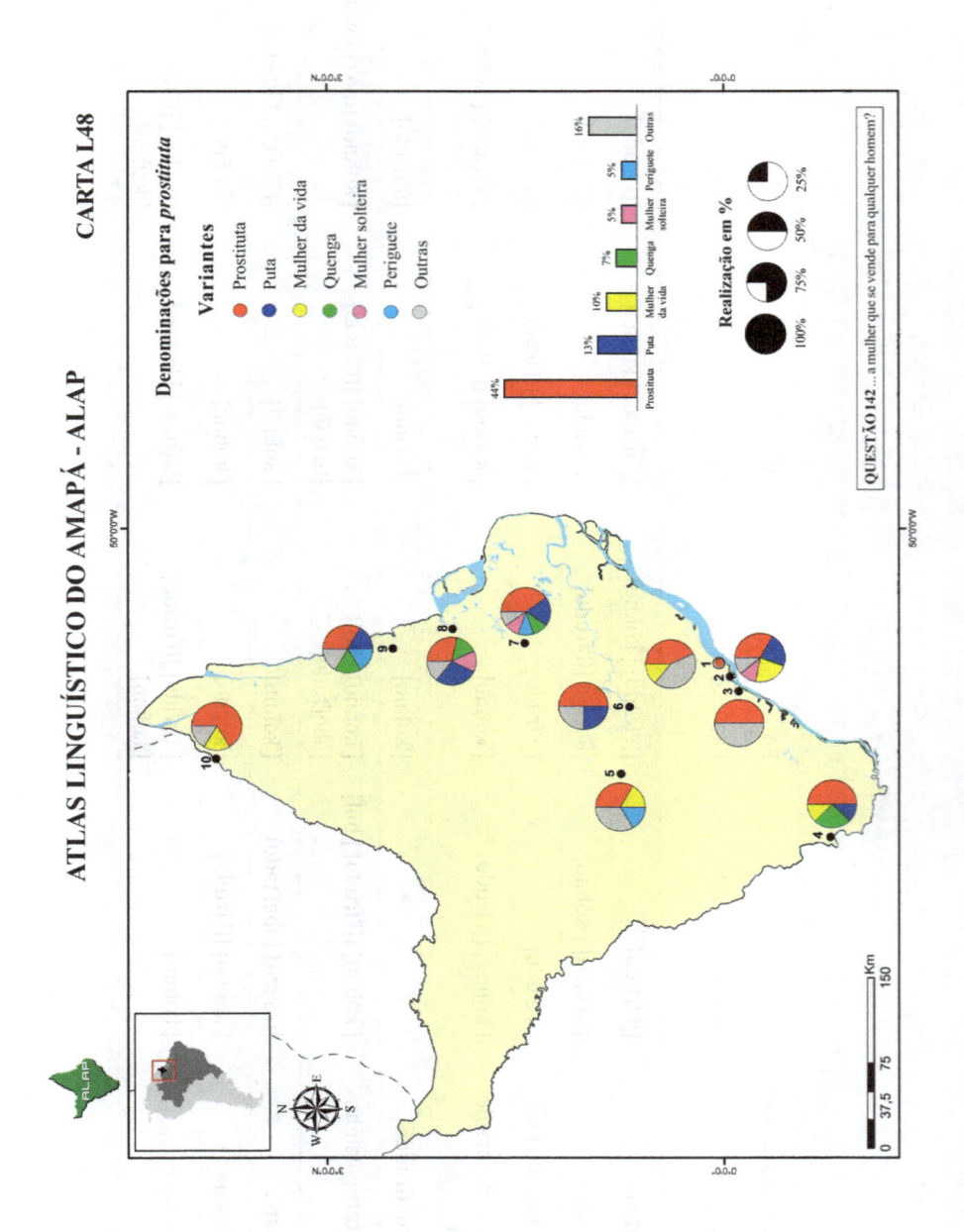

CARTA L48

Denominações para *prostituta*

Variantes
- Prostituta
- Puta
- Mulher da vida
- Quenga
- Mulher solteira
- Periguete
- Outras

Realização em %: 100% | 75% | 50% | 25%

Prostituta 44% | Puta 13% | Mulher da vida 10% | Quenga 7% | Mulher solteira 5% | Periguete 5% | Outras 16%

QUESTÃO 142. ... a mulher que se vende para qualquer homem?

Questão 142 – PROSTITUTA

Pontos de Inquéritos	MA	FA	MB	FB
01 – Macapá	[proʃtʃiˈtute] [piˈrẽpe]	[proʃtʃiˈtute] [muˈʎɛdʒipɾoˈgɾãme]	[proʃtʃiˈtute] [muˈʎɛdaˈvide]	[dʒipɾoˈgɾẽme]
02 – Santana	[proʃtʃiˈtute]	[pute] [proʃtʃiˈtute] [gaɾoˌtadʒipɾoˈgɾãme]	[pute] [proʃtʃiˈtute] [muˈʎɛdaˈvide]	[muˈʎɛdaˈvide] [muˈʎɛsowˈteɾe]
03 – Mazagão	[proʃtʃiˈtute]	[puhtʃiˈtute]	[hapaˌɾiga]	[dɛpɾaˈvada]
04 – Laranjal do Jarí	[proʃtʃiˈtute]	[proʃtʃiˈtute] [muˈʎɛdaˈvide] [ˈkẽga]	[pute] [proʃtʃiˈtute] [ˈkẽga]	[pohtʃiˈtute]
05 – Pedra Branca do Amaparí	[pute] [muˈʎɛdaˈvide]	[proʃtʃiˈtute] [piɾiˈgɛtʃi]	[babiˈlõnji] [proʃtʃiˈtute]	[proʃtʃiˈtute] [vagaˈbũde] [ˈpute]
06 – Porto Grande	[proʃtʃiˈtute]	[proʃtʃiˈtute]	[pute]	[miˈlʲitɾiʃ]
07 – Tartarugalzinho	[pɾotʃiˈtute] [pute]	[pɾotʃiˈtute] [pute] [ˈkẽga] [kaˈʃaʃe] [piɾiˈgɛtʃi]	[muˈʎɛhsowˈteɾe] [pɾotʃiˈtute]	[pɾotʃiˈtute] [hapaˌɾiga]
08 – Amapá	[proʃtʃiˈtute] [ˈkẽga] [saˈfade]	[muˈʎɛdaˈvide] [pute]	[muˈʎɛsowˈteɾe] [pute]	[proʃtʃiˈtute]
09 – Calçoene	[ofeɾeˈside]	[piɾiˈgɛtʃi] [pute] [pɾoʃtʃiˈtute]	[ˈkẽga]	[proʃtʃiˈtute]
10 – Oiapoque	[pɾɔkɾi] [pɾoʃtʃiˈtute]	[pute] [pɾoˌtʃiˈtute] [muˈʎɛdaˈvide]	[pɾotʃiˈtute]	[pɾoʃtʃiˈtute]

ATLAS LINGUÍSTICO DO AMAPÁ - ALAP

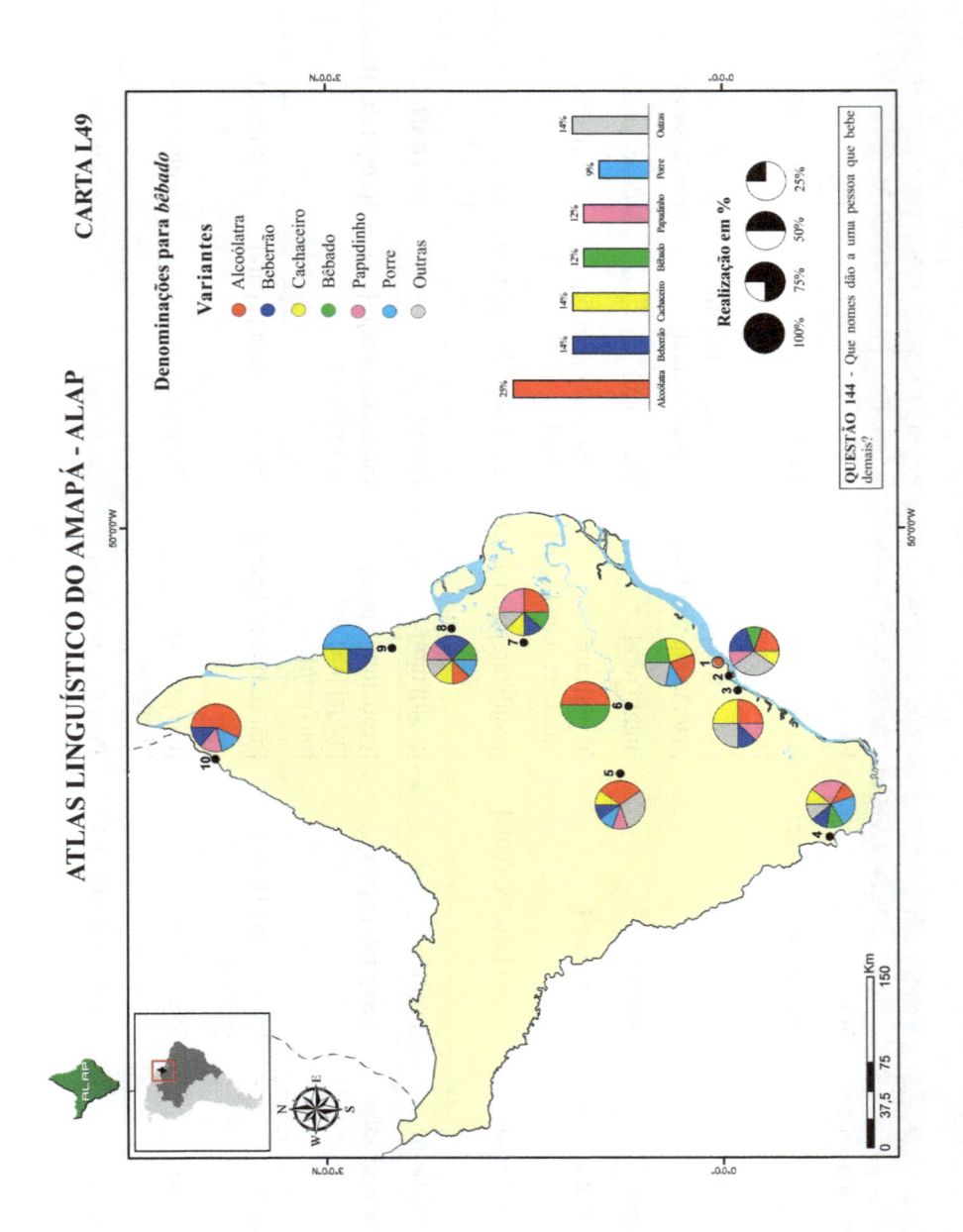

CARTA L49

Denominações para *bêbado*

Variantes
- Alcoólatra
- Beberrão
- Cachaceiro
- Bêbado
- Papudinho
- Porre
- Outras

Alcoólatra 25% | Beberrão 14% | Cachaceiro 14% | Bêbado 12% | Papudinho 12% | Porre 9% | Outras 14%

Realização em %: 100%, 75%, 50%, 25%

QUESTÃO 144 – Que nomes dão a uma pessoa que bebe demais?

Atlas Linguístico do Amapá

Questão 144 – BÊBADO (DESIGNAÇÕES)

Pontos de Inquéritos	MA	FA	MB	FB
01 – Macapá	[bebadʊ] [kaʃa'serʊ]	[awˈkɔlatɾɪ]	[visiˈadʊ] [kaʃaˈserʊ]	[awˈkɔlatɾɪ] [bebadʊ] [pɔhɪ] [ẽbɾiaˈgadʊ]
02 – Santana	[pĩˈgusuʃ] [bebeˈhẽw̃] [gɔˈtadʒitomaũˈma]	[bebadʊ] [papuˈdʒiɲʊ] [awˈkɔlatɾɪ]	[kaʃaˈserʊ] [awˈkɔlatɾɪ] [bebeˈhẽw̃]	[sĩbɾiaˈgo]
03 – Mazagão	[kaʃaˈserʊ] [papuˈdĩw̃]	[depɛ̃ˈdẽtʃɪ ˈkimikʊ] [kaʃaˈserʊ]	[ahˈkɔʎikʊ] [bebeˈhẽw̃]	[awˈkɔlatɾa] [visiˈadʊ]
04 – Laranjal do Jarí	[kaʃaˈserʊ]	[papuˈdʒiɲʊ] [awˈkɔlatɾɪ] [pɛĩˈʃadʊ]	[papuˈdʒiɲʊ] [ˈbebadʊ] [ˈpɔhɪ]	[ˈpɔhɪ] [bebeˈhẽw̃]
05 – Pedra Branca do Amaparí	[kaʃaˈsejɾʊ] [pĩˈgusʊ] [pɛĩˈʃadʊ]	[awˈkɔlatɾɪ] [beˈbũ] [papuˈdʒiɲʊ]	[ˈpɔhɪ] [awˈkɔtatɾɪ]	[awˈkɔlatɾɪ] [bebeˈhẽw̃]
06 – Porto Grande	[bebadʊ]	[awˈkɔlatɾɪ]	[ˈbebadʊ]	[ˈcˈkɔlatɾɪ]
07 – Tartarugalzinho	[papuˈdʒiɲʊ] [bebeˈhẽw̃] [awˈkɔlatɾɪ]	[kaʃaˈserʊ] [ˈbebadʊ]	[paˈpudʊ] [pɛĩˈʃadʊ]	[awˈkɔlatɾɪ]
08 – Amapá	[ˈpapuˈdʒiɲʊ] [bebeˈhẽw̃]	[ˈbebadʊ] [ˈpɔhɪ]	[bebeˈhẽw̃] [awˈkɔlatɾɪ]	[kaʃaˈserʊ] [pĩˈgusʊ]
09 – Calçoene	[ˈpɔhɪ]	[ˈpɔhɪ]	[bebeˈhẽw̃]	[kaʃaˈserʊ]
10 – Oiapoque	[awˈkɔlatɾɪ]	[papuˈdʒiɲʊ awˈkɔlatɾɪ]	[awˈkɔʎikʊ] [bebeˈhẽw̃]	[awˈkɔlatɾɪ] [ˈpɔhɪ]

ATLAS LINGUÍSTICO DO AMAPÁ - ALAP

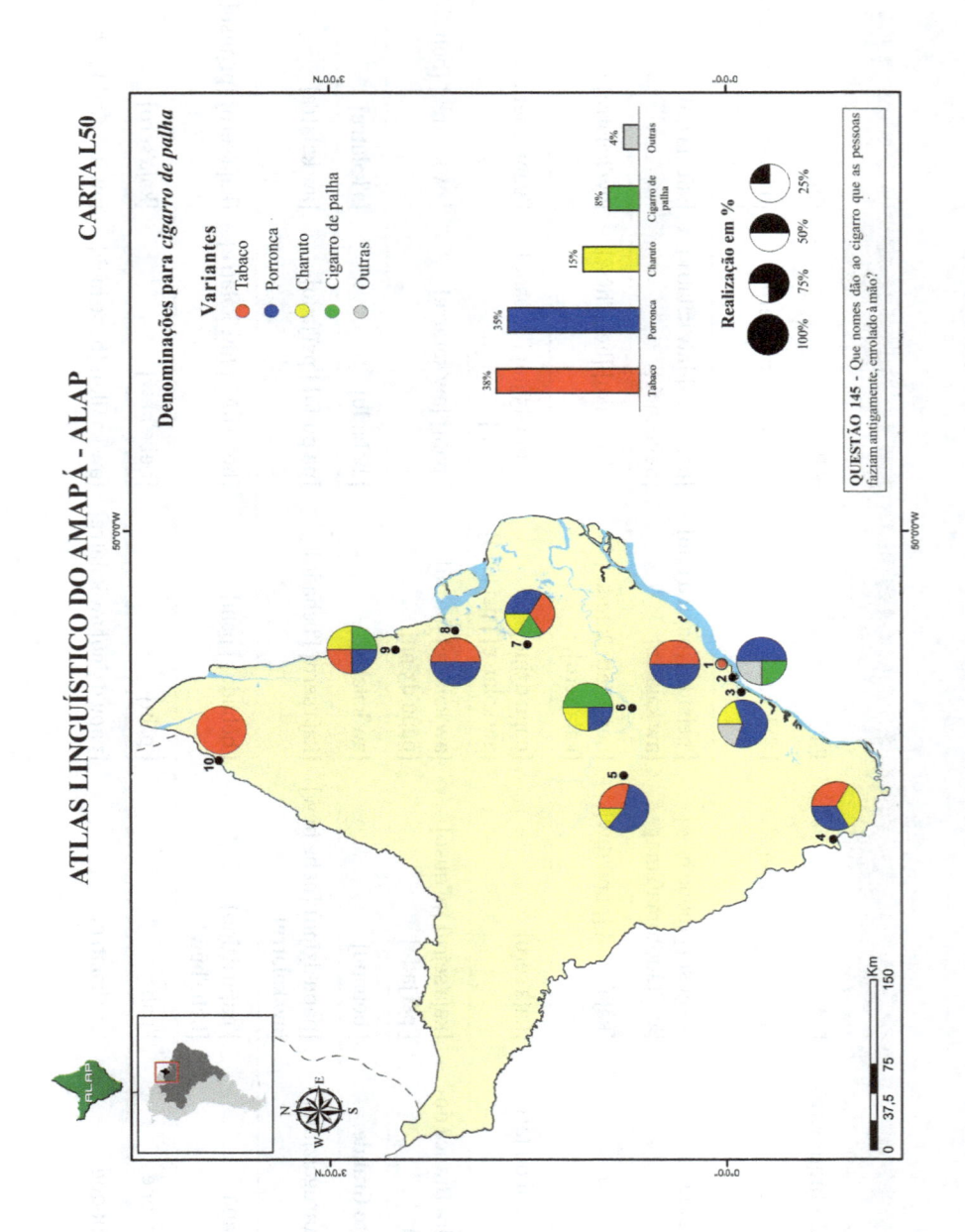

CARTA L50

Denominações para *cigarro de palha*

Variantes
- Tabaco
- Porronca
- Charuto
- Cigarro de palha
- Outras

Tabaco	Porronca	Charuto	Cigarro de palha	Outras
38%	35%	15%	8%	4%

Realização em %: 100%, 75%, 50%, 25%

QUESTÃO 145 - Que nomes dão ao cigarro que as pessoas faziam antigamente, enrolado à mão?

Questão 145 – CIGARRO DE PALHA

Pontos de Inquéritos	MA	FA	MB	FB
01 – Macapá	[taˈbakʊ]	[taˈbakʊ]	[poˈhõke]	[pɔˈhõke]
02 – Santana	[ˈpɔhõke]	[sigahuʤiˈpaʎe] [ʃaˈrutʊ]	[poˈhõke] [põteˈʤibuˈhaʃe]	[tabaˈkẽw̃]
03 – Mazagão	[ˈtrevʊ]	[ʃaˈrutʊ] [pɔˈhõke]	[ta pɔˈhõke]	[pɔˈhõke]
04 – Laranjal do Jari	...	[taˈbakʊ]	[pohõke] [ʃaˈrutʊ]	...
05 – Pedra Branca do Amaparí	[taˈbakʊ] [poˈhõke]	[taˈbakʊ] [poˈhõke]	[poˈhõke]	[poˈhõke] [ʃaˈrutʊ]
06 – Porto Grande	[siˈgahuʤiˈpaʎe]	[sigaˈhiɲʊˈʤiˈpaʎe]	[poˈhõke]	[ʃaˈrutʊ]
07 – Tartarugalzinho	[pɔˈhõke] [tabaˈkẽw̃]	[pɔˈhõke] [sigaˈhiɲʊ]	[ʃaˈrutʊ]	[tabaˈkẽw̃]
08 – Calçoene	[ʃaˈrutʊ]	[sigaˈhiɲʊ]	[taˈbakʊ]	[pɔˈhõke] [tabaˈkẽw̃]
09 – Amapá	[taˈbakʊ]	[tabaˈkẽw̃]	[poˈhõke]	[poˈhõke]
10 – Oiapoque	[taˈbakʊ]	[taˈbakʊ]	[tabaˈkẽw̃] [taˈbakʊ]	[taˈbakʊ]

ATLAS LINGUÍSTICO DO AMAPÁ - ALAP

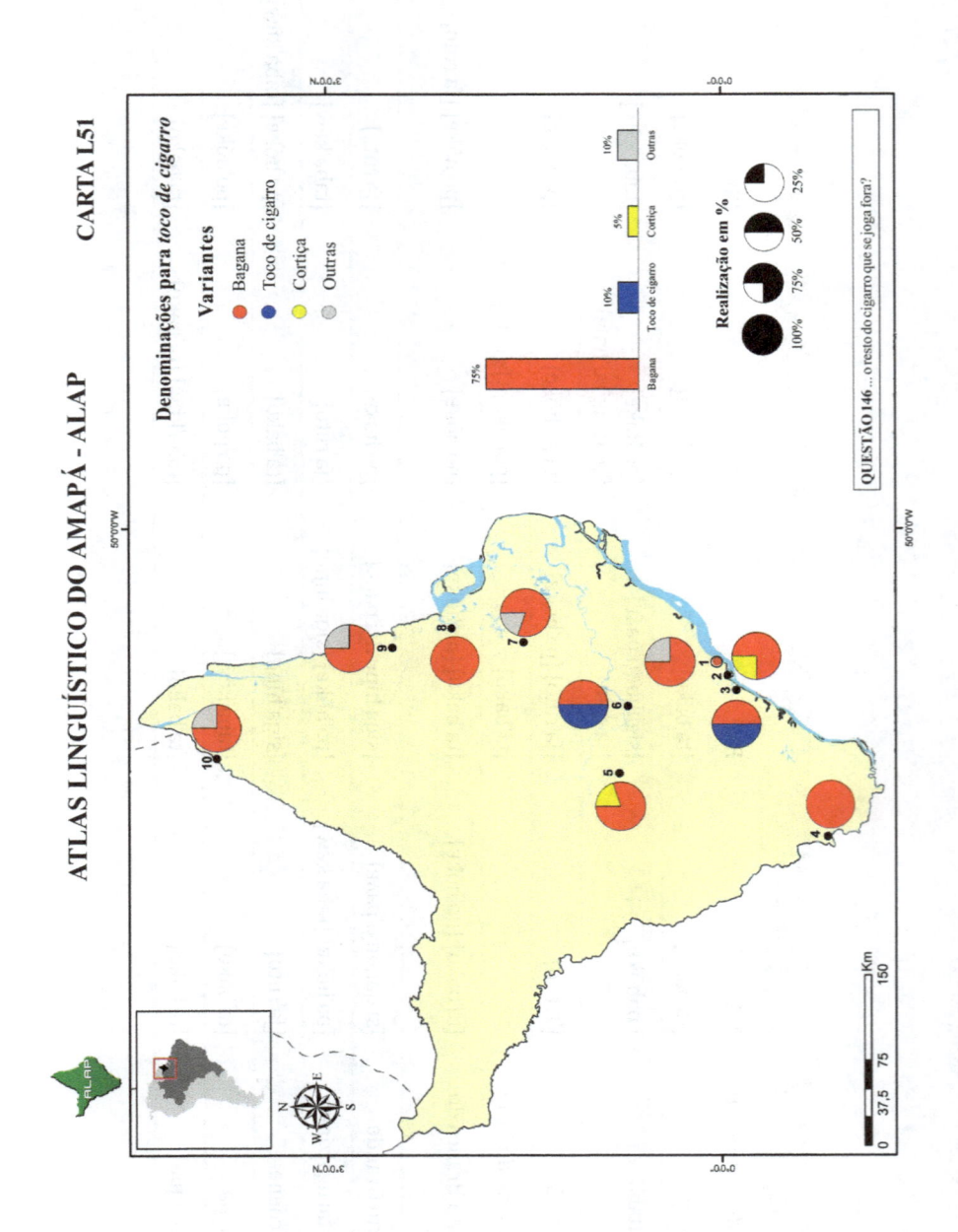

CARTA L51

Denominações para *toco de cigarro*

Variantes
- Bagana
- Toco de cigarro
- Cortiça
- Outras

Bagana 75%
Toco de cigarro 10%
Cortiça 5%
Outras 10%

Realização em %
100% | 75% | 50% | 25%

QUESTÃO 146. ... o resto do cigarro que se joga fora?

Questão 146 – TOCO DE CIGARRO/BAGANA

Pontos de Inquéritos	MA	FA	MB	FB
01 – Macapá	[ˈbohɛ]	[baˈgẽnɛ]	[[baˈgẽnɛ]	[baˈgẽnɛ]
02 – Santana	...	[baˈgẽnɛ]	[baˈgẽnɛ]	[baˈgẽnɛ] [kohˈtʃisɛ]
03 – Mazagão	[baˈgẽnɛ]	[toˈkɨɲu]	[tokudusiˈgahu]	[baˈgẽnɛ]
04 – Laranjal do Jarí	[baˈgẽnɛ]	[baˈgẽnɛ]	[baˈgẽnɛ]	[baˈgẽnɛ]
05 – Pedra Branca do Amaparí	[kuɦˈtʃisɛ] [baˈgẽnɛ]	[baˈgẽnɛ]	[baˈgẽnɛ]	[baˈgẽnɛ]
06 – Porto Grande	[tokudʒisiˈgahu]	[toˈkɨɲudʒisiˈgahu]	[baˈgẽnɛ]	[baˈgẽnɛ]
07 – Tartarugalzinho	[baˈgẽnɛ] [piˈtukɛ]	[baˈgẽnɛ]	[baˈgẽnɛ]	[baˈgẽnɛ]
08 – Amapá	...	[baˈgẽnɛ]	[baˈgẽnɛ]	[baˈgẽnɛ]
09 – Calçoene	[ˈhɛʃtu]	[baˈgẽnɛ]	[baˈgẽnɛ]	[baˈgẽnɛ]
10 – Oiapoque	[biˈatɛ]	[baˈgẽnɛ]	[baˈgẽnɛ]	[baˈgẽnɛ]

ATLAS LINGUÍSTICO DO AMAPÁ - ALAP   CARTA L52

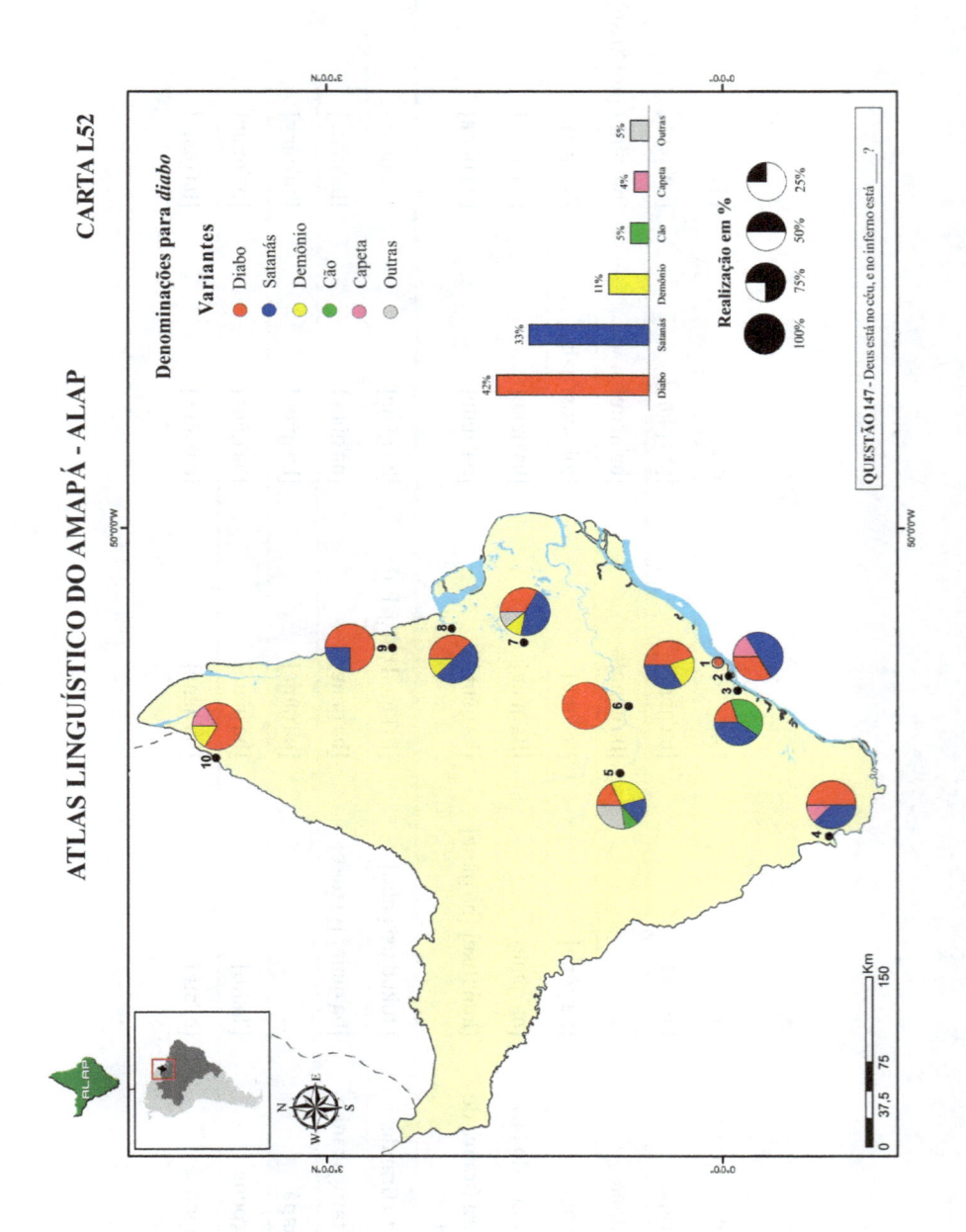

Denominações para *diabo*

Variantes
- Diabo
- Satanás
- Demônio
- Cão
- Capeta
- Outras

Variante	%
Diabo	42%
Satanás	33%
Demônio	11%
Cão	5%
Capeta	4%
Outras	5%

Realização em %: 100%, 75%, 50%, 25%

QUESTÃO 147 - Deus está no céu, e no inferno está ____?

Questão 147 – DIABO

Pontos de Inquéritos	MA	FA	MB	FB
01 – Macapá	[deˈmõnjuʃ] [dʒiˈabʊ] [sataˈnaʃ]	[dʒiˈabʊ] [deˈmõnjʊ]	[sataˈnaʃ] [dʒiˈabʊ]	[sataˈnaʃ] [dʒiˈabʊ]
02 – Santana	[kapeˈtɛ]	[sataˈnaʃ] [dʒiˈabʊ]	[satẽˈnaʃ] [dʒiˈabʊ]	[sataˈnaʃ]
03 – Mazagão	[dʒiˈabʊ]	[kẽw̃]	[satẽˈnaʃ]	[kẽw̃] [satẽˈnaʃ]
04 – Laranjal do Jarí	[dʒiˈabʊ]	[dʒiˈabʊ] [satẽˈnaʃ] [kaˈpete]	[sataˈnaʃ] [dʒiˈabʊ]	[dʒiˈabʊ] [satẽˈnaʃ]
05 – Pedra Branca do Amaparí	[dʒiˈabʊ] [deˈmõnjʊ] [ˈlusifi]	[deˈmõnjʊ] [dʒiˈabʊ]	[satãˈnɛs] [kãw̃] [lusiˈfɛ]	[deˈmõpʊ] [satẽˈnaʃ] [kẽw̃] [lusiˈfɛ] [iʃpiritohuˈĩ]
06 – Porto Grande	[dʒiˈabʊ]	[dʒiˈabʊ]	[dʒiˈabʊ]	[dʒiˈabʊ]
07 – Tartarugalzinho	[dʒiˈabʊ] [satẽˈnaʃ] [beʃteˈfɛɾɛ]	[dʒiˈabʊ] [deˈmõnjʊ] [satẽˈnaʃ]	[satɐˈnaʃ] [ˈfutʃi]	[sataˈnas] [dʒiˈabʊ]
08 – Amapá	[dʒiˈabʊ] [satẽˈnaʃ]	[dʒiˈabʊ] [deˈmõnjʊ] [satẽˈnaʃ]	[sataˈnaʃ] [dʒiˈabʊ]	[dʒiˈabʊ] [satẽˈnaʃ]
09 – Calçoene	[dʒiˈabʊ]	[dʒiˈabʊ]	[dʒiˈabʊ]	[sataˈnaʃ]
10 – Oiapoque	[deˈmõnjʊ] [dʒiˈabʊ]	[udʒiˈabʊ] [kaˈpete]	[satãˈnaʃ] [dʒiˈabʊ]	[dʒiˈabʊ]

ATLAS LINGUÍSTICO DO AMAPÁ - ALAP

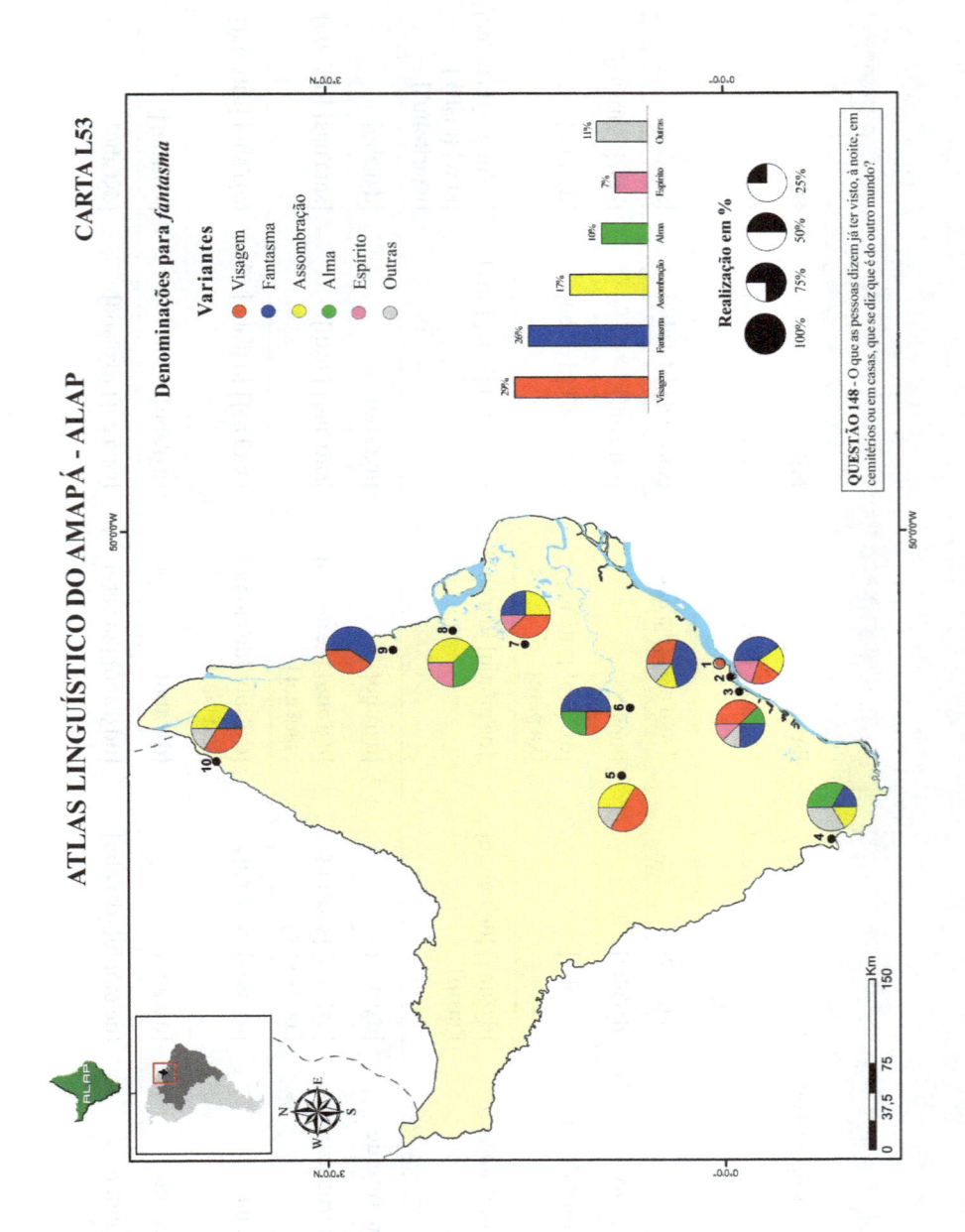

CARTA L53

Denominações para *fantasma*

Variantes
- 🔴 Visagem
- 🔵 Fantasma
- 🟡 Assombração
- 🟢 Alma
- 🩷 Espírito
- ⚪ Outras

Variante	%
Visagem	29%
Fantasma	26%
Assombração	17%
Alma	10%
Espírito	7%
Outras	11%

Realização em %: 100%, 75%, 50%, 25%

QUESTÃO 148 - O que as pessoas dizem já ter visto, à noite, em cemitérios ou em casas, que se diz que é do outro mundo?

Questão 148 – FANTASMA

Pontos de Inquéritos	MA	FA	MB	FB
01 – Macapá	[vi'zaʒɪ]	[fẽ'taʒmɛ] [vi'zaʒɪ]	[vi'zẽw̃] [asõbra'sẽw̃] [fẽ'taʒmɐ]	[fẽ'taʃmɛ]
02 – Santana	[fẽ'taʃmɛ]	[fẽ'taʃmɛ] [asõbra'sew̃]	[vi'zaʒɪ] [labi'zõmɪ]	[iʃ'pritu'maw]
03 – Mazagão	[lẽdɐ] [vi'zaʒɪ]	['awmɛ] [iʃ'piritʊ] [fẽ'taʃmɛ] ['sõbrɐ]	[ûmɐfẽ'taʃmɐ] [vi'zaʒẽj̃]	[vi'zaʒɪ] [vi'zẽw̃]
04 – Laranjal do Jarí	...	[mi'zure] ['awmepẽ'nadɛ]	[asõbrasẽw̃] ['vutʊ]	[fẽ'taʃmɛ] ['awmɛ]
05 – Pedra Branca do Amaparí	[asõbra'sẽw̃] vi'saʒɪ]	[vi'zaʒɪ] [asõbra'sẽw̃]	[vi'saʒɪ] [fẽ'taʒmɛ]	[mi'zure] [vi'zaʒɪ]
06 – Porto Grande	[fẽ'taʒmɛ]	[fẽ'taʃmɛ]	[vi'zaʒɪ]	['awmaʃ]
07 – Tartarugalzinho	[fẽ'taʒmɛ asõbra'sẽw̃] [vi'zaʒɪ]	[fẽ'taʒmɛ] [asõbra'sẽw̃] [iʃpi'rituʃ]	[vi'zaʒɪ] [vizẽw̃]	[vi'zaʒɪ]
08 – Amapá	[asõbra'sẽw̃] [vi'zaʒɪ] [iʃ'piritʊ] ['awmɛ]	['awmɛ] ['vutʊ]	[fẽ'taʒmɛ] [asõbra'sẽw̃] ['awmɛ] [iʃ'pritʊ]	[asõbra'sẽw̃]
09 – Calçoene	[fẽ'tahmɛ]	[fẽ'taʒmɛ]	[fẽ'tamɛ] [vi'zaʒɪ]	[vi'zaʒɪ]
10 – Oiapoque	[asõbra'sẽw̃] [fẽ'taʒmɛ]	[asõbra'sẽw̃]	[vi'zẽw̃] [vi'zaʒɪ]	[vi'zaʒɪ] ['vutʊ]

ATLAS LINGUÍSTICO DO AMAPÁ - ALAP

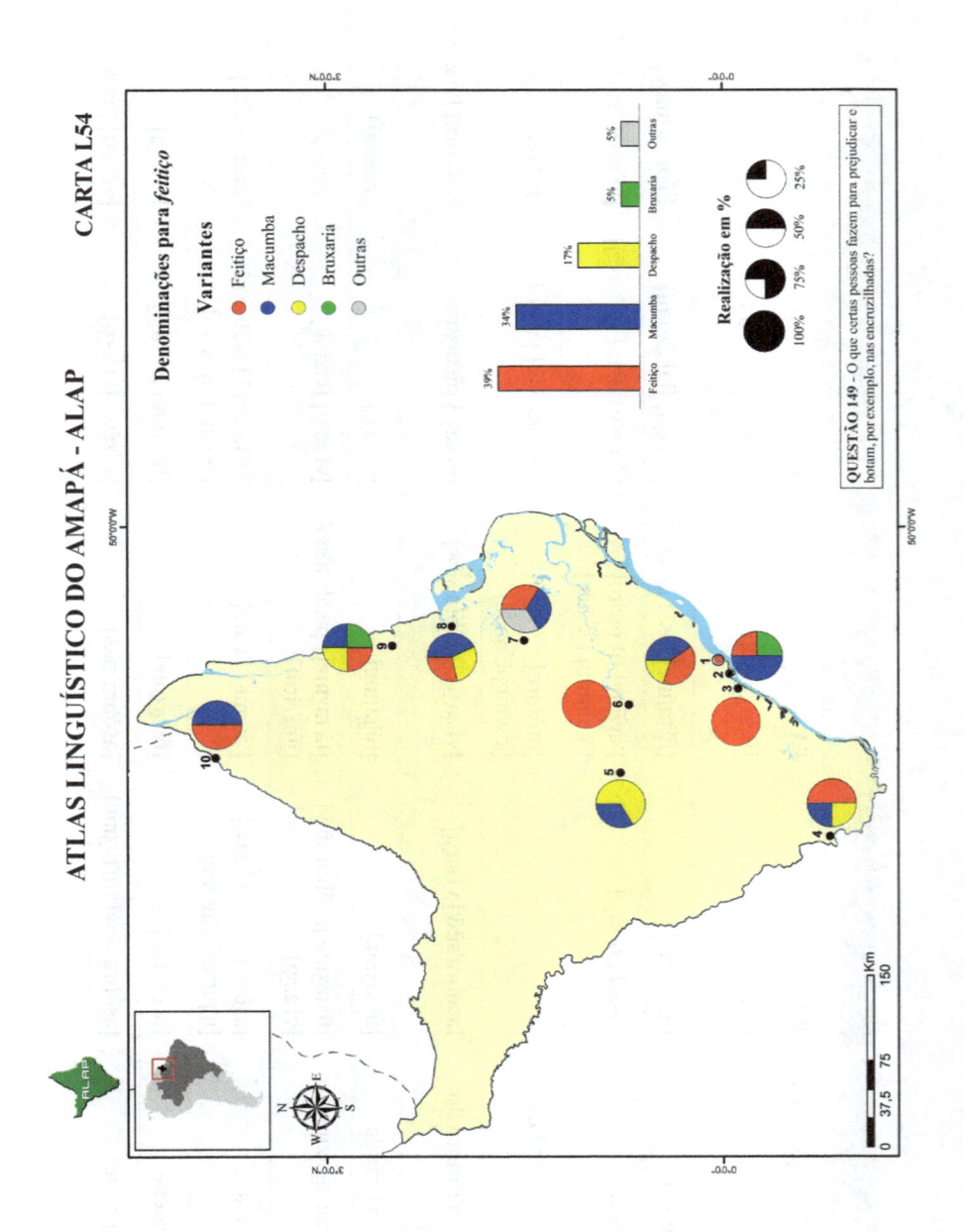

CARTA L54

Denominações para *feitiço*

Variantes
- 🔴 Feitiço
- 🔵 Macumba
- 🟡 Despacho
- 🟢 Bruxaria
- ⚪ Outras

Feitiço 39%
Macumba 34%
Despacho 17%
Bruxaria 5%
Outras 5%

Realização em %
100% | 75% | 50% | 25%

QUESTÃO 149 - O que certas pessoas fazem para prejudicar e botam, por exemplo, nas encruzilhadas?

180   Atlas Linguístico do Amapá

Questão 149 – FEITIÇO

Pontos de Inquéritos	MA	FA	MB	FB
01 – Macapá	[ma'kũbɛ] [fejtʃisa'ɾie]	[ma'kũbɛ]	[dʒiʃ'paʃʊ]	[fej'tʃisʊ]
02 – Santana	[bruʃa'ɾie]	[ma'kũbɛ]	[fi'tʃisʊ]	[ma'kũbɛ]
03 – Mazagão	...	...	[fi'tʃisʊ]	...
04 – Laranjal do Jari	[fe'tʃisʊ]	[dʒiʃ'paʃʊ]	[dʒiʃ'paʃʊ] [dʒima'kũbɛ]	[fetʃisa'ɾie]
05 – Pedra Branca do Amaparí	...	[dʒiʃ'paʃʊ]	...	[dʒiʃ'paʃʊ] [ma'kũbɛ]
06 – Porto Grande	[fej'tʃisʊ]	[fej'tʃisʊ]	[fej'tʃisʊ]	...
07 – Tartarugalzinho	[fej'tʃisʊ] [paʒɛ'lãsia]	[ma'kũbɛ]	[fi'tʃisʊ] [mẽ'dʒiɡe]	[ma'kũbɛ]
08 – Amapá	[ma'kũbɛ] [dʒiʃ'paʃʊ]	[ma'kũbɛ] [fe'tʃisʊ]	[ma'kũbɛ] [fi'tʃisʊ]	[dʒiʃ'paʃʊ]
09 – Calçoene	[ma'kũbɛ]	[dʒiʃ'paʃʊ]	[bruʃa'ɾie]	[fej'tʃisʊ]
10 – Oiapoque	[ma'kũbɛ]	[ma'kũbɛ]	[fi'tʃisʊ]	[fi'tʃisʊ]

ATLAS LINGUÍSTICO DO AMAPÁ - ALAP

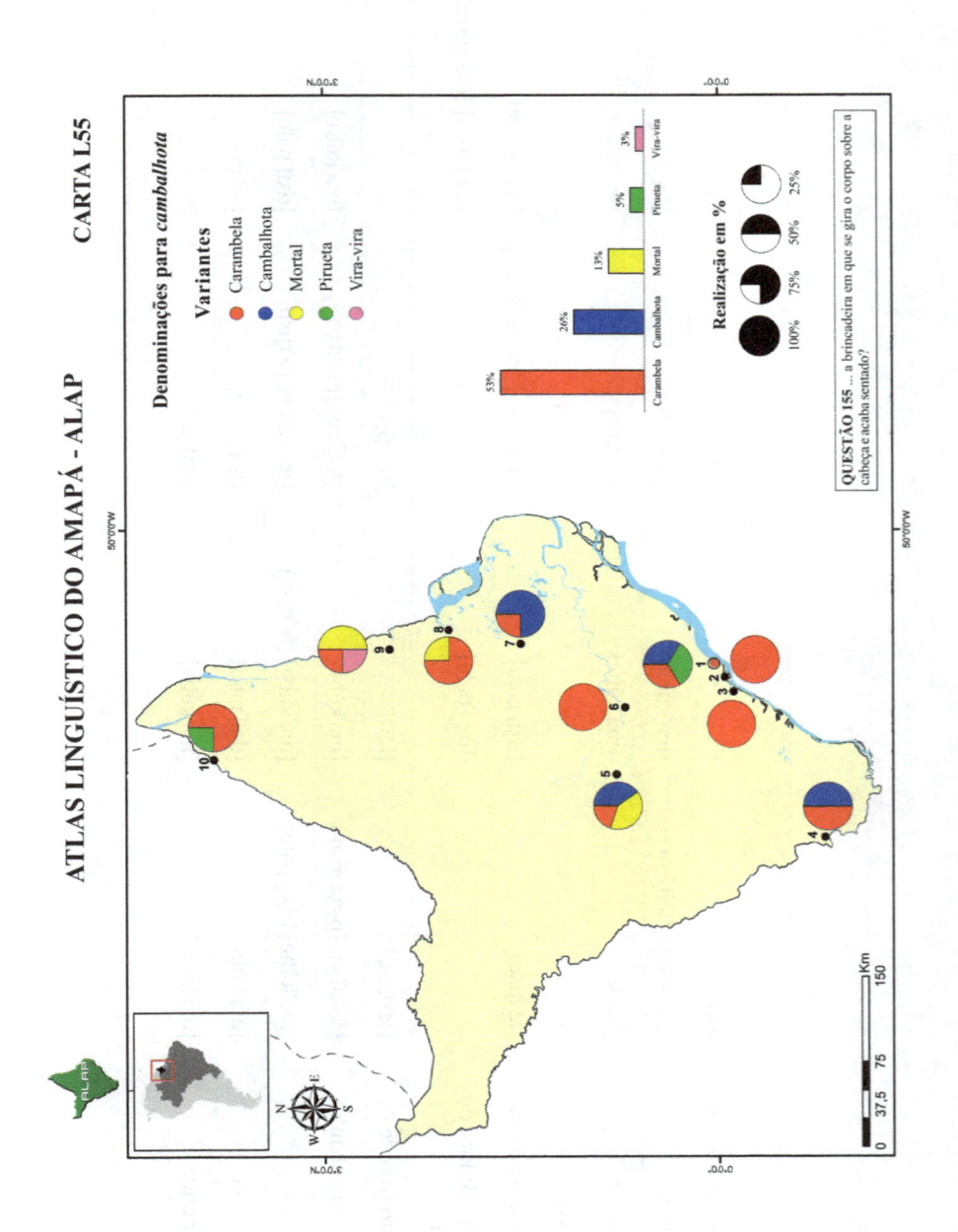

CARTA L55

Denominações para *cambalhota*

Variantes
- Carambela
- Cambalhota
- Mortal
- Pirueta
- Vira-vira

Carambela 53%
Cambalhota 26%
Mortal 13%
Pirueta 5%
Vira-vira 3%

Realização em %: 100%, 75%, 50%, 25%

QUESTÃO 155 ... a brincadeira em que se gira o corpo sobre a cabeça e acaba sentado?

Questão 155 – CAMBALHOTA

Pontos de Inquéritos	MA	FA	MB	FB
01 – Macapá	...	[kẽbaˈʎɔtɛ]	[piɾuˈlete]	[kaɾẽˈbɛlɛ]
02 – Santana	...	[kaɾẽˈbɛlɛ]	[kaɾẽˈbɛlɛ]	[kalẽˈbɛlɛ]
03 – Mazagão	[kalẽˈbɛlɛ]	[kalẽˈbɛlɛ]	[kaɾẽˈbɛlɛ]	[kaɾẽˈbɛlɛ]
04 – Laranjal do Jarí	[kẽbaˈʎɔtɛ]	...	[kaɾẽˈbɛlɛ]	...
05 – Pedra Branca do Amaparí	[kẽbaˈʎɔtɛ] [mohˈtaw]	[mohˈtaw]	[kẽbaˈʎɔtɛ]	[kẽbaˈʎɔtɛ]
06 – Porto Grande	[kẽbaˈʎɔtɛ]	[kẽbaˈʎɔtɛ]	[kẽbaˈʎɔtɛ]	...
07 – Tartarugalzinho	[kaɾẽˈbɛlɛ]	[kẽbaˈlˈɔtɛ]	[kaɾẽˈbɛlɛ]	[kaɾẽˈbɛlɛ]
08 – Amapá	[mohˈtaw]	[kaɾẽˈbɛlɛ]	[kaɾẽˈbɛlɛ]	[kaɾẽˈbɛlɛ]
09 – Calçoene	[mohˈtaw]	[mohˈtaw]	[viɾeˈviɾe]	[kaɾẽˈbɛlɛ]
10 – Oiapoque	[kaɾẽˈbɛlɛ]	[piɾuˈetɛ]	[kaɾẽˈbɛlɛ]	[kaɾẽˈbɛlɛ]

ATLAS LINGUÍSTICO DO AMAPÁ - ALAP CARTA L56

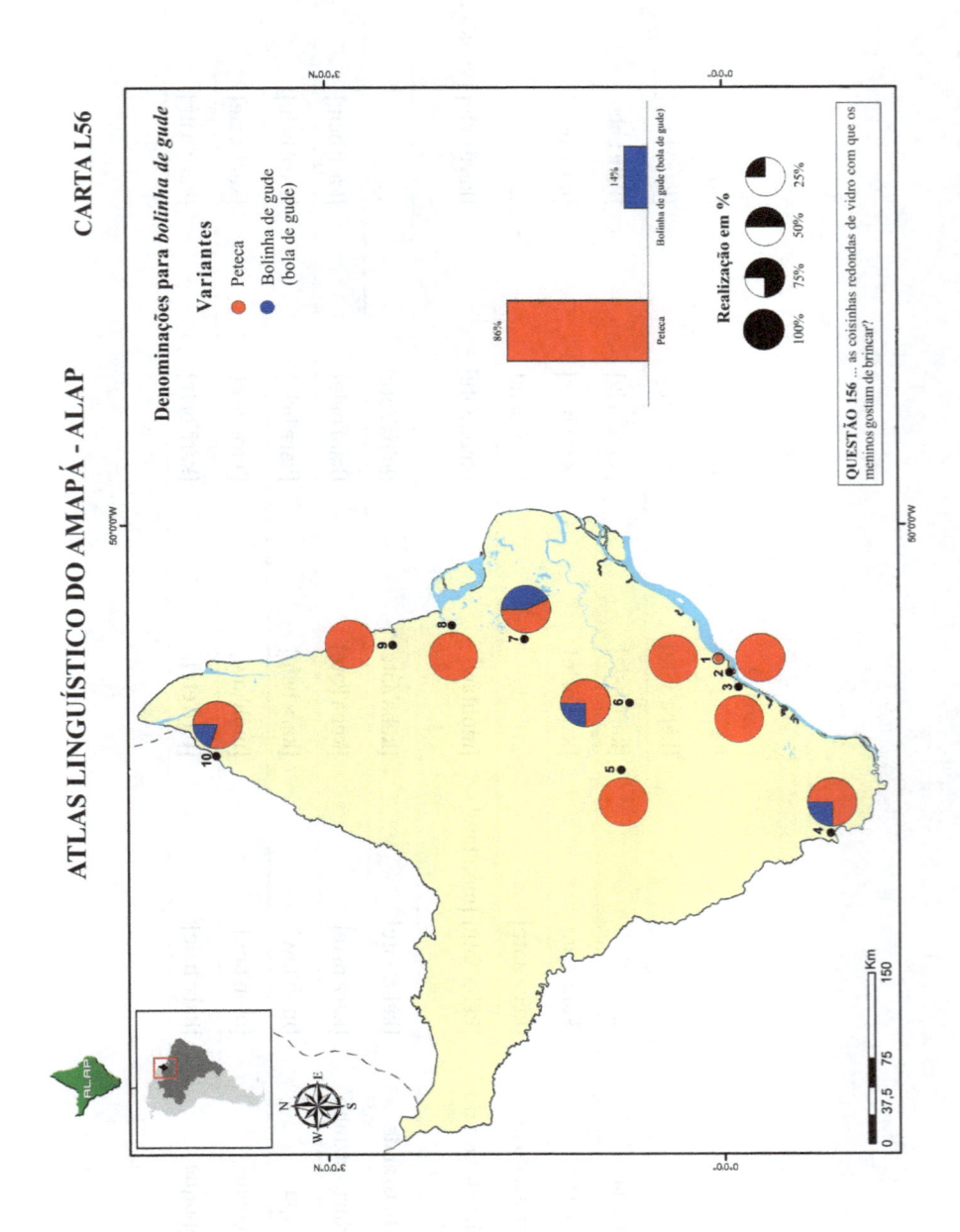

Denominações para *bolinha de gude*

Variantes
- Peteca
- Bolinha de gude (bola de gude)

Peteca 86%
Bolinha de gude (bola de gude) 14%

Realização em %
100% 75% 50% 25%

QUESTÃO 156 ... as coisinhas redondas de vidro com que os meninos gostam de brincar?

Atlas Linguístico do Amapá

Questão 156 – BOLINHA DE GUDE

Pontos de Inquéritos	MA	FA	MB	FB
01 – Macapá	[pɛˈtɛkɛ]	[pɛˈtɛkɛ]	[pɛˈtɛkɛ]	[pɛˈtɛkɛ]
02 – Santana	[pɛˈtɛkɛ]	[pɛˈtɛkɛ]	[pɛˈtɛkɛ]	[pɛˈtɛkɛ]
03 – Mazagão	[pɛˈtɛkɛ]	[pɛˈtɛkɛ]	[pɛˈtɛkɛ]	[pɛˈtɛkɛ]
04 – Laranjal do Jarí	...	[pɛˈtɛkɛ]	[pɛˈtɛkɛ] [ˈbolaʤiˈguʤɪ]	[pɛˈtɛkɛ]
05 – Pedra Branca do Amaparí	[pɛˈtɛkɛ]	[pɛˈtɛkɛ]	...	[pɛˈtɛkɛ]
06 – Porto Grande	[boˈʎɲaʤiˈguʤɪ]	[pɛˈtɛkɛ]	[pɛˈtɛkɛ]	[pɛˈtɛkɛ]
07 – Tartarugalzinho	[ˈbɔlaʤiˈguʤɪ] [pɛˈtɛkɛ]	[boˈʎɲaʤiˈguʤɪ] [pɛˈtɛkɛ]	[pɛˈtɛkɛ]	[boˈʎɲaʤiˈguʤɪ] [pɛˈtɛkɛ]
08 – Amapá	[pɛˈtɛkɛ]	[pɛˈtɛkɛ]	[pɛˈtɛkɛ]	[pɛˈtɛkɛ]
09 – Calçoene	[pɛˈtɛkɛ]	[pɛˈtɛkɛ]	[pɛˈtɛkɛ]	[pɛˈtɛkɛ]
10 – Oiapoque	[pɛˈtɛkɛ]	[pɛˈtɛkɛ] [ˈbɔlaʤiˈguʤɪ]	[pɛˈtɛkɛ]	[pɛˈtɛkɛ]

ATLAS LINGUÍSTICO DO AMAPÁ - ALAP   CARTA L57

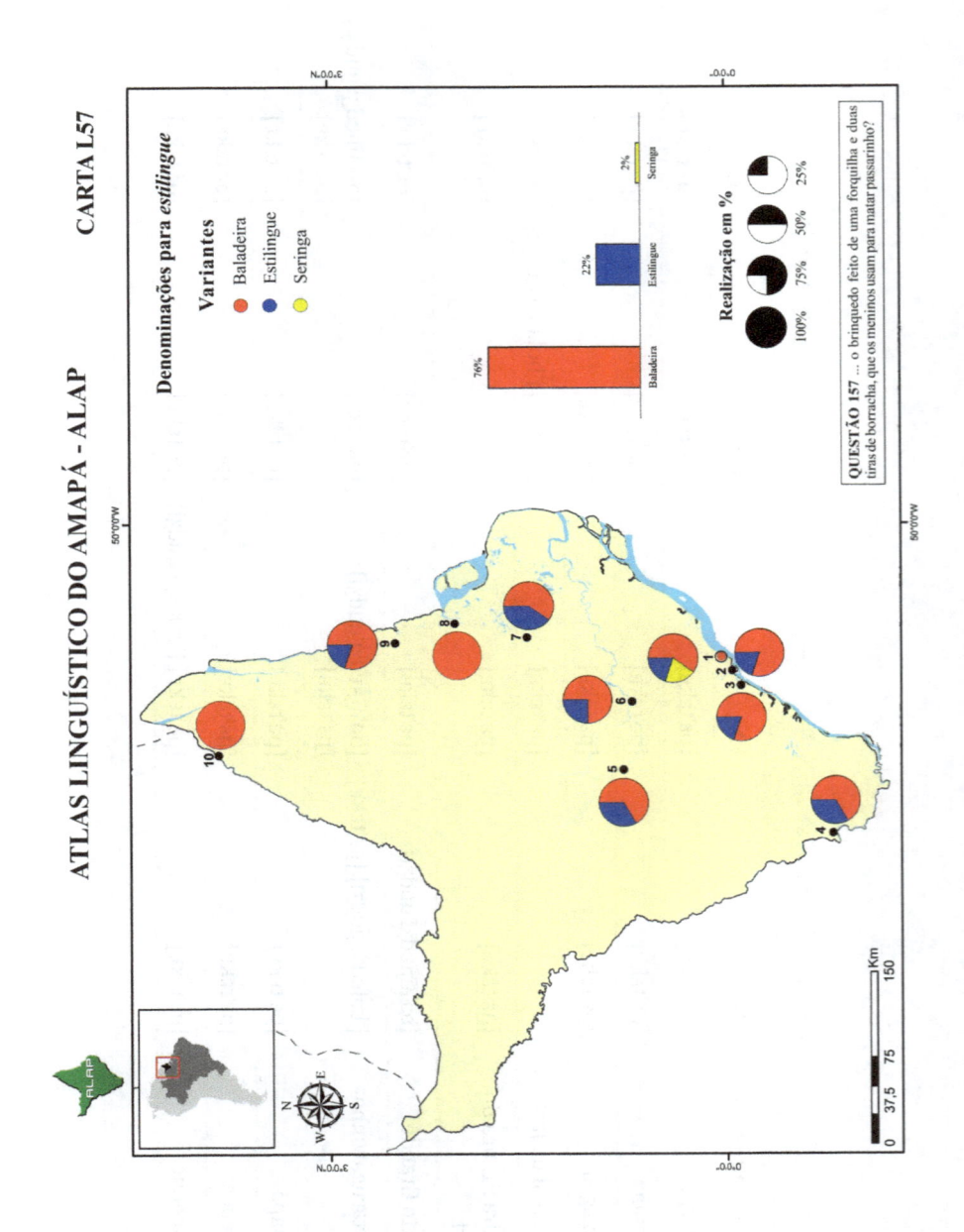

Denominações para *estilingue*

Variantes
- 🔴 Baladeira
- 🔵 Estilingue
- 🟡 Seringa

Baladeira 76%
Estilingue 22%
Seringa 2%

Realização em %
- ● 100%
- ◕ 75%
- ◐ 50%
- ◔ 25%

QUESTÃO 157 ... o brinquedo feito de uma forquilha e duas tiras de borracha, que os meninos usam para matar passarinho?

Questão 157 – ESTILINGUE

Pontos de Inquéritos	MA	FA	MB	FB
01 – Macapá	[bala'do] [si'ɾigɪ]	[bala'dere]	[bala'dere]	[iʃtʃi'ʎigɪ]
02 – Santana	[bala'dejɾe]	[bala'dere] [iʃtʃi'ʎigɪ]	[bala'dere]	[bala'dere]
03 – Mazagão	[bala'deɾa] [iʃtʃi'ʎigɪ]	[bala'dere]	[bala'dere]	[bala'dere]
04 – Laranjal do Jarí	[bala'dere]	[bala'dere] [iʃtʃi'ʎigɪ]	[bala'dere] [iʃtʃi'ʎigɪ]	[bala'dere]
05 – Pedra Branca do Amaparí	[iʃtʃi'ʎigɪ] [bala'dere]	[bala'deʲre]	[bala'dere]	[bala'dere] [iʃtʃi'ʎigɪ]
06 – Porto Grande	[iʃtʃi'ʎigɪ]	[bala'dere]	[bala'dere]	[bala'dere]
07 – Tartarugalzinho	[iʃti'ʎigɪ] [bala'dere]	[iʃtʃi'ligɪ]	[bala'dere]	[bala'dejɾe]
08 – Amapá	[bala'dere]	[bala'dere]	[bala'dere]	[bala'deʲre]
09 – Calçoene	[iʃti'ʎigɪ] [bala'dere]	[bala'deʲre]	[bala'dere]	[bala'dere]
10 – Oiapoque	[bala'dere]	[bala'dere]	[bala'dere]	[bala'dere]

ATLAS LINGUÍSTICO DO AMAPÁ - ALAP

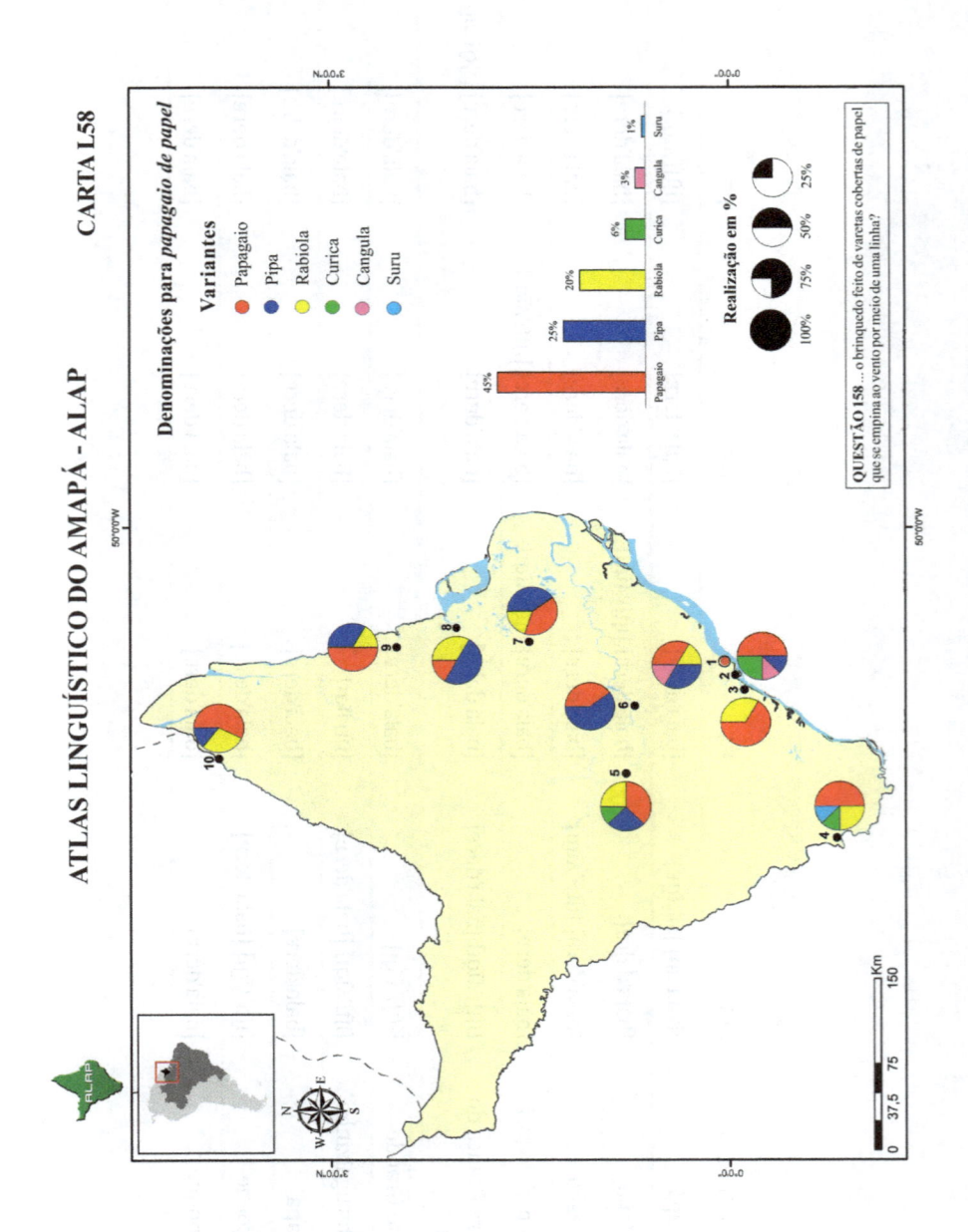

CARTA L58

Denominações para *papagaio de papel*

Variantes:
- Papagaio
- Pipa
- Rabiola
- Curica
- Cangula
- Suru

Papagaio 45%
Pipa 25%
Rabiola 20%
Curica 6%
Cangula 3%
Suru 1%

Realização em %: 100%, 75%, 50%, 25%

QUESTÃO 158 ... o brinquedo feito de varetas cobertas de papel que se empina ao vento por meio de uma linha?

188 Atlas Linguístico do Amapá

Questão 158 – PAPAGAIO DE PAPEL

Pontos de Inquéritos	MA	FA	MB	FB
01 – Macapá	[papaˈgaju] [habiˈɔlɛ]	[ˈpipɛ]	[kẽˈgola] [papaˈgaju]	[ˈpipɛ]
02 – Santana	[papaˈgaju]	[papaˈgaju] [ˈpipɛ]	[papaˈgaju] [kẽˈgula] [kuˈɾikɐ]	[papaˈgaju] [kuˈɾikɐ]
03 – Mazagão	[habiˈɔlɛ] [paˈgaju]	[papaˈgaju]	[papaˈgaju] [habiˈɔlɛ]	[papaˈgaju]
04 – Laranjal do Jarí	[papaˈgaju]	[papaˈgaju] [ˈpipa] [habiˈɔlɛ]	[papaˈgaju] [habiˈɔlɛ] [kuˈɾikɐ] [ˈsuɾu]	[papaˈgaju]
05 – Pedra Branca do Amaparí	[habiˈɔlɛ] [ˈpipɛ] [papaˈgaju]	[habiˈɔlɛ]	[papaˈgaju]	[ˈpipɛ] [papaˈgaju] [kuˈɾikɛ]
06 – Porto Grande	[papaˈgaju] [ˈpipa]	[ˈpipa]	[ˈpipa]	[papaˈgaju]
07 – Tartarugalzinho	[ˈpipɛ] [papaˈgaju] [habiˈɔlɛ]	[papaˈgaju] [ˈpipɛ] [habiˈɔlɛ]	[ˈpipɛ] [papaˈgaju]	[papaˈgaju] [ˈpipɛ]
08 – Amapá	[habiˈɔlɛ] [ˈpipɛ]	[habiˈɔlɛ]	[ˈpipa] [papaˈgaju]	[ˈpipa]
09 – Calçoene	[ˈpipɛ] [habiˈɔlɛ]	[ˈpipɛ] [papaˈgaju]	[papaˈgaju]	[papaˈgaju]
10 – Oiapoque	[papaˈgaju] [habiˈɔlɛ]	[habiˈɔlɛ] [papaˈgaju]	[papaˈgaju] [ˈpipɛ]	[papaˈgaju]

ATLAS LINGUÍSTICO DO AMAPÁ - ALAP

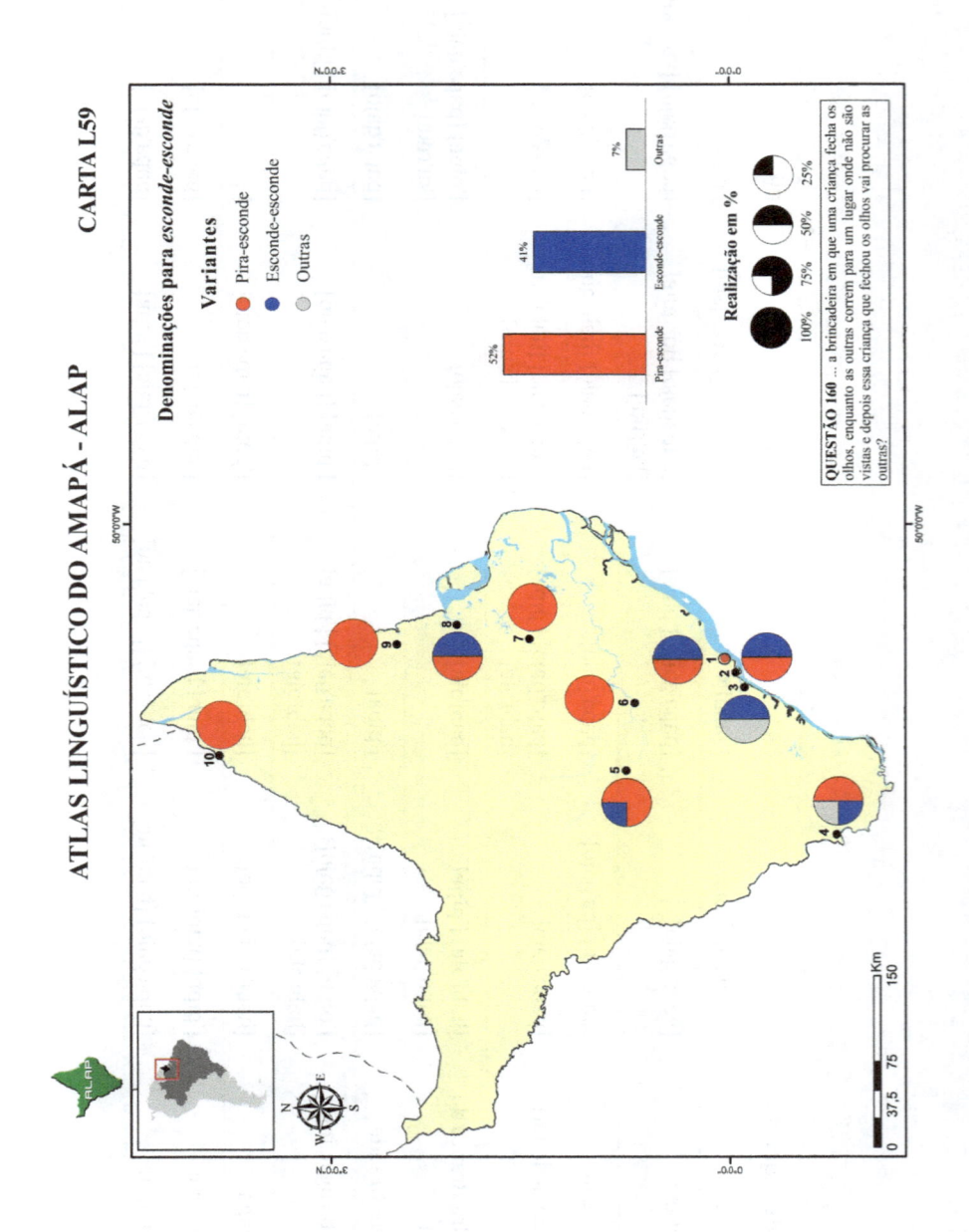

CARTA L59

Denominações para *esconde-esconde*

Variantes:
- Pira-esconde
- Esconde-esconde
- Outras

Pira-esconde: 52%
Esconde-esconde: 41%
Outras: 7%

Realização em %: 100%, 75%, 50%, 25%

QUESTÃO 160 ... a brincadeira em que uma criança fecha os olhos, enquanto as outras correm para um lugar onde não são vistas e depois essa criança que fechou os olhos vai procurar as outras?

Questão 160 – ESCONDE-ESCONDE

Pontos de Inquéritos	MA	FA	MB	FB
01 – Macapá	[piraiʃˈkõdʒɪ]	[piraiʃˈkõdʒɪ]	[iʃˈkõdʒiʃˈkõdʒɪ]	[iʃˈkõdʒiʃˈkõdʒɪ]
02 – Santana	[iʃˈkõdɾiʃˈkõdɪ]	[iʃˈkõdɾiʃˈkõdɪ] [pirasiʃˈkõdʒɪ]	...	[siʃˈkõdʒɪ]
03 – Mazagão	...	[pataˈsaga]	...	[iʃˈkõdʒiʃkõdʒɪ]
04 – Laranjal do Jarí	[piriʃˈkõdʒɪ]	[piriʃˈkõdʒɪ]	[iʃˈkõdʒɪ iʃˈkõdʒɪ] [trĩtũaˈlesɛ]	...
05 – Pedra Branca do Amaparí	[piriʃˈkõdʒɪ]	[piriʃˈkõdʒɪ]	[iʃˈkõdʒiʃˈkõdʒɪ]	[piriʃˈkõdʒɪ]
06 – Porto Grande	[iʃˈkõdʒiʃˈkõdʒɪ]	[iʃˈkõdʒiʃˈkõdʒɪ]	[iʃˈkõdʒiʃˈkõdʒɪ]	...
07 – Tartarugalzinho	[piriʃˈkõdʒɪ]	[pitʃiʃˈkõdʒɪ]	...	[piriʃˈkõdʒɪ]
08 – Amapá	[piriʃˈkõdʒɪ]	[piriʃˈkõdʒɪ]	[iʃˈkõdʒɪ iʃˈkõdʒɪ]	[iʃˈkõdʒiʃˈkõdʒɪ]
09 – Calçoene	[piriʃˈkõdʒɪ]	[piriʃˈkõdʒɪ]	[piriʃˈkõdʒɪ]	...
10 – Oiapoque	[pirasiʃˈkõdʒɪ]	[pirasiʃˈkõdʒɪ]	...	...

ATLAS LINGUÍSTICO DO AMAPÁ - ALAP

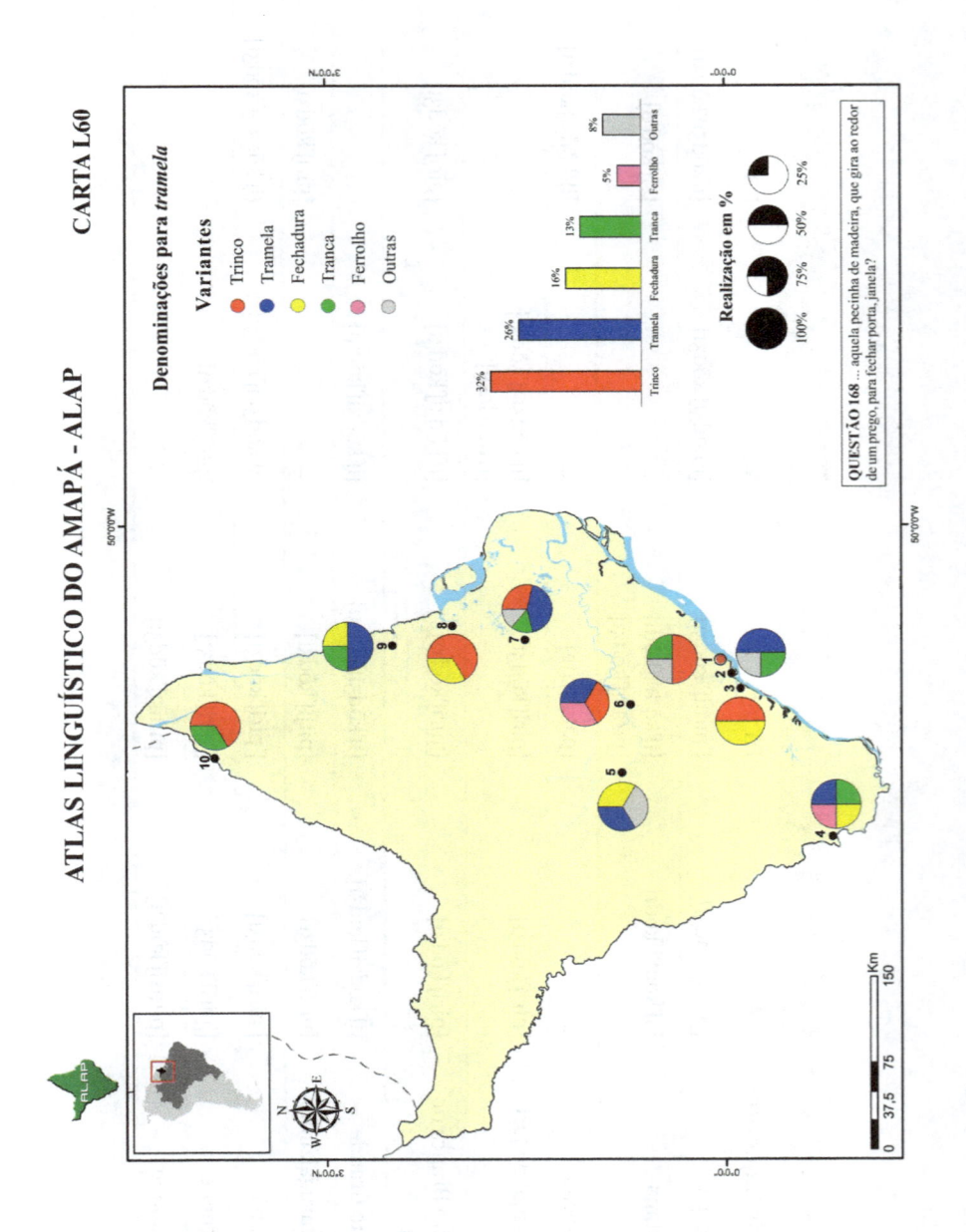

CARTA L60

Denominações para *tramela*

Variantes
- Trinco
- Tramela
- Fechadura
- Tranca
- Ferrolho
- Outras

Variante	%
Trinco	32%
Tramela	26%
Fechadura	16%
Tranca	13%
Ferrolho	5%
Outras	8%

Realização em %: 100%, 75%, 50%, 25%

QUESTÃO 168 ... aquela pecinha de madeira, que gira ao redor de um prego, para fechar porta, janela?

Questão 168 – TRAMELA

Pontos de Inquéritos	MA	FA	MB	FB
01 – Macapá	[ˈtɾẽke]	[ˈtɾĩkʊ]	[ˈtɾave]	[ˈtɾĩkʊ]
02 – Santana	[madejɾe]	[tɾaˈmɛle]	[tɾẽˈmɛle]	[ˈtɾẽke]
03 – Mazagão	[ˈtɾĩkʊ][feʃaˈduɾe]	...	[ˈtɾĩkʊ]	[feʃaˈduɾe]
04 – Laranjal do Jari	...	[tɾẽˈmɛle]	[feˈhoʎʊ]	[feʃaˈduɾe] [tɾẽkaˈduɾe]
05 – Pedra Branca do Amaparí	...	[feʃaˈduɾe]	[pawmejʃmʊ]	[tɾẽˈmɛle]
06 – Porto Grande	[tɾẽˈmɛle]	[ˈtɾĩkʊ]	[feˈhuʎʊ]	...
07 – Tartarugalzinho	[ˈtɾĩkʊ] [tɾaˈmɛle] [ˈtɾẽke]	[pawˈzĩɲʊ] [ˈtɾĩkʊ]	[tɾẽˈmɛle]	[taɾaˈmɛle]
08 – Amapá	[ˈtɾĩkʊ]	[feʃaˈduɾe] [ˈtɾĩkʊ]	[ˈtɾĩkʊ]	...
09 – Calçoene	[feʃaˈduɾe]	[tɾẽˈnɛle]	[tɾaˈmɛle]	[ˈtɾẽke]
10 – Oiapoque	[ˈtɾĩkʊ]	[ˈtɾẽke]	[ˈtɾĩkʊ]	...

ATLAS LINGUÍSTICO DO AMAPÁ - ALAP

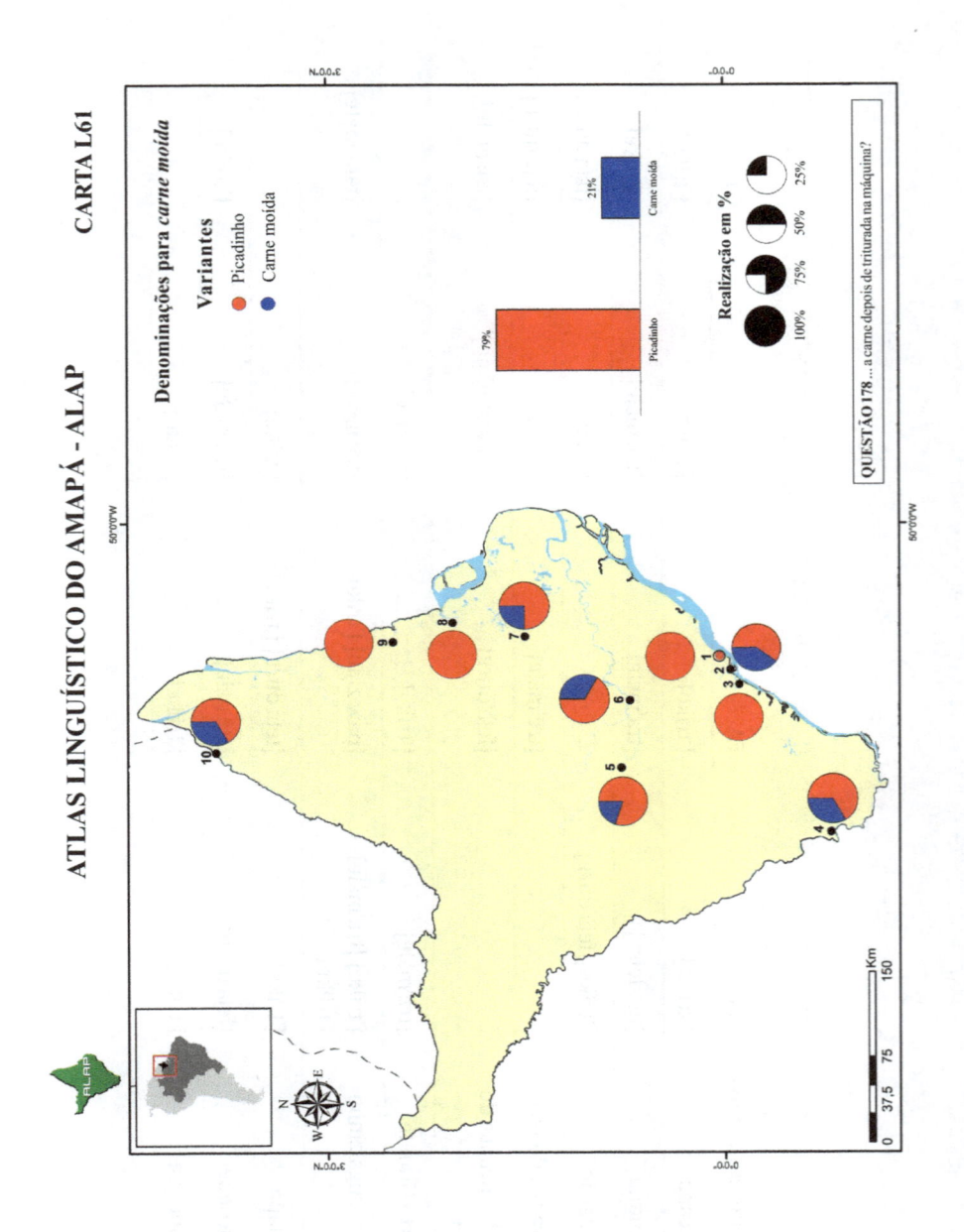

CARTA L61

Denominações para *carne moída*

Variantes
- Picadinho
- Carne moída

Picadinho 79%
Carne moída 21%

Realização em %
100% / 75% / 50% / 25%

QUESTÃO 178 ... a carne depois de triturada na máquina?

Questão 178 – CARNE MOÍDA/PICADINHO

Pontos de Inquéritos	MA	FA	MB	FB
01 – Macapá	[pikaˈdʒĩɲu]	[pikaˈdʒĩɲu]	[pikaˈdʒĩɲe]	[pikaˈdʒĩɲu]
02 – Santana	[pikaˈdʒĩɲu]	[pikaˈdʒĩɲu] [ˈkafɲmuˈide]	[pikaˈdʒĩɲu]	[ˈkafɲmuˈide]
03 – Mazagão	[pikaˈdʒĩũ]	[pikaˈdʒĩɲu]	[pikaˈdʒĩɲu]	[pikaˈdʒĩɲu]
04 – Laranjal do Jarí	[pikaˈdʒĩɲu]	[ˈkafɲmuˈide] [pikaˈdʒĩɲu]	[pikaˈdʒĩɲu] [ˈkafɲmuˈide]	[pikaˈdʒĩɲu]
05 – Pedra Branca do Amaparí	[ˈkafɲmuˈide] [pikaˈdʒĩɲu]	[pikaˈdʒĩɲu]	[pikaˈdʒĩɲu]	[pikaˈdʒĩɲu]
06 – Porto Grande	[ˈkafɲmuˈide]	[pikaˈdʒĩɲu]	...	[pikaˈdʒĩɲu]
07 – Tartarugalzinho	[pikaˈdʒĩɲu] [ˈkafɲmuˈide]	...	[pikaˈdʒĩɲu]	[pikaˈdʒĩɲu]
08 – Amapá	[pikaˈdʒĩɲu]	[pikaˈdʒĩɲu]	[pikaˈdʒĩɲu]	[pikaˈdĩ̃ɲu]
09 – Calçoene	...	...	[pikaˈdʒĩɲu]	[pikaˈdʒĩɲu]
10 – Oiapoque	[ˈkafɲpiˈkade] [pikaˈdʒĩɲu]	[pikaˈdʒĩɲu] [ˈkafɲmuˈide]	[pikaˈdʒĩɲu]	[pikaˈdʒĩɲu]

ATLAS LINGUÍSTICO DO AMAPÁ - ALAP

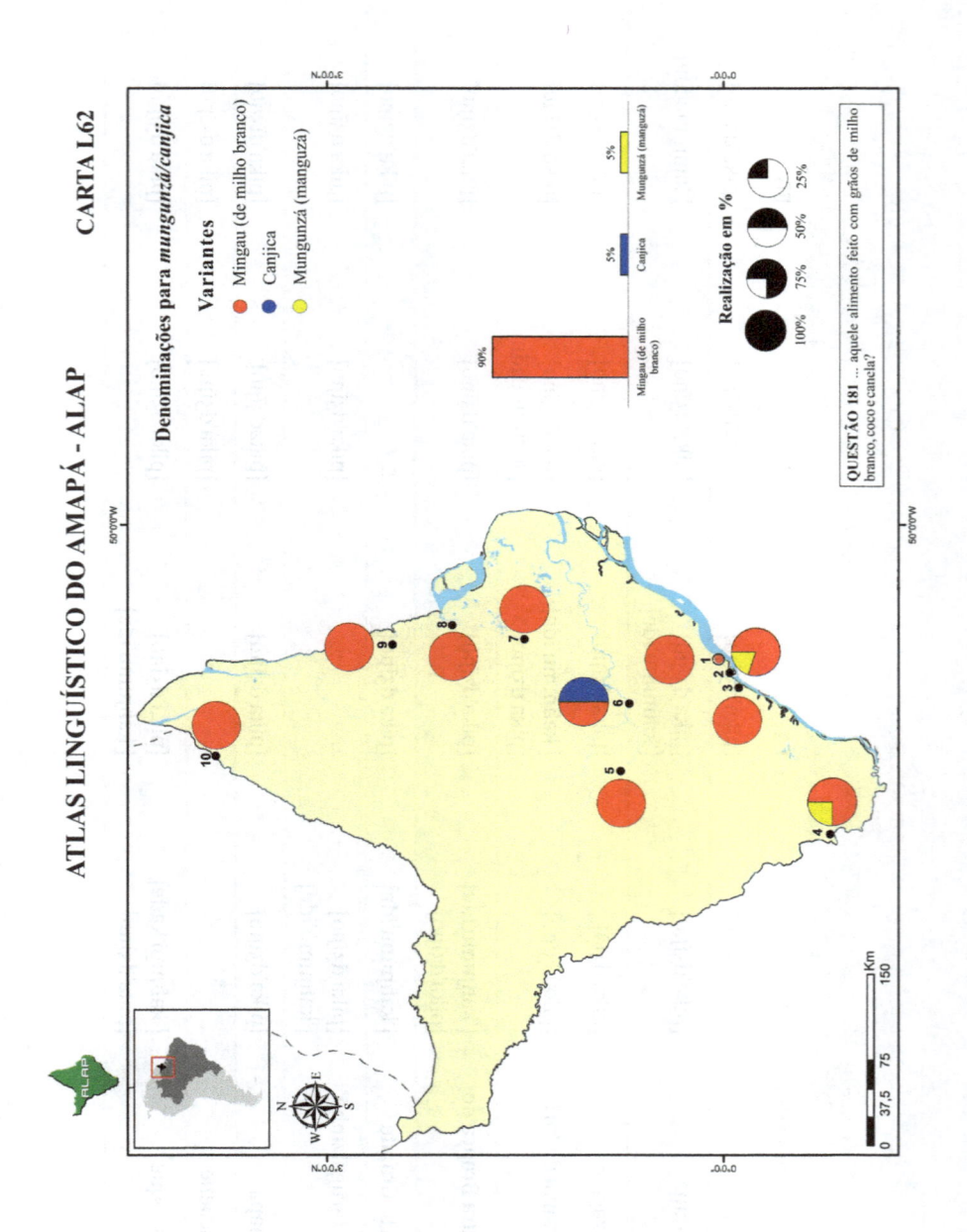

CARTA L62

Denominações para *mungunzá/canjica*

Variantes
- 🔴 Mingau (de milho branco)
- 🔵 Canjica
- 🟡 Mungunzá (manguzá)

Mingau (de milho branco): 90%
Canjica: 5%
Mungunzá (manguzá): 5%

Realização em %: 100% / 75% / 50% / 25%

QUESTÃO 181 ... aquele alimento feito com grãos de milho branco, coco e canela?

Questão 181 – MUNGUNZA/CANJICA

Pontos de Inquéritos	MA	FA	MB	FB
01 – Macapá	[ˈmĩgawdʒiˈmiʎʊ]	[mĩgawˈdʒiˈmiʎʊ]	[ˈmĩgaw]	[ˈmĩgaw]
02 – Santana	[mĩˈgawdʒiˈmiʎʊ]	[mĩˈgawdʒiˈmiʎʊ]	[mĩˈgawdʒiˈmiʎʊbrẽkʊ]	[mĩˈgawdʒiˈmiʎʊˈbrẽkʊ] [mẽguˈza]
03 – Mazagão	[mĩˈgaw]	[ˈmĩgawdʒiˈmiʎʊ ˈbrẽkʊ]	[mĩˈgaw]	[mĩgaw dʒiˈmiʎʊ ˈbrẽkʊ]
04 – Laranjal do Jari	[mĩˈgaw]	[mĩˈgawdʒiˈmiʎʊ]	[mĩˈgawdʒiˈmiʎʊ]	[mũguˈza]
05 – Pedra Branca do Amapari	...	[mĩˈgawdʒiˈmiʎʊ]	[mĩˈgaudʒiˈmiʎʊ]	[mĩˈgawdʒiˈmiʎʊ]
06 – Porto Grande	[kẽˈʒike]	[kẽˈʒike] [mĩˈgawdʒiˈmiʎʊ]	[mĩˈgawdʒiˈmiʎʊ]	...
07 – Tartarugalzinho	[mĩˈgawdʒiˈmiʎʊ]	[mĩˈgawdʒiˈmiʎʊ]	[mĩˈgawdʒiˈmiʎʊˈbrãkʊ]	[mĩˈgawdʒiˈmiʎʊ]
08 – Amapá	[mĩˈgawdʒiˈmiʎʊ]	[mĩˈgawdʒiˈmiʎʊ]	[mĩˈgaw]	[mĩˈgaw]
09 – Calçoene	...	[mĩˈgawdʒiˈmiʎʊ]	[mĩˈgaw]	[mĩˈgaw]
10 – Oiapoque	[mĩˈgawdʒiˈmiʎʊ]	[mĩˈgawdʒiˈmiʎʊ]	[mĩˈgawdʒiˈmiʎʊ]	[mĩˈgawdʒiˈmiʎʊ]

ATLAS LINGUÍSTICO DO AMAPÁ - ALAP

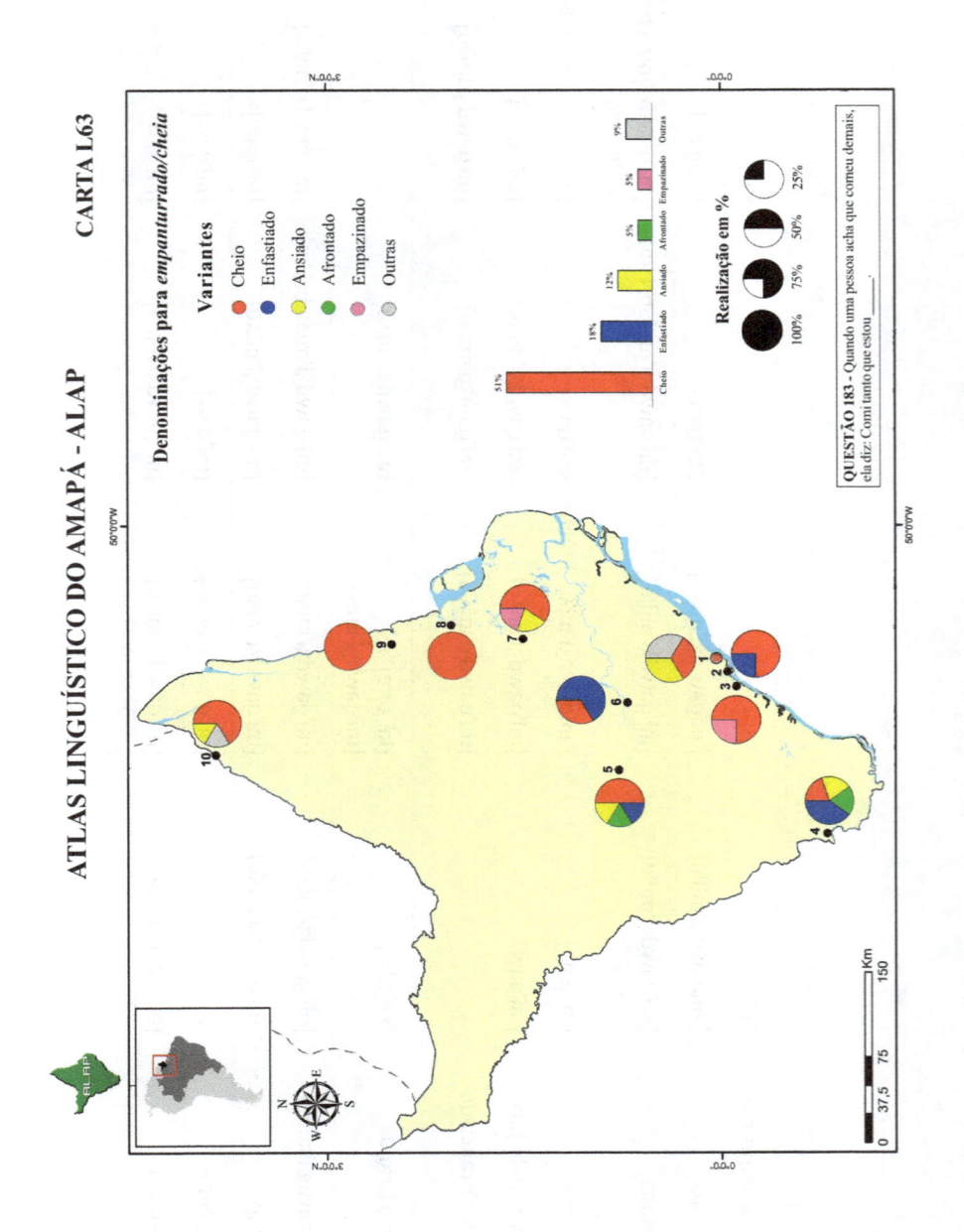

CARTA L63

Denominações para *empanturrado/cheia*

Variantes:
- 🔴 Cheio
- 🔵 Enfastiado
- 🟡 Ansiado
- 🟢 Afrontado
- 🟣 Empazinado
- ⚪ Outras

Variante	%
Cheio	51%
Enfastiado	18%
Ansiado	12%
Afrontado	5%
Empazinado	5%
Outras	9%

Realização em %: 100%, 75%, 50%, 25%

QUESTÃO 183 - Quando uma pessoa acha que comeu demais, ela diz: Com tanto que estou _____.

Questão 183 - EMPANTURRADO/CHEIA

Pontos de Inquéritos	MA	FA	MB	FB
01 – Macapá	[iʃplu'dʒidʊ]	[pasẽdʊ'maʷ]	[ˈjejẽ] [ẽsiˈadʊ] [iʃˈtõmagʊˈʃejʊ]	[ẽsiˈadʊ]
02 – Santana	[ˈʃeje]	[ˈeje]	[ẽpaziˈnadʊ]	[ˈʃejʊ]
03 – Mazagão	[ˈʃejʊ]	[ʃahtʊ]	[iʃtõmagʊˈʃejʊ]	[kũmeʃejˈure]
04 – Laranjal do Jari	[ẽsiˈade] [ˈʃeʔe]	[ʃahtʃiˈade] [afrõˈtade]	[toaˈtɛˈutukuˈpi] [ẽʃahtʃiˈadʊ]	...
05 – Pedra Branca do Amaparí	[ˈʃeje]	[ˈʃeje] [ẽʃahˈtade]	[ˈʃejʊ afrõˈtadʊ]	[ẽsiˈadʊ]
06 – Porto Grande	...	[ẽʃaˈʃade]	[ẽpaˈʃadʊ]	[ˈʃeje]
07 – Tartarugalzinho	[ẽsiadʊ] [ˈʃejʊ]	[ˈʃeje]	[ˈʃejʊ]	[ĩpẽziˈnadʊ]
09 – Amapá	[ˈʃeje]	[ˈʃeje]	[ˈʃeje]	[ˈʃeje]
08 – Calçoene	[ˈʃeje]	...	...	...
10 – Oiapoque	[satʃiʃˈfeʃʊ] [ˈʃejʊ]	[ˈʃeje]	[ẽsiˈadʊ]	[ˈʃeje]

ATLAS LINGUÍSTICO DO AMAPÁ - ALAP

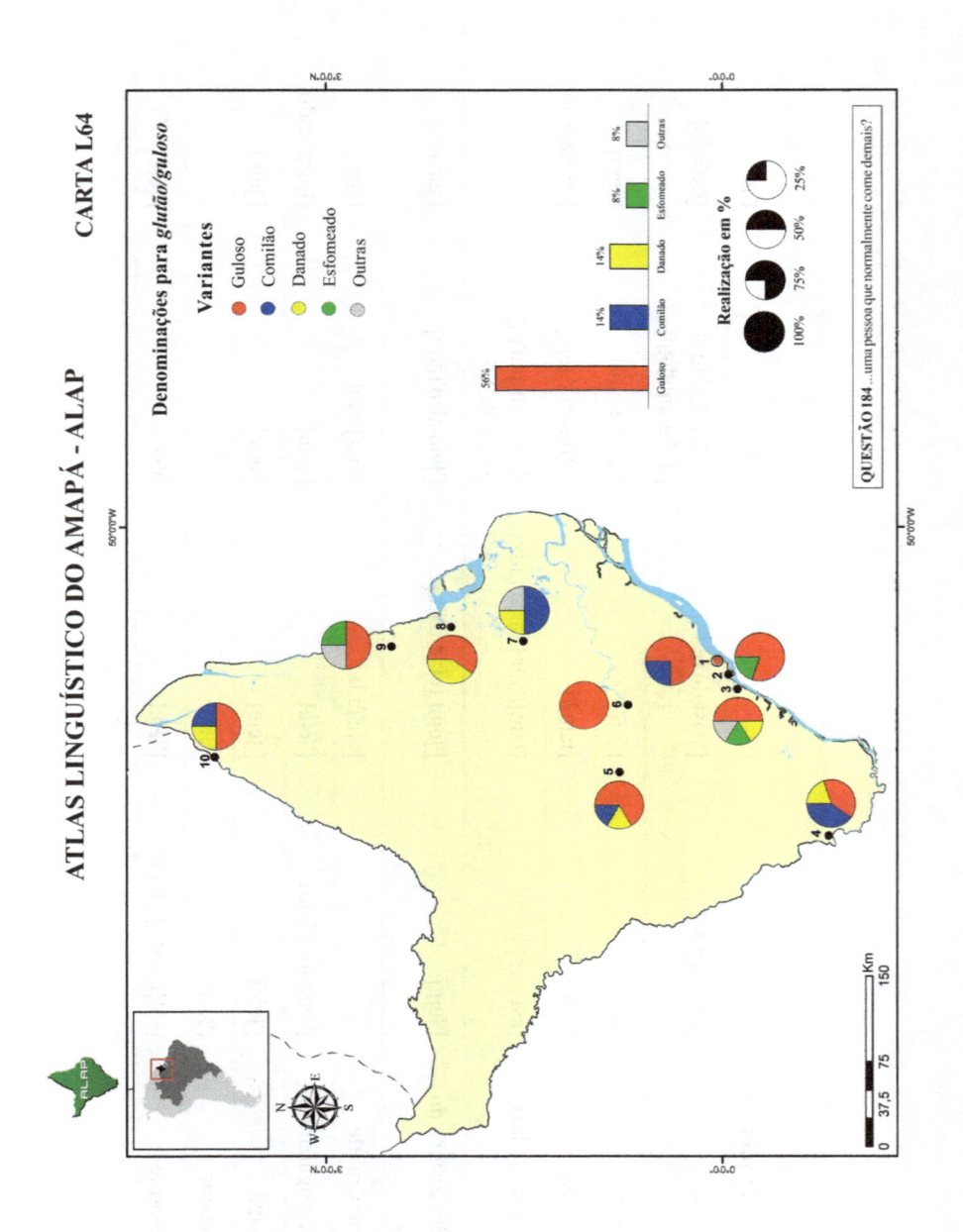

CARTA L64

Denominações para *glutão/guloso*

Variantes:
- Guloso
- Comilão
- Danado
- Esfomeado
- Outras

Realização em %: 100%, 75%, 50%, 25%

Variante	%
Guloso	56%
Comilão	14%
Danado	14%
Esfomeado	8%
Outras	8%

QUESTÃO 184 ...uma pessoa que normalmente come demais?

Questão 184 – GLUTÃO/GULOSO

Pontos de Inquéritos	MA	FA	MB	FB
01 – Macapá	[kaˈmilẽw̃]	[guˈlozʊ]	[guˈlozʊ]	[guˈlozʊ]
02 – Santana	[guˈlozʊ]	[guˈlozʊ] [iʃfaˈmjadʊ]	[guˈlozʊ]	[goˈlozʊ]
03 – Mazagão	[goˈlozʊ]	[dẽˈnadʊ] [goˈlosʊ]	[ɛˈgula]	[oˈbezɪ] [iʃẽmiˈadʊ]
04 – Laranjal do Jarí	[daˈnadʊ]	[komiˈlõnɛ]	[guˈlozʊ]	[komeˈlẽw̃]
05 – Pedra Branca do Amaparí	[guˈɔzɛ] [kumiˈlõnɛ]	[goˈlozʊ] [daˈnadʊ]	[guˈlozʊ]	[guˈlozʊ] [glotunaˈriɐ]
06 – Porto Grande	[guˈlozʊ]	[guˈlozʊ]	[goˈlozʊ]	[ˈgula]
07 – Tartarugalzinho	[loˈbẽw̃] [daˈnadʊ]	[komiˈlẽw̃]	[komeˈlẽw̃]	[guˈlozʊ]
08 – Amapá	[guˈlozʊ]	[guˈlozʊ] [daˈnadʊ]	[daˈnadʊ]	[guˈɔzɛ]
09 – Calçoene	[iʃfõmiˈadʊ]	[azcɪˈcɐ]	[golozʊ]	[ˈkõmdʒiˈmaʃ]
10 – Oiapoque	[guˈlozʊ]	[azcɪˈgu]	[kumiˈlẽw̃]	[dẽˈnadʊ]

ATLAS LINGUÍSTICO DO AMAPÁ - ALAP

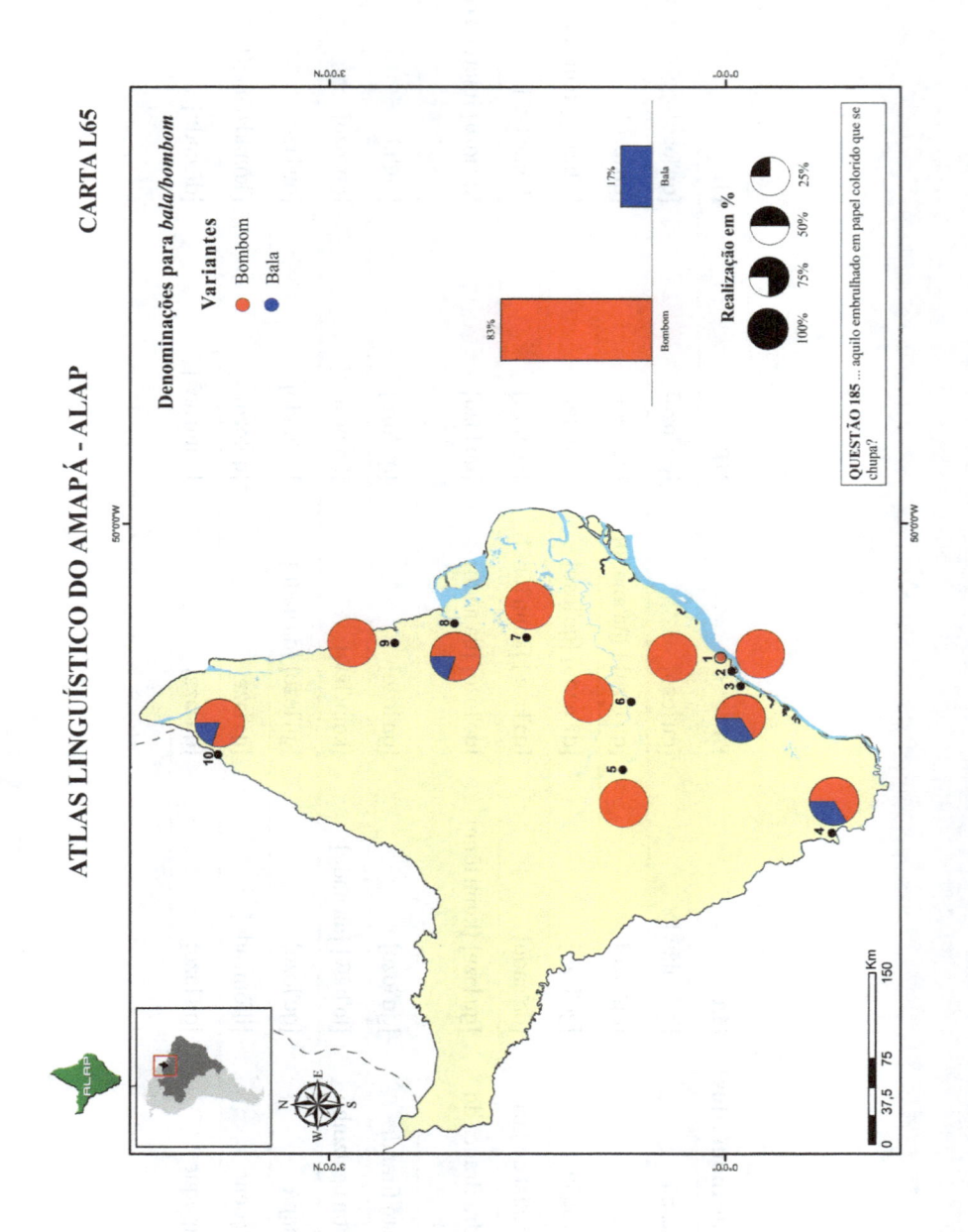

CARTA L65

Denominações para *bala/bombom*

Variantes
- 🔴 Bombom
- 🔵 Bala

Bombom 83%
Bala 17%

Realização em %
100% · 75% · 50% · 25%

QUESTÃO 185 ... aquilo embrulhado em papel colorido que se chupa?

Questão 185 – BALA/BOMBOM

Pontos de Inquéritos	MA	FA	MB	FB
01 – Macapá	[bõˈbõ]	[bõˈbõʃ]	[bõˈbõʃ]	[bõˈbõʃ]
02 – Santana	[bõˈbõʃ]	[bõˈbõʲʃ] [ˈmẽte]	[bõˈbõjʃ]	[bõˈbõ] [ˈbale]
03 – Mazagão	[bõˈbõjʃ]	...	[bõˈbõ]	[bõˈbõjʃ]
04 – Laranjal do Jari	[bõˈbõ]	[bõˈbõjʃ] [baˈʎiɲe]	[bõˈbõjʃ] [baˈʎiɲe]	[bõˈbõʃ]
05 – Pedra Branca do Amapari	[bõˈbõʲʃ] [baˈzuke] [ʃiˈklɛtʃi]	[bõˈbõʲʃ]	[bõˈbõʲs]	[bõˈbõʲʃ]
06 – Porto Grande	[bõˈbõ]	[bõˈbõjʃ]	[bõˈbõ]	[bõˈbõʲʃ]
07 – Tartarugalzinho	[bõˈbõjʃ] [ˈbale]	[bõˈbõʲʃ] [ˈbale]	[bõˈbõjʃ]	[bõˈbõ] [ˈbale]
08 – Amapá	[bõˈbõjʃ]	[bõˈbõjʃ]	[bõˈbõʃ]	[bõˈbõʃ] [ˈbale]
09 – Calçoene	[bõˈbõ]	[bõˈbõʃ]	[bõˈbõ]	[bõˈbõʃ]
10 – Oiapoque	[bõˈbõʲʃ]	[bõˈbõʲʃ] [ˈbale]	[bõˈbõʲʃ]	[bõˈbõʲʃ]

ATLAS LINGUÍSTICO DO AMAPÁ - ALAP

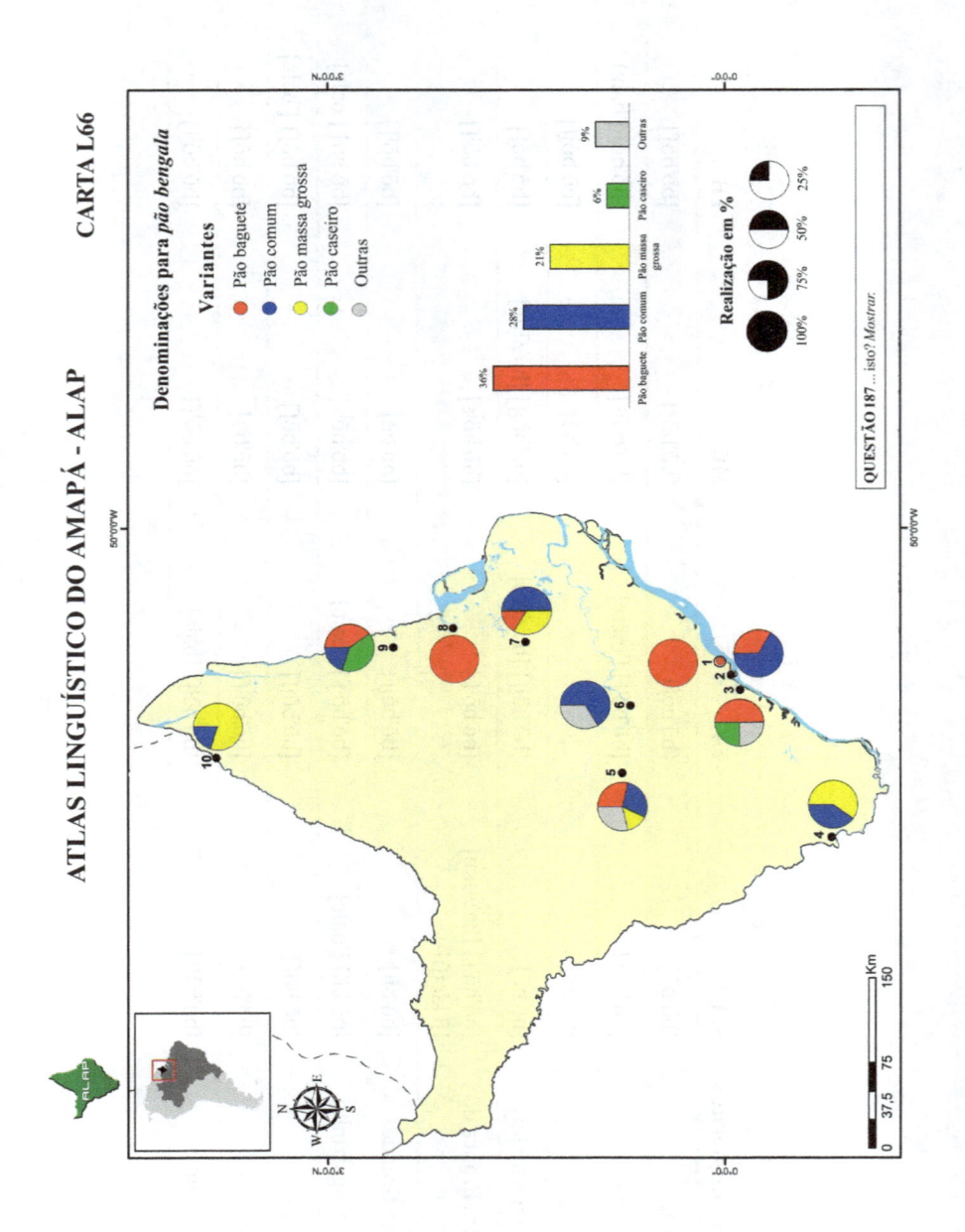

CARTA L66

Denominações para *pão bengala*

Variantes
- 🔴 Pão baguete
- 🔵 Pão comum
- 🟡 Pão massa grossa
- 🟢 Pão caseiro
- ⚪ Outras

Variante	%
Pão baguete	36%
Pão comum	28%
Pão massa grossa	21%
Pão caseiro	6%
Outras	9%

Realização em %: 100% / 75% / 50% / 25%

QUESTÃO 187 ... isto? Mostrar:

204 Atlas Linguístico do Amapá

Questão 187 – PÃO BENGALA

Pontos de Inquéritos	MA	FA	MB	FB
01 – Macapá	[baˈgetʃɪ]	[pẽw̃baˈgetʃɪ]	[baˈgetʃɪ]	[baˈgetʃɪ]
02 – Santana	...	[baˈgetʃɪ]	[pẽw̃kõˈmũ]	[pẽw̃kõˈmũ]
03 – Mazagão	[baˈgjɛtʃɪ]	[baˈgetʃɪ]	[pẽw̃kaˈzejɾʊ]	[pẽw̃mẽnuˈaw]
04 – Laranjal do Jarí	[pẽ̃w̃masaˈgɾɔsɐ] [kõmũ]	[pãuˈmasaˈgɾɔsɐ]	[pẽ̃w̃ʊˈmasaˈgɾɔsɐ]	[kõmũ]
05 – Pedra Branca do Amaparí	[baˈgetʃɪ]	[pãukõˈmũ] [baˈgetʃɪ]	[maseˈgɾɔsɐ] [pãukoˈmũ]	[pẽw̃bẽgalɐ] [pãʊdʒiˈmɛtɾʊ]
06 – Porto Grande	[pẽw̃kõmũ]	...	[pẽw̃kõˈmũ]	[iʃpaˈgetʃɪ]
07 – Tartarugalzinho	[kõˈmũ]	[pãuˈmasaˈgɾɔsɐ]	[pẽw̃kõˈmũ]	[masaˈgɾɔsɐ] [baˈgetʃɪ] [kõˈmũ]
08 – Amapá	[baˈgetʃɪ]	[baˈgetʃɪ]	[baˈgetʃɪ]	[baˈgetʃɪ]
09 – Calçoene	[baˈgetʃɪ] [kaˈzeɾʊ]	[pẽw̃kazeɾʊ]	[pẽw̃kõˈmũ]	[baˈgetʃɪ]
10 – Oiapoque	[pẽ̃w̃ˈmasaˈgɾɔsɐ]	[masaˈgɾɔsɐ]	[masaˈgɾɔsɐ] [pãukoˈmũ]	[pẽ̃w̃ˈmasaˈgɾɔsɐ]

ATLAS LINGUÍSTICO DO AMAPÁ - ALAP

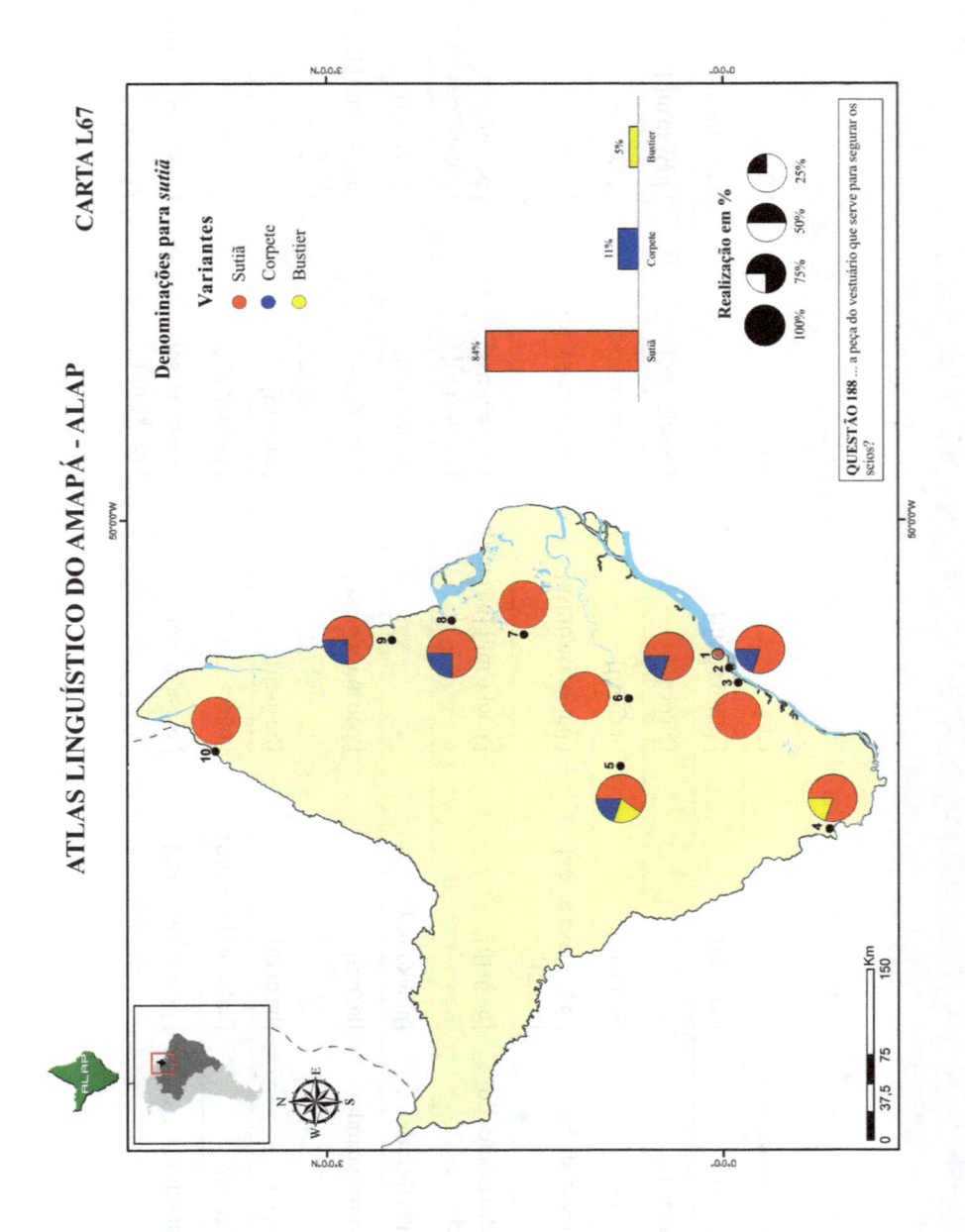

CARTA L67

Denominações para *sutiã*

Variantes
- 🔴 Sutiã
- 🔵 Corpete
- 🟡 Bustier

Sutiã 84%
Corpete 11%
Bustier 5%

Realização em %
- ● 100%
- ◕ 75%
- ◑ 50%
- ◔ 25%

QUESTÃO 188 ... a peça do vestuário que serve para segurar os seios?

Questão 188 – SUTIÃ

Pontos de Inquéritos	MA	FA	MB	FB
01 – Macapá	[suˈtʃiẽ]	[sutʃiˈẽ]	[kohˈpetʃi][sutʃiˈẽ]	[sutʃiˈẽ]
02 – Santana	[sutʃiˈẽ]	[sutʃiˈẽ] [suhˈtʃiẽ]	[sutʃiˈẽ] [kohˈpetʃi]	[sus]
03 – Mazagão	[sutʃiˈẽ]	[sutʃiˈẽ]	[sutʃiˈẽ]	[sutʃiˈẽ]
04 – Laranjal do Jarí	[suhtʃiˈẽ]	[sutʃiˈẽ]	[sutʃiˈẽ] [botʃiˈe]	[sutʃiˈẽ]
05 – Pedra Branca do Amaparí	[sutʃiˈẽ]	[sutʃiˈẽ]	[buʃtʃiˈe] [kohˈpetʃi]	[sutʃiˈẽ]
06 – Porto Grande	[suˈtʃiẽ]	[sutʃiˈẽ]	[sutʃiˈẽ]	[sutʃiˈẽ]
07 – Tartarugalzinho	[sutʃiˈẽ]	[sutʃiˈẽ] [lẽʒeˈhi]	[sutʃiˈẽ]	[sutʃiˈẽ]
08 – Amapá	[sutʃiˈẽ]	[sutʃiˈẽ]	[kohˈpetʃi]	[sutʃiˈẽ]
09 – Calçoene	[sutʃiˈẽ]	[sutʃiˈẽ]	[sutʃiˈẽ]	[kohˈpetʃi]
10 – Oiapoque	[sutʃiˈẽ]	[sus]	[sutʃiˈẽ]	[sutʃiˈẽ]

ATLAS LINGUÍSTICO DO AMAPÁ - ALAP

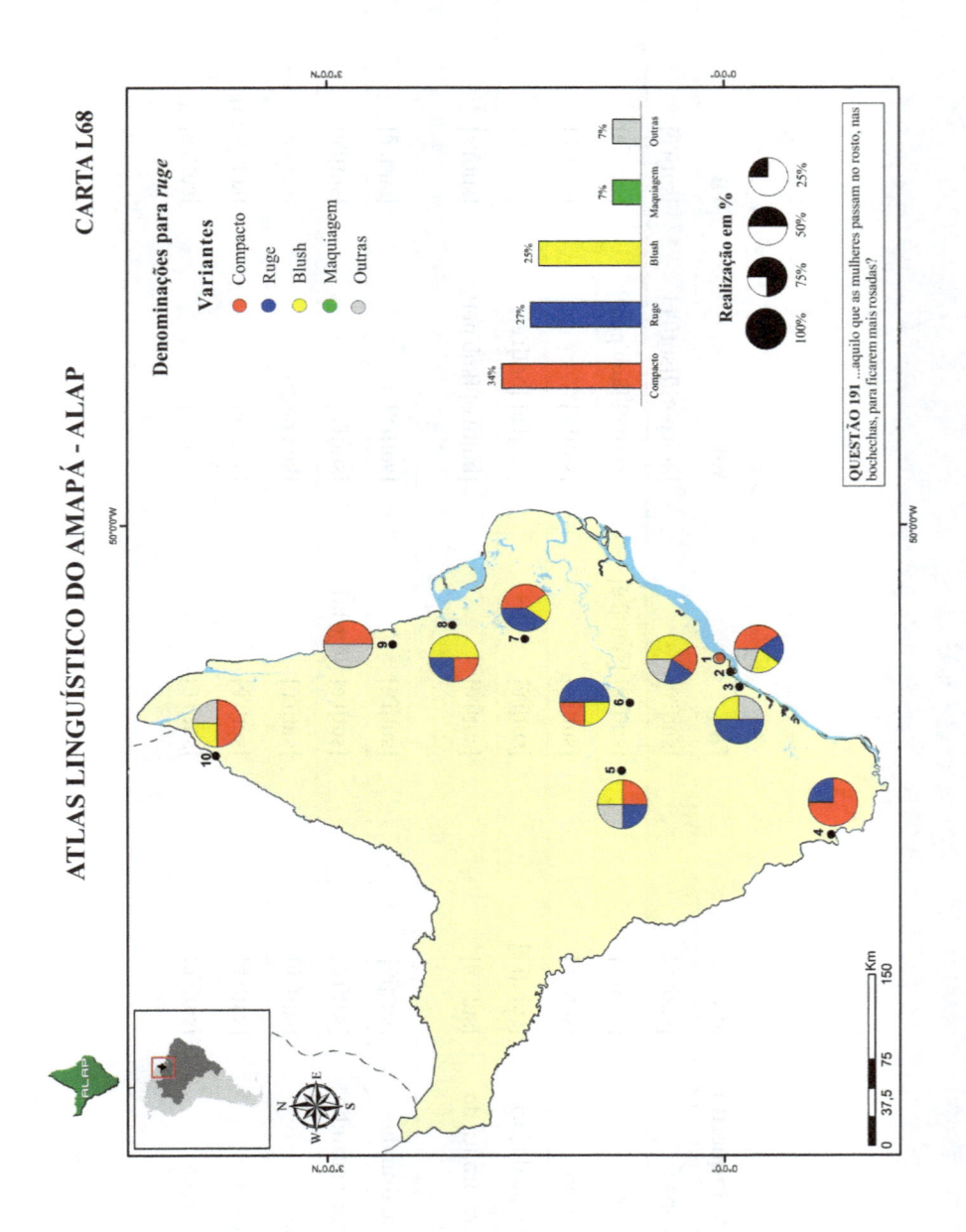

CARTA L68

Denominações para *ruge*

Variantes
- Compacto
- Ruge
- Blush
- Maquiagem
- Outras

Variante	%
Compacto	34%
Ruge	27%
Blush	25%
Maquiagem	7%
Outras	7%

Realização em %: 100%, 75%, 50%, 25%

QUESTÃO 191 ...aquilo que as mulheres passam no rosto, nas bochechas, para ficarem mais rosadas?

208   Atlas Linguístico do Amapá

Questão 191 – RUGE

Pontos de Inquéritos	MA	FA	MB	FB
01 – Macapá	[makia'do]	['blaʃɪ]	['hoʒɪ]	[kõ'pakitʊ] ['blẽʃɪ]
02 – Santana	[maki'aʒẽ]	[blẽʃi] [kõ'pakitʊ]	['huʒɪ]	[kõ'pakisi]
03 – Mazagão	...	['blaɪʃ] [maki'aʒɪ]	['huʒɪ nɛ]	['huʃɪ]
04 – Laranjal do Jarí	...	['bloʃɪ] [kõ'pakitʊ]	[kõ'pakitʊ]	[kõ'pakitʊ]
05 – Pedra Branca do Amaparí	['blẽʃi]	...	['krẽmɪ]	[kõ'pakitʊ] ['huʒɪ]
06 – Porto Grande	['huʒɪ]	['blẽʃɪ]	['huʒɪ]	[kõ'pakitʊ] ['huʒɪ]
07 – Tartarugalzinho	[kõ'pakitʊ]	['blẽʃi]	['hoʒʊ]	kõ'pakitʊ ['huʒɪ]
08 – Amapá	['blẽʃi]	['blẽʃi]	[kõ'pakitʊ]	['huʒɪ] ['brẽʃɪ]
09 – Calçoene	...	[to'pazjʊ]	[kõ'pakɪ]	...
10 – Oiapoque	['blẽʃi]	[kõ'pakitʊ]	['krẽmɪ]	[kõ'pakitʊ]

ATLAS LINGUÍSTICO DO AMAPÁ - ALAP

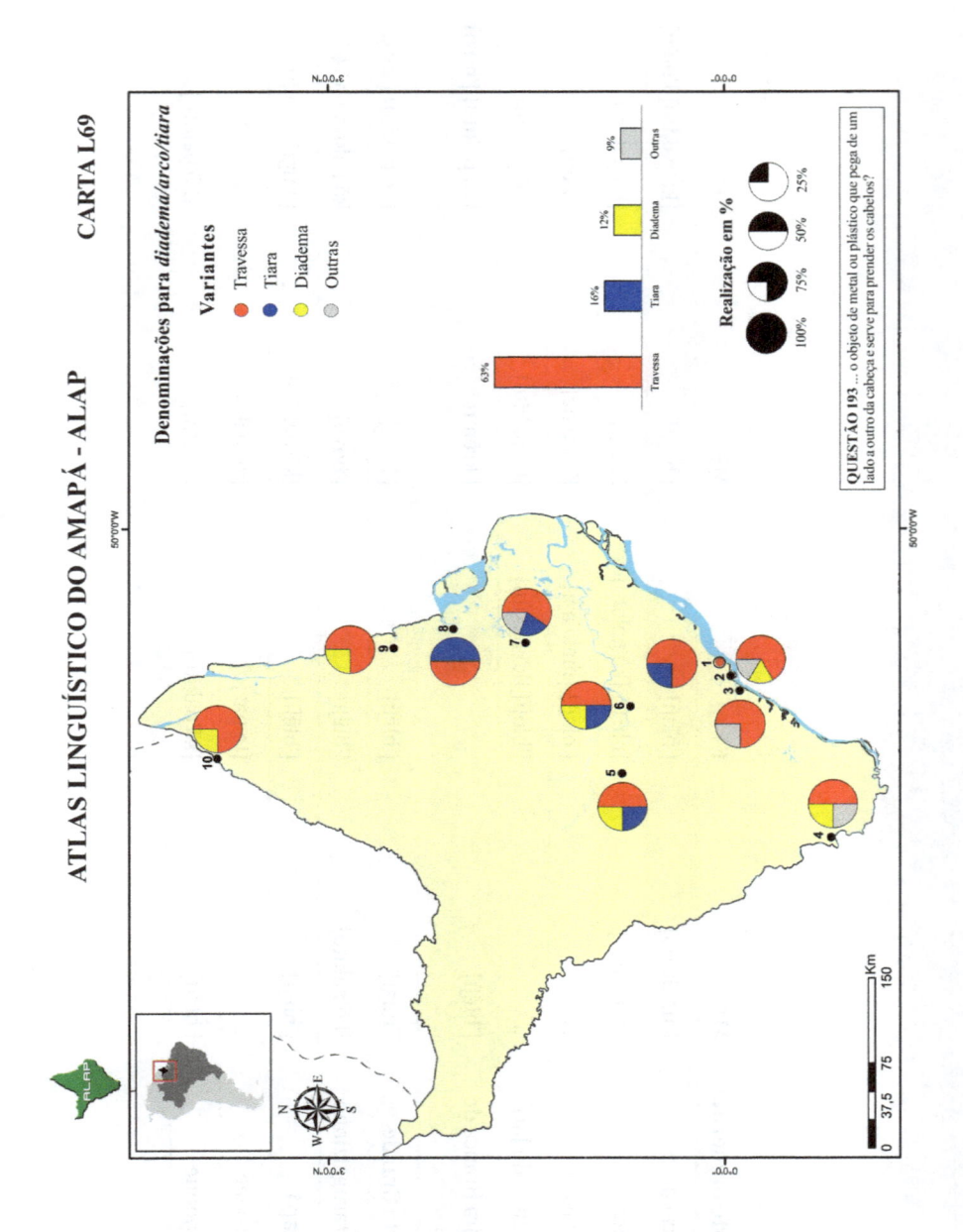

CARTA L69

Denominações para *diadema/arco/tiara*

Variantes:
- 🔴 Travessa
- 🔵 Tiara
- 🟡 Diadema
- ⚪ Outras

Realização em %:
- Travessa 63%
- Tiara 16%
- Diadema 12%
- Outras 9%

QUESTÃO 193 ... o objeto de metal ou plástico que pega de um lado a outro da cabeça e serve para prender os cabelos?

Questão 193 – DIADEMA/ARCO/TIARA

Pontos de Inquéritos	MA	FA	MB	FB
01 – Macapá	[tra'vɛsɛ]	[tra'vɛsɛ]	[tra'vɛsɛ]	[tʃi'arɛ]
02 – Santana	[tra'vɛsɛ]	[tra'vɛsɛ] [pre'ziʎe]	[tra'vɛsɛ]	[dʒia'dẽme] [tra'vɛsɛ]
03 – Mazagão	[traka'dejrɛ]	[tra'vɛsɛ]	[tra'vɛsɛ]	[tra'vɛsɛ]
04 – Laranjal do Jarí	[tra'vɛsɛ]	[tra'vɛsa] ['trakɛ]	...	[dʒia'dẽme]
05 – Pedra Branca do Amaparí	[tra'vɛsɛ]	[tra'vɛsɛ]	...	[tʃi'ara] [dʒie'dẽme]
06 – Porto Grande	[tʃi'arɛ]	[tra'vɛsɛ]	[dʒia'dẽme]	[tra'vɛsɛ]
07 – Tartarugalzinho	[tra'vɛsɛ]	[tʃi'arɛ] [tra'vɛsɛ]	[tra'vɛsɛ]	[prega'do]
08 – Amapá	[tʃi'arɛ]	[tʃi'arɛ] [tra'vɛsɛ]	[tra'vɛsɛ]	[tʃi'arɛ] [tra'vɛsɛ]
09 – Calçoene	[tra'vɛsɛ]	[tra'vɛsɛ]	[tra'vɛsɛ]	[dʒia'dẽme]
10 – Oiapoque	[tra'vɛsɛ]	[tra'vɛsɛ]	[dʒie'dẽme]	[tra'vɛsɛ]

ATLAS LINGUÍSTICO DO AMAPÁ - ALAP

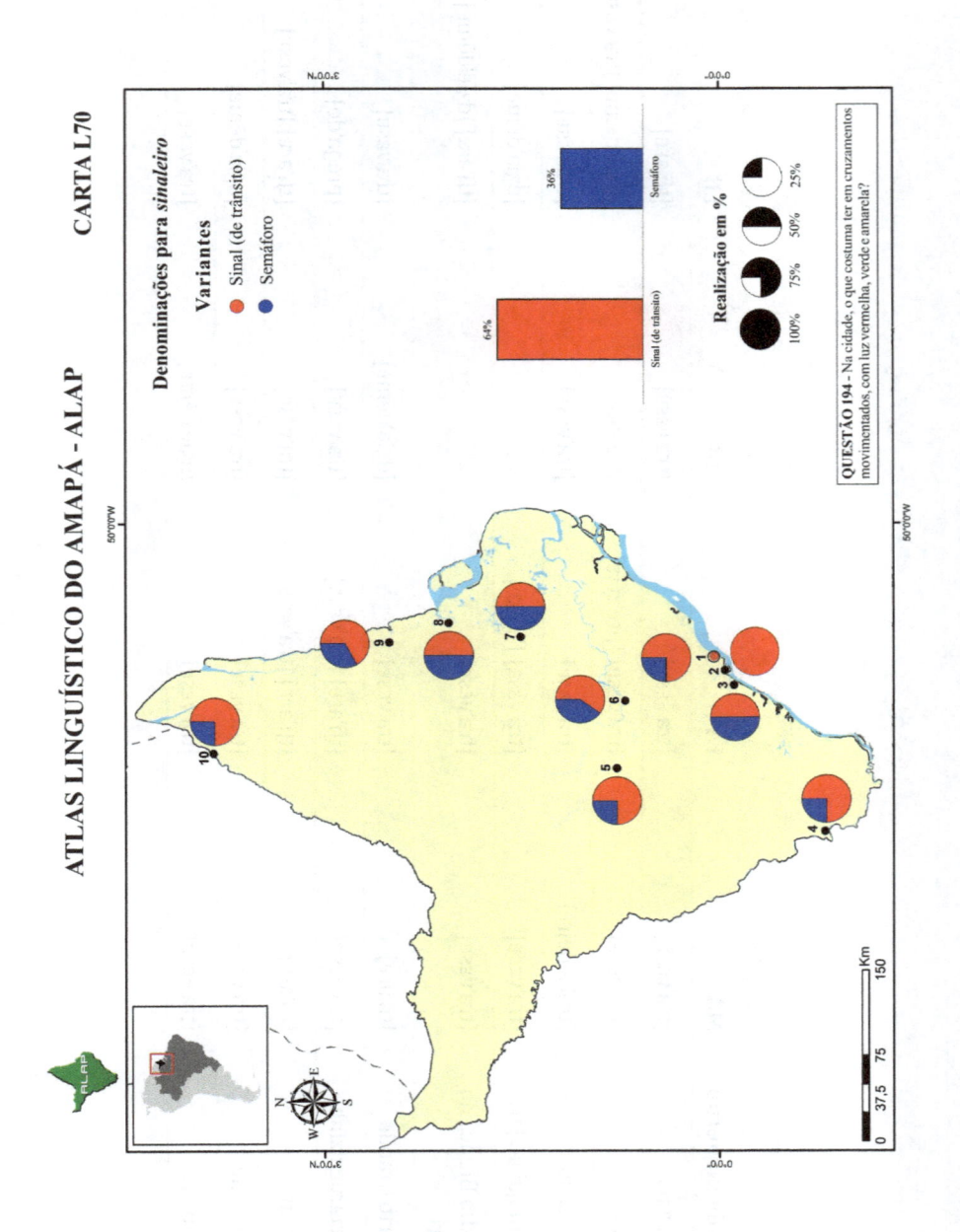

CARTA L70

Denominações para *sinaleiro*

Variantes
- 🔴 Sinal (de trânsito)
- 🔵 Semáforo

Realização em %
- 100% • 75% ◕ 50% ◑ 25% ◔

Sinal (de trânsito) 64%
Semáforo 36%

QUESTÃO 194 - Na cidade, o que costuma ter em cruzamentos movimentados, com luz vermelha, verde e amarela?

Atlas Linguístico do Amapá

Questão 194 – SINALEIRO

Pontos de Inquéritos	MA	FA	MB	FB
01 – Macapá	[siˈnawdʒiˈtrẽzitʊ]	[sɛˈmafaɾʊ]	[siˈnawdʒitrẽˈzitʊ]	[siˈnaw]
02 – Santana	...	[siˈnawdʒiˈtrẽzitʊ]	[siˈnaw]	[siˈnaw]
03 – Mazagão	[sĩˈnaw]	[seˈmafuɾʊ]	[siˈmafaɾʊ]	[ˈtrẽzitʊ]
04 – Laranjal do Jarí	[siˈnaw]	[sẽˈmafɾʊ]	[siˈnaw]	[siˈnaw]
05 – Pedra Branca do Amaparí	[sinawdʒiˈtrẽzitʊ] [sɛˈmafaɾʊ]	[siˈnaj][dʒiˈtrẽzitʊ]	[siˈnaw]	[sɛˈmɔfaɾʊ]
06 – Porto Grande	[siˈnaw] [sɛˈmafaɾʊ]	[seˈmafaɾʊ]	[siˈnawdʒitrẽzitʊ]	[siˈnaw]
07 – Tartarugalzinho	[seˈmafoɾʊ]	[seˈmafɾaguʊ]	[siˈnawdʒiluʃ]	[siˈnaw]
08 – Amapá	[siˈnaw]	[sẽˈmafaɾʊ]	[siˈnajʃ]	[sẽˈmafaɾʊ]
09 – Calçoene	[siˈnaw]	[seˈmafuɾʊ]	[ˈluʃduˈtrẽzitʊ]	...
10 – Oiapoque	[siˈnawdʒiˈtrẽzitʊ]	[seˈmafaɾʊ]	[siˈnaw]	[siˈnaw]

ATLAS LINGUÍSTICO DO AMAPÁ - ALAP

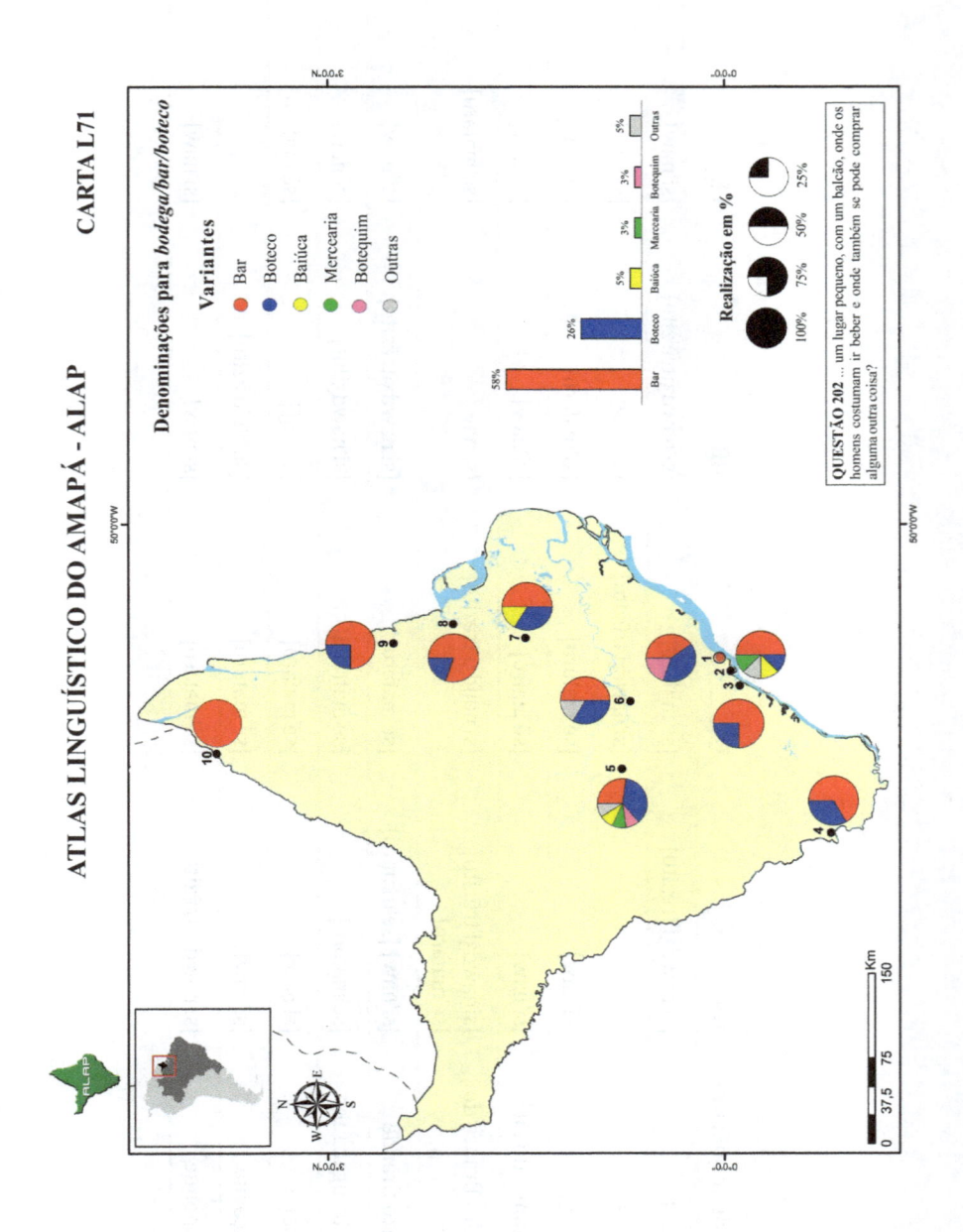

CARTA L71

Denominações para *bodega/bar/boteco*

Variantes
- 🔴 Bar
- 🔵 Boteco
- 🟡 Baiúca
- 🟢 Mercearia
- 🩷 Botequim
- ⚪ Outras

Bar 58%
Boteco 26%
Baiúca 5%
Mercearia 3%
Botequim 3%
Outras 5%

Realização em %: 100% | 75% | 50% | 25%

QUESTÃO 202 ... um lugar pequeno, com um balcão, onde os homens costumam ir beber e onde também se pode comprar alguma outra coisa?

214 Atlas Linguístico do Amapá

Questão 202 – BODEGA/BAR/BOTECO

Pontos de Inquéritos	MA	FA	MB	FB
01 – Macapá	['bah]	['bah]	[bu'tʃikĩ] [bu'tɛkʊ]	[bo'tɛkʊ]
02 – Santana	['bah]	[bɔ'tɛkʊ] ['bah]	[baj'ukɛ] [ki'tãga] ['bah]	['ba] [mehsia'ɾie]
03 – Mazagão	['bah]	['bah] [bu'tɛkʊ]	[ũ 'ba]	...
04 – Laranjal do Jarí	['ba]	['bah] [bu'tɛkʊ]	['bah] [bu'tɛkʊ]	[bah'zĩɲʊ]
05 – Pedra Branca do Amaparí	['bah] [baj'ukɛ] [bu'tɛkʊ]	[bu'tɛkʊ] ['bah] [kaba'ɾɛ]	[bu'tɛkʊ] ['bah]	[bu'tɛkʊ] [butʃi'kĩ] [mehsia'ɾie]
06 – Porto Grande	[bu'tɛkʊ] ['bah]	['ba]	['bah] [bu'tɛkʊ] [bu'dʒgɛ]	...
07 – Tartarugalzinho	['bah] [bu'tɛkʊ]	['bah] [bu'tɛkʊ]	['bah] [baj'ukɛ]	['bah]
08 – Amapá	['ba]	['bah]	['bah] [bu'tɛkʊ]	['bah]
09 – Calçoene	['bah]	['bah]	[bu'tɛkʊ] ['bah]	['bah]
10 – Oiapoque	['bah]	['bah]	['bah]	['bah]

Cartas Lexicais

ATLAS LINGUÍSTICO DO AMAPÁ - ALAP

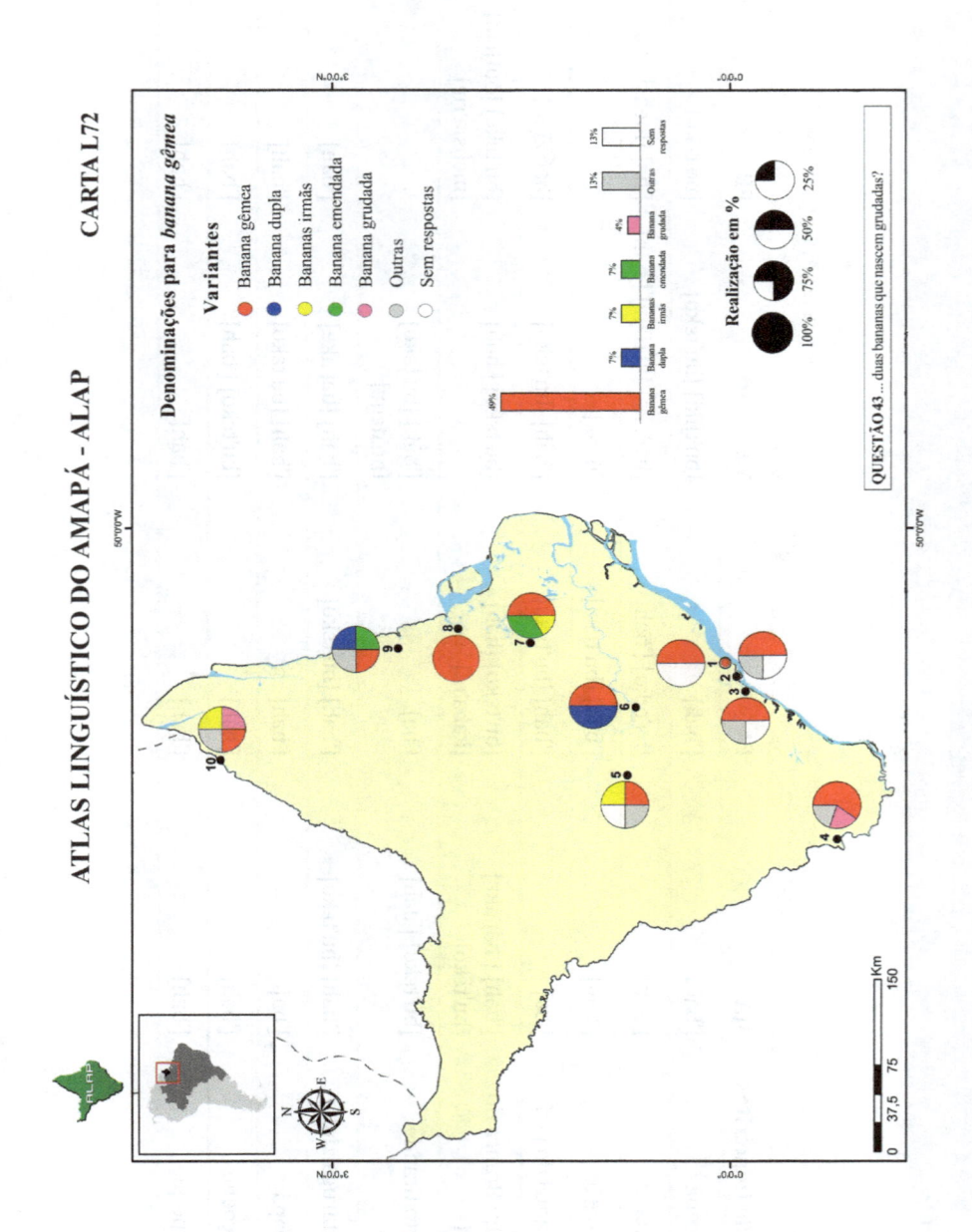

CARTA L72

Denominações para *banana gêmea*

Variantes
- 🔴 Banana gêmea
- 🔵 Banana dupla
- 🟡 Bananas irmãs
- 🟢 Banana emendada
- 🟣 Banana grudada
- ⚪ Outras
- ⚪ Sem respostas

Realização em %
- ● 100%
- ◕ 75%
- ◑ 50%
- ◔ 25%

QUESTÃO 43 ... duas bananas que nascem grudadas?

49% Banana gêmea
7% Banana dupla
7% Bananas irmãs
7% Banana emendada
4% Banana grudada
13% Outras
13% Sem respostas

216 Atlas Linguístico do Amapá

Questão 43 – BANANA DUPLA/FELIPE/GÊMEAS

Pontos de Inquéritos	MA	FA	MB	FB
01 – Macapá	...	...	[ˈʒẽmjɐ]	[ˈʒẽmjɐ]
02 – Santana	...	[baˈnẽneˈʒẽmjɐ]	[bãˈnẽneˈdʒiˈfiʎʊ]	[ˈʒẽmjɐ]
03 – Mazagão	...	[ˈʒẽmjɐ]	[pɛˈgadɐũmanaˈɔtɐ]	[ˈʒẽmjɐ]
04 – Laranjal do Jarí	[ˈʒẽmjɐ]	[ˈʒẽmjɐ]	[nẽpikɛ] [ˈʒẽmjɐ]	[bẽnẽnɛ gɾuˈdadɛ]
05 – Pedra Branca do Amaparí	...	[ihˈmẽjʃ]	[bẽˈnẽnɛ]	[ˈʒẽmjɐ]
06 – Porto Grande	[ˈʒẽmjes]	[baˈnẽneˈduplɐ]	[baˈnẽneˈduplɐ]	[ˈʒẽmi]
07 – Tartarugalzinho	[ˈʒẽmjɐ]	[ˈʒẽmjaʃ] [ihˈmẽʃ]	[ĩmẽˈdadɛ] [ˈʒẽmj]	[ĩmẽˈdadɛ]
08 – Amapá	[ˈʒẽmjɐ]	[bẽˈnẽneˈʒẽmjɐ]	[ˈʒẽmjɐ]	[ˈʒẽmjɐ]
09 – Calçoene	[bẽˈnãneˈduplɐ]	[bẽˈnẽnedʒiviˈdʒidaẽˈdua]	[ˈʒẽmjɐ]	[bẽˈnẽnaĩmẽˈdadɛ]
10 – Oiapoque	[bãˈnãnã]	[ihˈmãjʃ]	[bãˈnẽnagɾuˈdadɛ]	[bãnãneʒẽmjɐ]

ATLAS LINGUÍSTICO DO AMAPÁ - ALAP

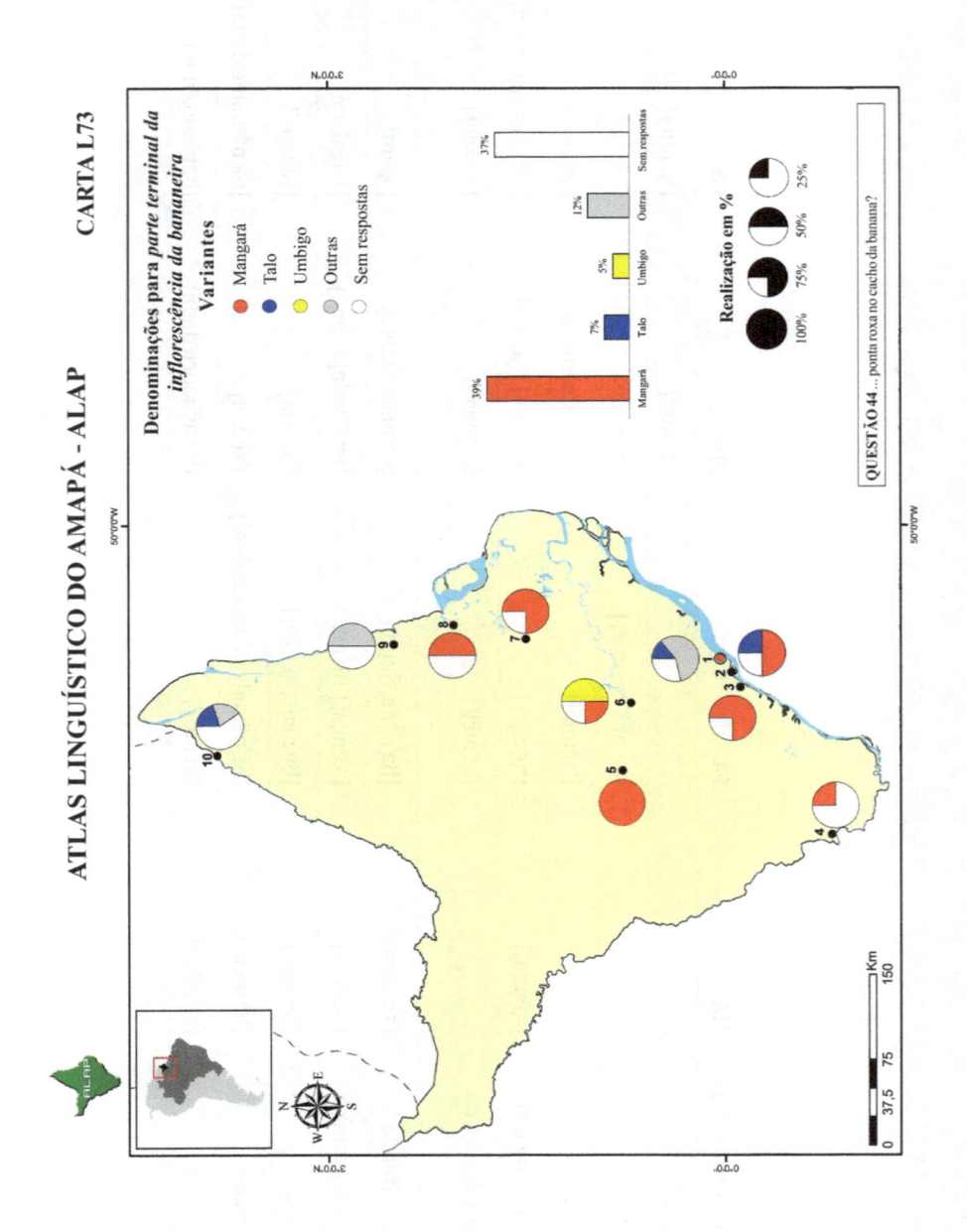

CARTA L73

Denominações para parte terminal da inflorescência da bananeira

Variantes:
- ● Mangará
- ● Talo
- ● Umbigo
- ● Outras
- ○ Sem respostas

Mangará 39%
Talo 7%
Umbigo 5%
Outras 12%
Sem respostas 37%

Realização em %: 100%, 75%, 50%, 25%

QUESTÃO 44 ... ponta roxa no cacho da banana?

Questão 44 – PARTE TERMINAL DA INFLORESCÊNCIA DA BANANEIRA

Pontos de Inquéritos	MA	FA	MB	FB
01 – Macapá	...	...	[koɾaˈsẽw̃] [maˈɾa]	[ˈtalʊ] [ˈgahsʊ]
02 – Santana	...	[ˈtalʊ]	[mãgaˈɾa]	[magaˈɾɛ]
03 – Mazagão	[mẽgaˈɾa]	...	[mẽgaˈɾa]	[mẽgaˈɾa]
04 – Laranjal do Jarí	[mẽgaˈɾa]	...	...	...
05 – Pedra Branca do Amaparí	[mẽgaˈɾa]	[mẽgaˈɾa]	[mẽgaˈɾa]	[mẽgaˈɾa]
06 – Porto Grande	[ũˈbigʊ]	[ũˈbigʊ]	...	[mẽgaˈɾa]
07 – Tartarugalzinho	[mẽgaˈɾa]	...	[mãgaˈɾa]	[mãgaˈɾa]
08 – Amapá	...	...	[mẽgaˈɾa]	[mẽgaˈɾa]
09 – Calçoene	...	...	[ˈbɾɔke]	[mẽgaraˈta]
10 – Oiapoque	...	...	...	[ˈkabʊ] [ˈtalʊ]

Cartas Estratificadas

ATLAS LINGUÍSTICO DO AMAPÁ - ALAP

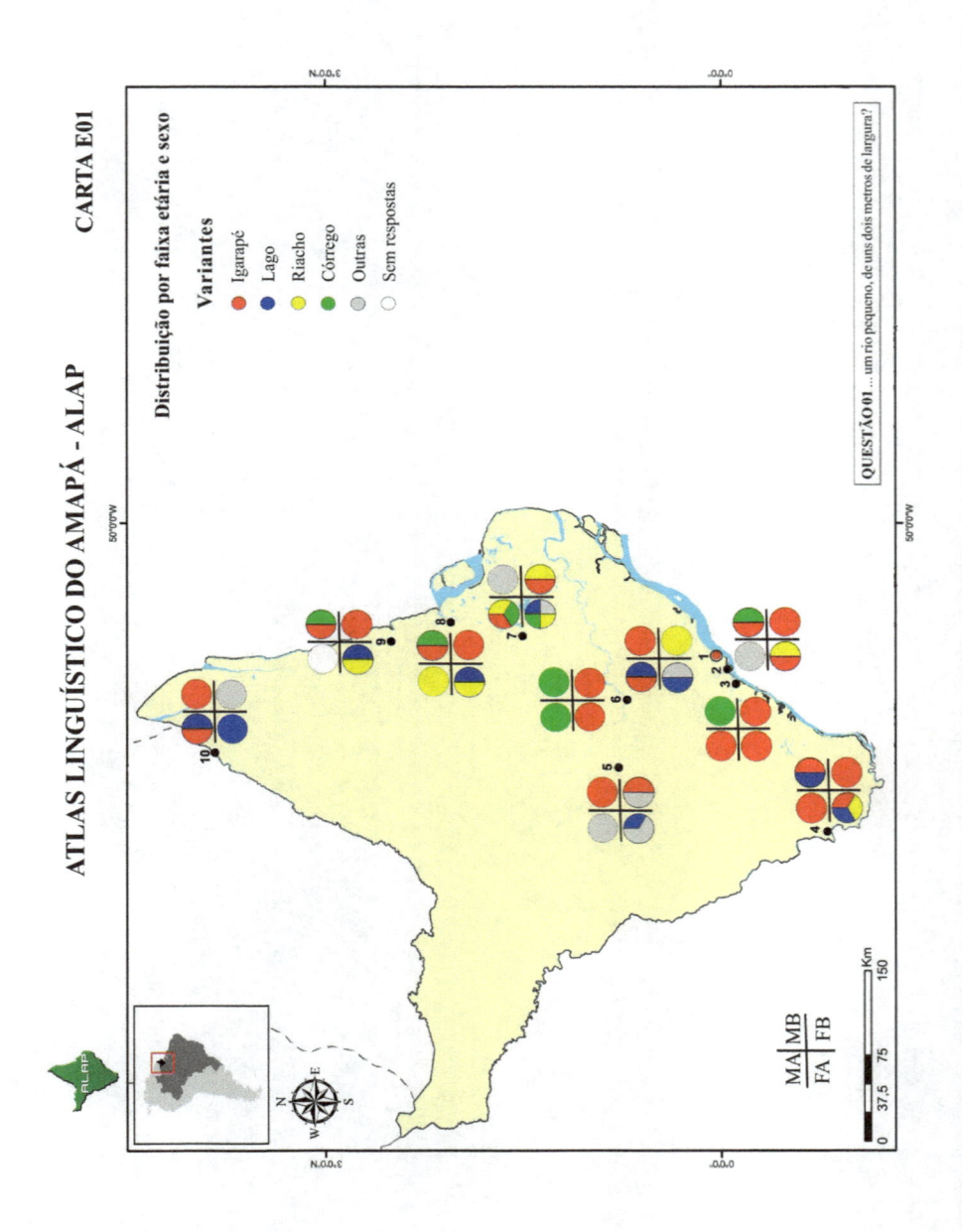

CARTA E01

Distribuição por faixa etária e sexo

Variantes
- Igarapé
- Lago
- Riacho
- Córrego
- Outras
- Sem respostas

QUESTÃO 01 ... um rio pequeno, de uns dois metros de largura?

Questão 1 – CÓRREGO/RIACHO				
Pontos de Inquéritos	MA	FA	MB	FB
01 – Macapá	[igaraˈpɛ] [ˈlagʊ]	[ˈlagʊ] [laˈɡĩɲʊ]	[igaraˈpɛ]	[hiˈaʃʊ]
02 – Santana	[alaˈgoɛ]	[hiˈaʃʊ] [igaraˈpɛ]	[igaraˈpɛ] [kɔɦigʊ]	[garaˈpɛ]
03 – Mazagão	[igaraˈpɛ]	[garaˈpɛ]	[kɔɦigʊ]	[garaˈpɛ]
04 – Laranjal do Jarí	[garaˈpɛ]	[ˈlagʊ] [hiˈaʃʊ] [igaraˈpɛ]	[igaraˈpɛ] [ˈlagʊ]	[igaraˈpɛ]
05 – Pedra Branca do Amaparí	[gɔtɛ laˈgowɛ]	[ˈlagʊ] [hiuˈzĩɲʊ] [laˈgoɛ]	[igaraˈpɛ]	[ẽgaraˈpɛ] [gɔtɛ]
06 – Porto Grande	[ˈkɔhegʊ]	[igaraˈpɛ]	[ˈkɔhegʊ]	[igaraˈpɛ]
07 – Tartarugalzinho	[igaraˈpɛ] [ˈkɔhegʊ] [hiˈaʃʊ]	[hiuˈzĩɲʊ] [ˈlagʊ] [kɔhegʊ] [hiˈaʃʊ]	[laˈgoɛ] [isiˈapɛ]	[igaraˈpɛ] [hiˈaʃʊ]
08 – Amapá	[hiˈaʃʊ]	[ˈlagʊ] [hiˈaʃʊ]	[igaraˈpɛ] [ˈkɔɦigʊ]	[igaraˈpɛ]
09 – Calçoene	...	[ˈlagʊ]	[garaˈpɛ]	[igaraˈpɛ]
10 – Oiapoque	[ˈlagʊ] [garaˈpɛ]	[ˈlagʊ]	[igaraˈpɛ]	[ˈhiu]

ATLAS LINGUÍSTICO DO AMAPÁ - ALAP

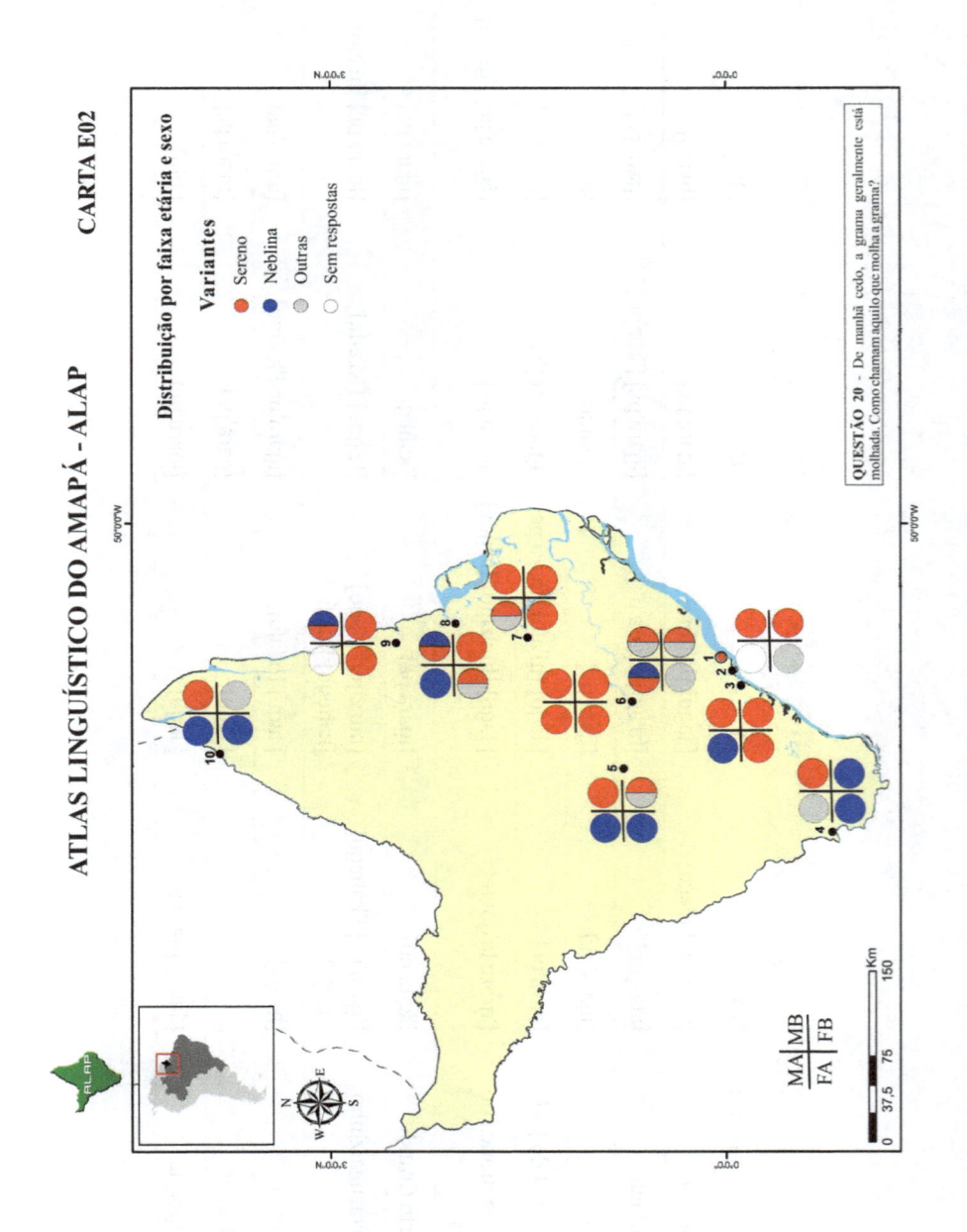

CARTA E02

Distribuição por faixa etária e sexo

Variantes
- 🔴 Sereno
- 🔵 Neblina
- ⚪ Outras
- ○ Sem respostas

QUESTÃO 20 - De manhã cedo, a grama geralmente está molhada. Como chamam aquilo que molha a grama?

MA	MB
FA	FB

Questão 20 – ORVALHO/SERENO				
Pontos de Inquéritos	MA	FA	MB	FB
01 – Macapá	[ne'blĩnɛ] [sɛ'rẽnʊ]	[oɾi'vaʎʊ]	[sɛ'rẽnʊ] [o'vaʎʊ]	[vẽtu'nɔhtʃi] [sɛ'rẽnʊ]
02 – Santana	...	[nevo'adɛ]	[se'rẽnʊ]	[sɛ'rẽnʊ]
03 – Mazagão	[ne'blĩnɛ]	[sɛ'rẽnʊ]	[usɛ'rẽnʊ]	[sɛ'rẽnʊ]
04 – Laranjal do Jarí	[nɛvi]	[ne'brĩnɛ]	[sɛ'rẽnʊ]	[ne'brĩnɛ]
05 – Pedra Branca do Amaparí	[ne'blĩnɛ]	[ne'blĩnɛ]	[sɛ'rẽnʊ]	[se'rẽnʊ] [oɾivaʎjʊ]
06 – Porto Grande	[sɛ'rẽnʊ]	[sɛ'rẽnʊ]	[sɛ'rẽnʊ]	[sɛ'rẽnʊ]
07 – Tartarugalzinho	[nɛvi] [se'rẽnʊ]	[sɛ'rẽnʊ]	[sɛ'rẽnʊ]	[sɛ'rẽnʊ]
08 – Amapá	[ne'brĩnɛ]	[nɛvi] [ne'blĩnɛ]	[ne'brĩnɛ] [sɛ'rẽnʊ]	[sɛ'rẽnʊ]
09 – Calçoene	...	[sɛ'rẽnʊ]	[nɛvi ne'brĩnɛ]	[sɛ'rẽnʊ]
10 – Oiapoque	[ne'blĩnɛ]	[ne'blĩnɛ]	[sɛ'rẽnʊ]	[ɔhvaʎʊ]

ATLAS LINGUÍSTICO DO AMAPÁ - ALAP

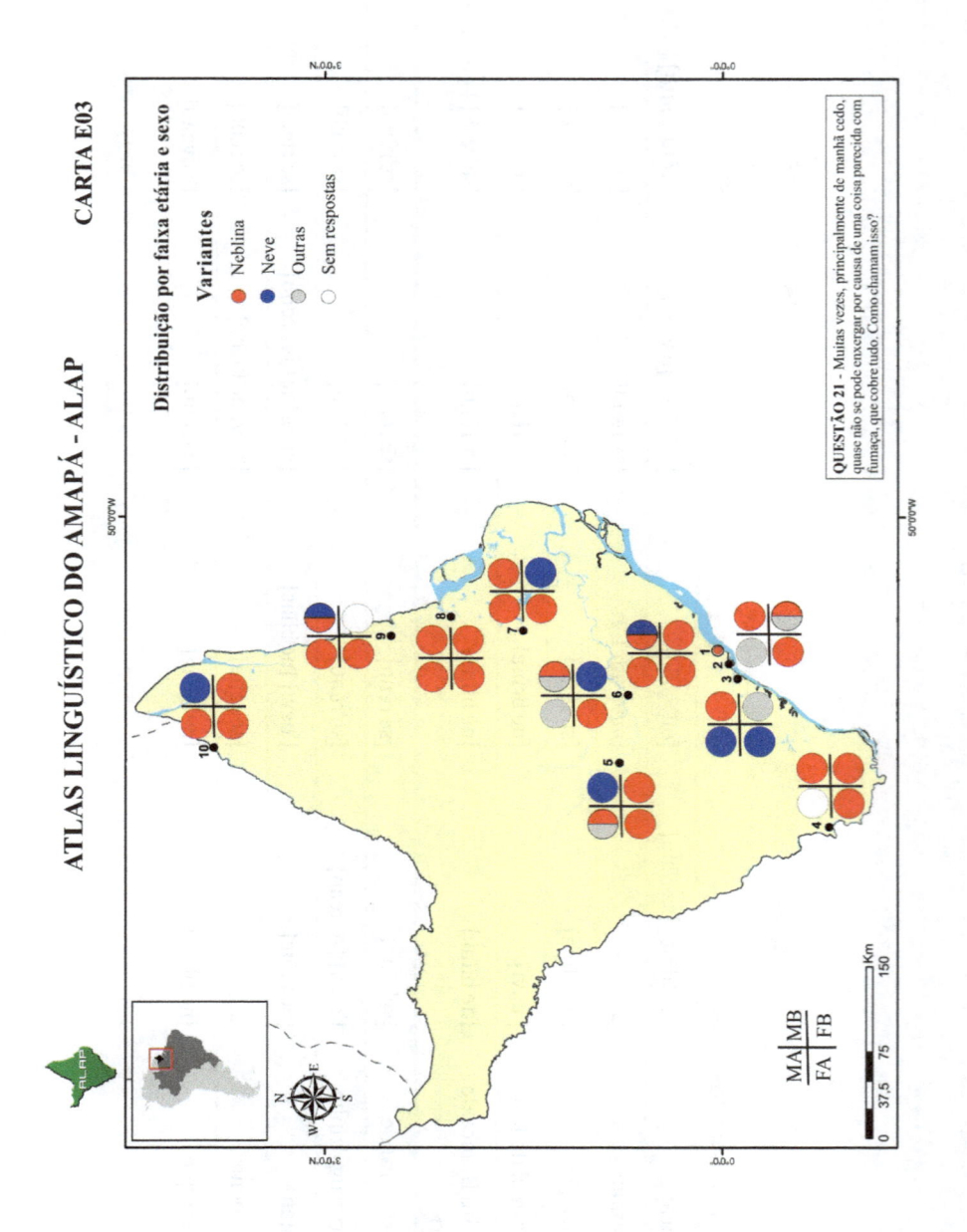

CARTA E03

Distribuição por faixa etária e sexo

Variantes
- 🔴 Neblina
- 🔵 Neve
- ⚪ (cinza) Outras
- ⚪ Sem respostas

MA	MB
FA	FB

QUESTÃO 21 - Muitas vezes, principalmente de manhã cedo, quase não se pode enxergar por causa de uma coisa parecida com fumaça, que cobre tudo. Como chamam isso?

Questão 21 – NEVOEIRO/CERRAÇÃO/NEBLINA

Pontos de Inquéritos	MA	FA	MB	FB
01 – Macapá	[neˈblĩnɐ]	[neˈblĩnɐ]	[nɛˈblĩnɐ] [ˈnɛvi]	[neˈblĩnɐ]
02 – Santana	[fuˈmasɛ]	[neˈblĩnɐ]	[neˈbrĩnɐ]	[sɛˈrẽnʊ] [ˈnɛviʃ]
03 – Mazagão	[ˈnɛvi]	[ˈnɛvi]	[neˈblĩnɐ]	[ˈnuvẽj]
04 – Laranjal do Jarí	...	[neˈbrĩnɐ]	[neˈblĩnɐ]	[neˈbrĩnɐ]
05 – Pedra Branca do Amaparí	[sɛˈrẽnʊ] [neˈblĩnɐ]	[neˈblĩnɐ]	[ˈnɛvi]	[neˈblĩnɐ]
06 – Porto Grande	[nevuˈerʊ]	[neˈblĩnɐ]	[ɉʰvaʎʊ] [neˈbrĩnɐ]	[ˈnɛviʃ]
07 – Tartarugalzinho	[neˈblĩnɐ]	[neˈblĩnɐ]	[neˈblĩnɐ]	[ˈnɛvi]
08 – Amapá	[neˈbrĩnɐ]	[neblĩnɐ]	[neˈbrĩnɐ]	[neˈbrĩnɐ]
09 – Calçoene	[neˈbrĩnɐ]	[nɛˈbrĩnɐ]	[ˈnɛvi] [neˈbrĩnɐ]	...
10 – Oiapoque	[neˈblĩnɐ]	[neˈblĩnɐ]	[ˈnɛviʃ]	[neˈblĩnɐ]

ATLAS LINGUÍSTICO DO AMAPÁ - ALAP

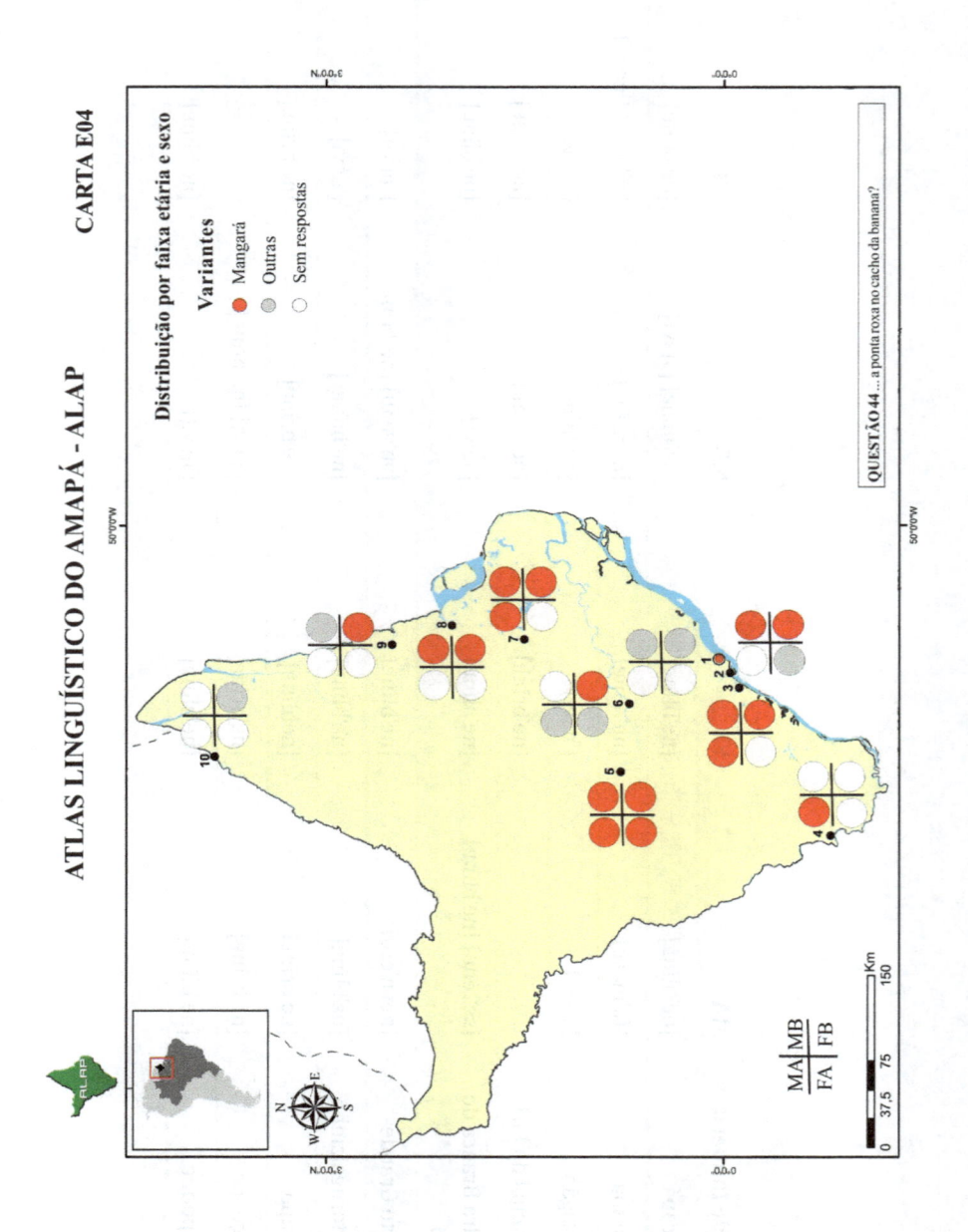

CARTA E04

Distribuição por faixa etária e sexo

Variantes
- Mangará
- Outras
- Sem respostas

QUESTÃO 44 ... a ponta roxa no cacho da banana?

MA	MB
FA	FB

Questão 44 – PARTE TERMINAL DA INFLORESCÊNCIA DA BANANEIRA					
Pontos de Inquéritos	MA	FA	MB	FB
01 – Macapá	...	...	[kɔraˈsẽw̃] [maˈɾa]	[ˈtalʊ] [ˈgahsʊ]
02 – Santana	...	[ˈtalʊ]	[mãgaˈra]	[magaˈɾɐ]
03 – Mazagão	[mẽgaˈra]	...	[mẽgaˈra]	[mẽgaˈra]
04 – Laranjal do Jarí	[mẽgaˈra]	...	...	...
05 – Pedra Branca do Amaparí	[mẽgaˈra]	[mẽgaˈra]	[mẽgaˈra]	[mẽgaˈra]
06 – Porto Grande	[ũˈbigʊ]	[ũˈbigʊ]	...	[mẽgaˈra]
07 – Tartarugalzinho	[mẽgaˈra]	...	[mẽgaˈra]	[mẽgaˈra]
08 – Amapá	...	...	[mẽgaˈra]	[mẽgaˈra]
09 – Calçoene	...	...	[ˈbrɔke]	[mẽgaraˈta]
10 – Oiapoque	...	...	...	[ˈkabʊ] [ˈtalʊ]

ATLAS LINGUÍSTICO DO AMAPÁ - ALAP

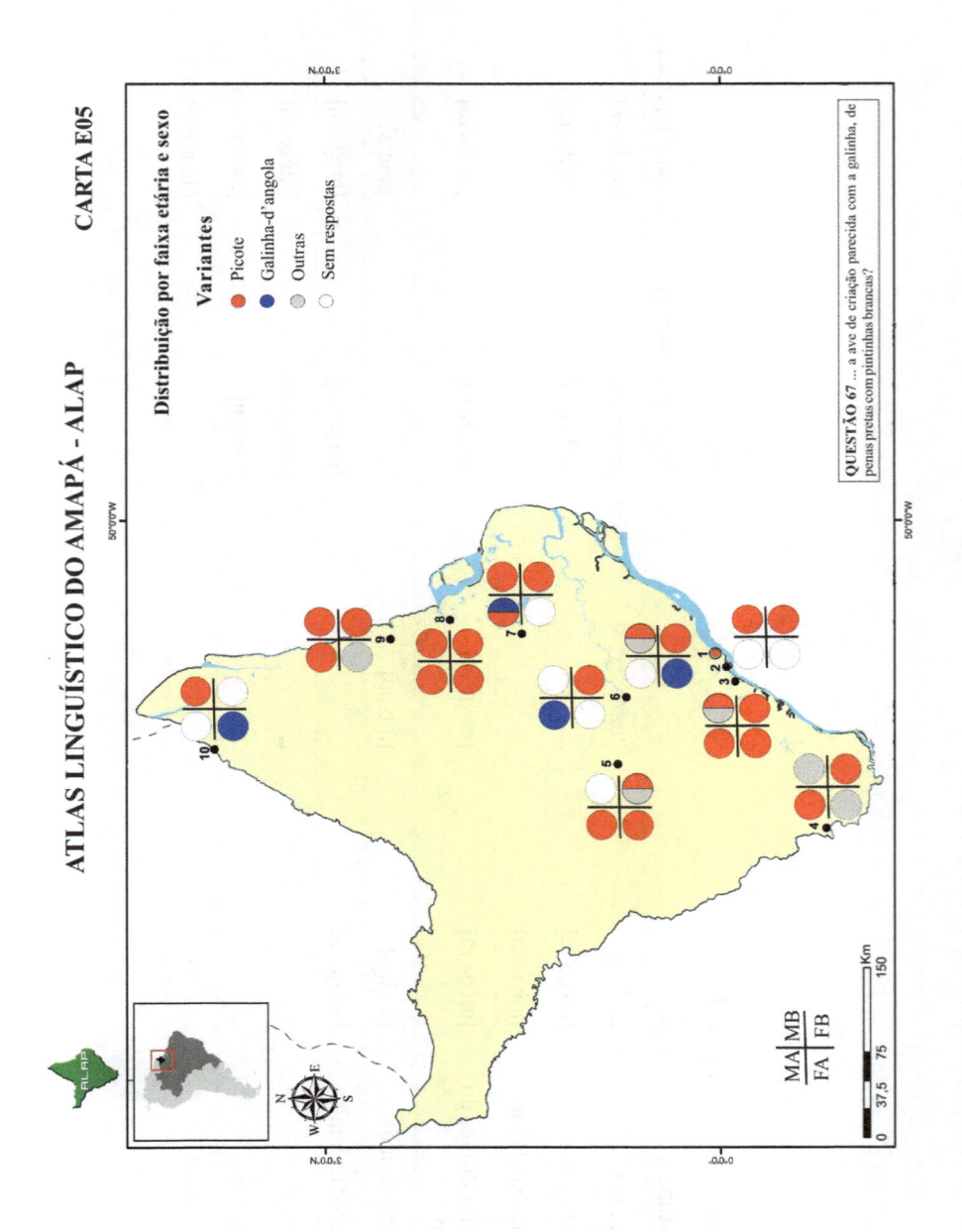

CARTA E05

Distribuição por faixa etária e sexo

Variantes
- ● Picote
- ● Galinha-d'angola
- ● Outras
- ○ Sem respostas

MA	MB
FA	FB

QUESTÃO 67 ... a ave de criação parecida com a galinha, de penas pretas com pintinhas brancas?

Questão 67 – GALINHA D'ANGOLA/GUINPE/COCAR

Pontos de Inquéritos	MA	FA	MB	FB
01 – Macapá	...	[ga'ʎiɲa d'aɲʎu]	[pi'kɔtʃi] [ka'pɔtʃi]	[pikɔtʃi]
02 – Santana	...	...	[pi'kɔtʃi]	[pi'kɔtʃi]
03 – Mazagão	[pi'kote]	[pi'kɔte]	[pi'kɔtʃi][ga'ʒɛ]	[pi'kɔte]
04 – Laranjal do Jarí	[pi'kɔtʃi]	[ka'pɔtʃi]	[nu'pi]	[pi'kɔtʃi]
05 – Pedra Branca do Amaparí	['kɔtʃi]	[pi'kɔtʃi]	...	[pi'kɔtʃi] [ka'pɔtʃi]
06 – Porto Grande	[ga'ʎiɲa d'aɲʎu]	...	...	[pikɔtʃi]
07 – Tartarugalzinho	[pi'kɔtʃi] [ga'ʎiɲa d'aɲʎu]	...	[pi'kɔtʃi]	[pi'kɔtʃi]
08 – Amapá	[pi'kɔtʃi]	[pi'kɔtʃi]	[pi'kɔtʃi]	[pi'kɔtʃi]
09 – Calçoene	[pikɔtʃi]	[nɛ'bu]	[pi'kɔtʃi]	[pi'kɔtʃi]
10 – Oiapoque	...	[ga'ʎiɲa d'aɲʎu]	[pi'kɔtʃi]	...

ATLAS LINGUÍSTICO DO AMAPÁ – ALAP

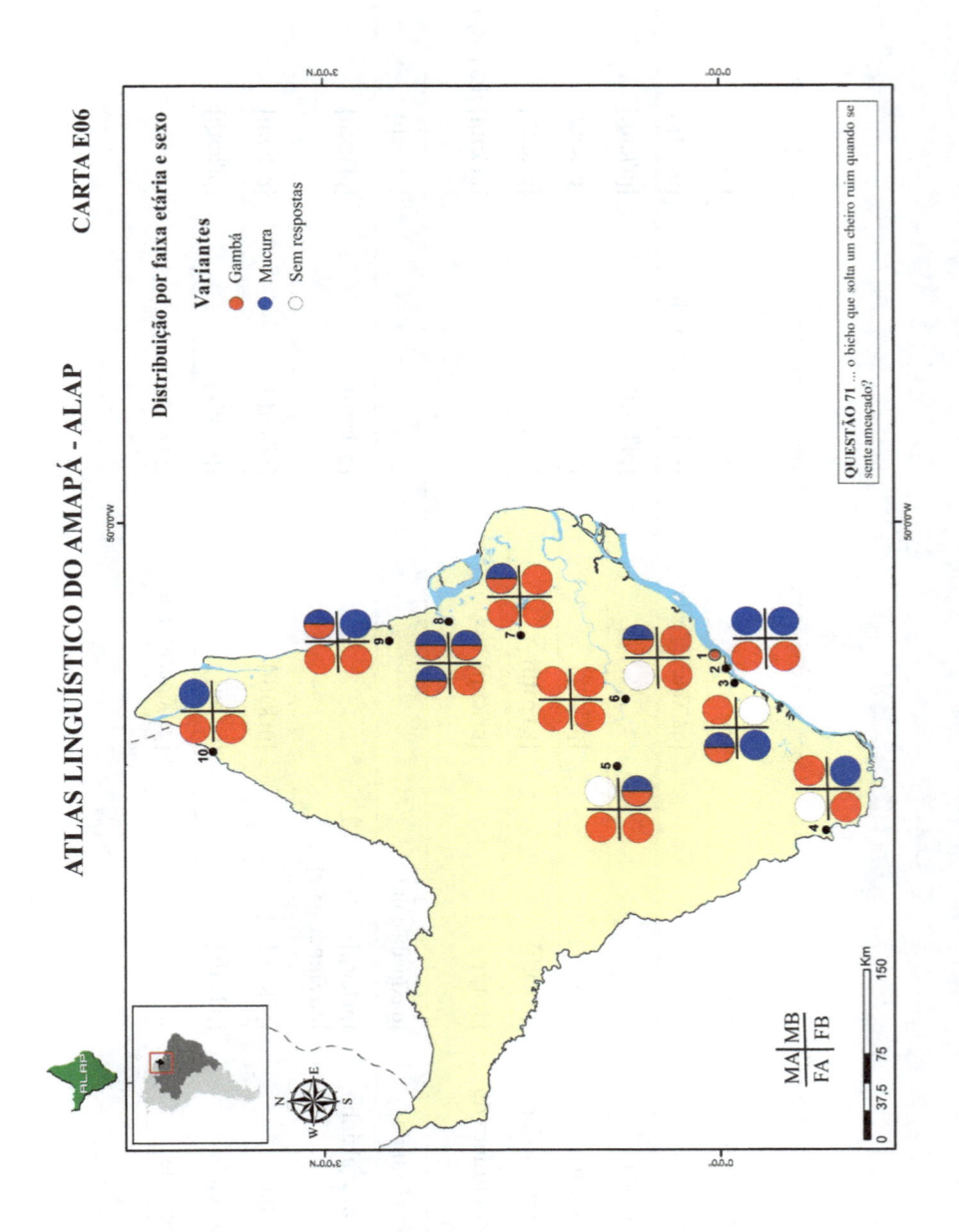

CARTA E06

Distribuição por faixa etária e sexo

Variantes
- 🔴 Gambá
- 🔵 Mucura
- ⚪ Sem respostas

QUESTÃO 71 ... o bicho que solta um cheiro ruim quando se sente ameaçado?

MA	MB
FA	FB

232 Atlas Linguístico do Amapá

Questão 71 – GAMBÁ

Pontos de Inquéritos	MA	FA	MB	FB
01 – Macapá	...	[gẽ'ba]	[gẽ'ba] [mu'kurɛ]	[gẽ'ba]
02 – Santana	[gẽ'ba]	[gẽ'ba]	[mu'kurɛ]	[mu'kurɛ]
03 – Mazagão	[gẽ'ba] [mu'kurɛ]	[mu'kurɛ]	[gẽ'ba]	...
04 – Laranjal do Jarí	...	[gẽ'ba]	[gẽ'ba]	[mu'kurɛ]
05 – Pedra Branca do Amaparí	[gẽ'ba]	[gẽ'ba]	...	[mu'kurɛ] [gẽ'ba]
06 – Porto Grande	[gẽ'ba]	[gẽ'ba]	[gẽ'ba]	[gẽ'ba]
07 – Tartarugalzinho	[gẽ'ba]	[gẽ'ba]	[gẽ'ba] [mu'kurɛ]	[gẽ'ba]
08 – Amapá	[gẽ'ba] [mu'kurɛ]	[gẽ'ba]	[gẽ'ba] [mu'kurɛ]	[gẽ'ba] [mu'kurɛ]
09 – Calçoene	[gẽ'ba]	[gẽ'ba]	[mu'kurɛ] [gẽ'ba]	[mu'kurɛ]
10 – Oiapoque	[gẽ'ba]	[gẽ'ba]	[mu'kurɛ]	...

ATLAS LINGUÍSTICO DO AMAPÁ - ALAP

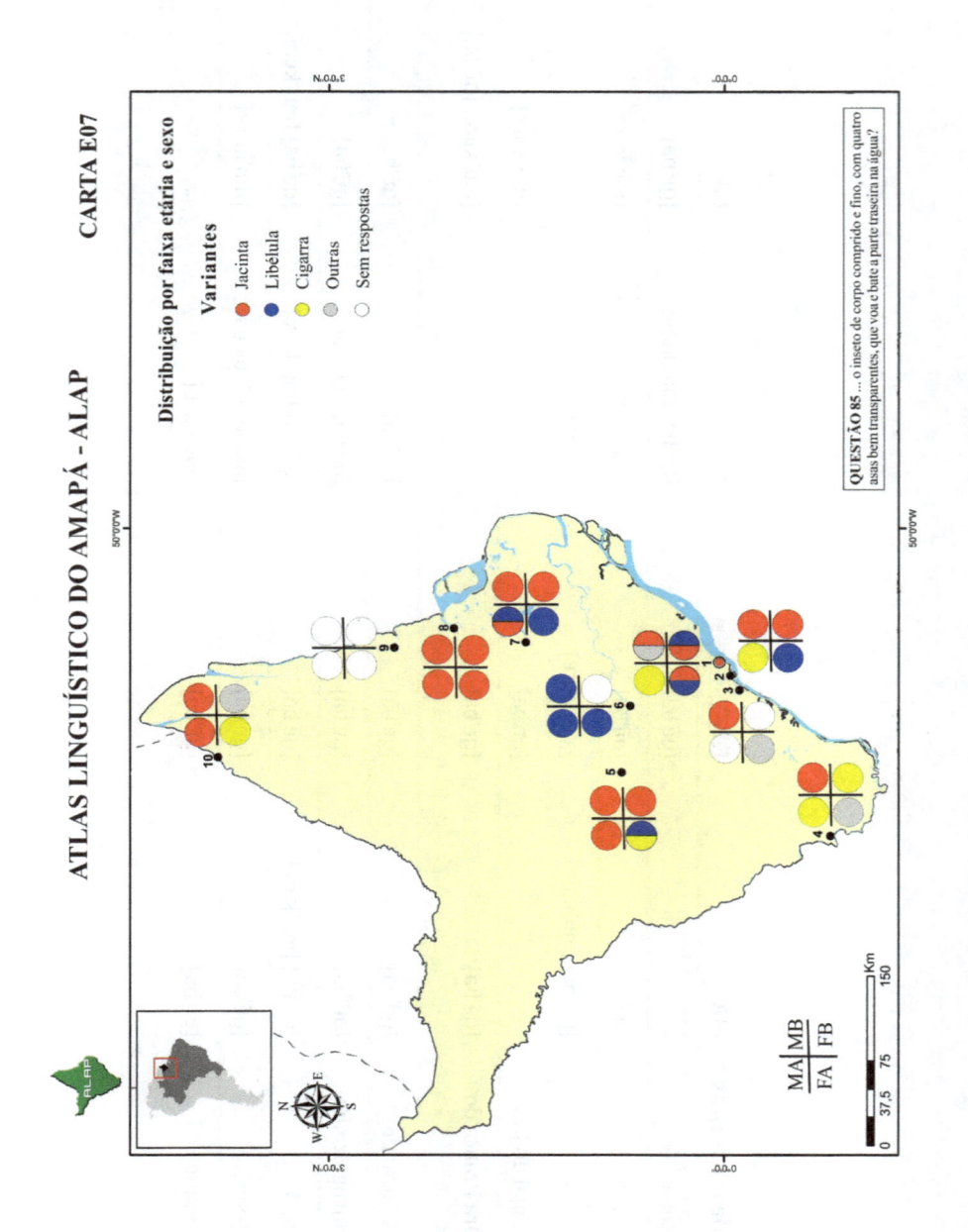

CARTA E07

Distribuição por faixa etária e sexo

Variantes
- 🔴 Jacinta
- 🔵 Libélula
- 🟡 Cigarra
- ⚪ (cinza) Outras
- ⚪ Sem respostas

QUESTÃO 85. ... o inseto de corpo comprido e fino, com quatro asas bem transparentes, que voa e bate a parte traseira na água?

MA	MB
FA	FB

Pontos de Inqué-ritos	MA	FA	MB	FB
01 – Macapá	[siˈgahe]	[ʎiˈbɛlule] [ʒaˈsine]	[ʒaˈsina] [iˈbɛle]	[ʎiˈbɛrule] [ʒaˈsite]
02 – Santana	[ˈsigahe]	[liˈbelule]	[ʒaˈsite]	[ʒaˈsite]
03 – Mazagão	...	[ʒaˈsite]	[ʒaˈsite]	...
04 – Laranjal do Jarí	[siˈgahe]	[siˈgãhe]	[ʒaˈsite]	[siˈgahe]
05 – Pedra Branca do Amaparí	[ʒaˈsite]	[siˈgahe] [ʎjibeˈlule]	[ʒaˈsite]	[ʒaˈsite]
06 – Porto Grande	[ʎibeˈlule]	[ʎiˈbelule]	[ʎiˈbelule]	...
07 – Tartarugalzinho	[ʒasite] [ʎjiˈbelule]	[ʎjiˈbɛlule]	[ʒasite]	[ʒaˈsito]
08 – Amapá	[ʒaˈsite]	[ʒaˈsite]	[ʒaˈsite]	[ʒaˈsite]
09 – Calçoene	...	...	...	...
10 – Oiapoque	[ʒaˈsite]	[siˈgahe]	[ʒaˈsite]	...

Questão 85 – LIBÉLULA/JACINTO

ATLAS LINGUÍSTICO DO AMAPÁ - ALAP

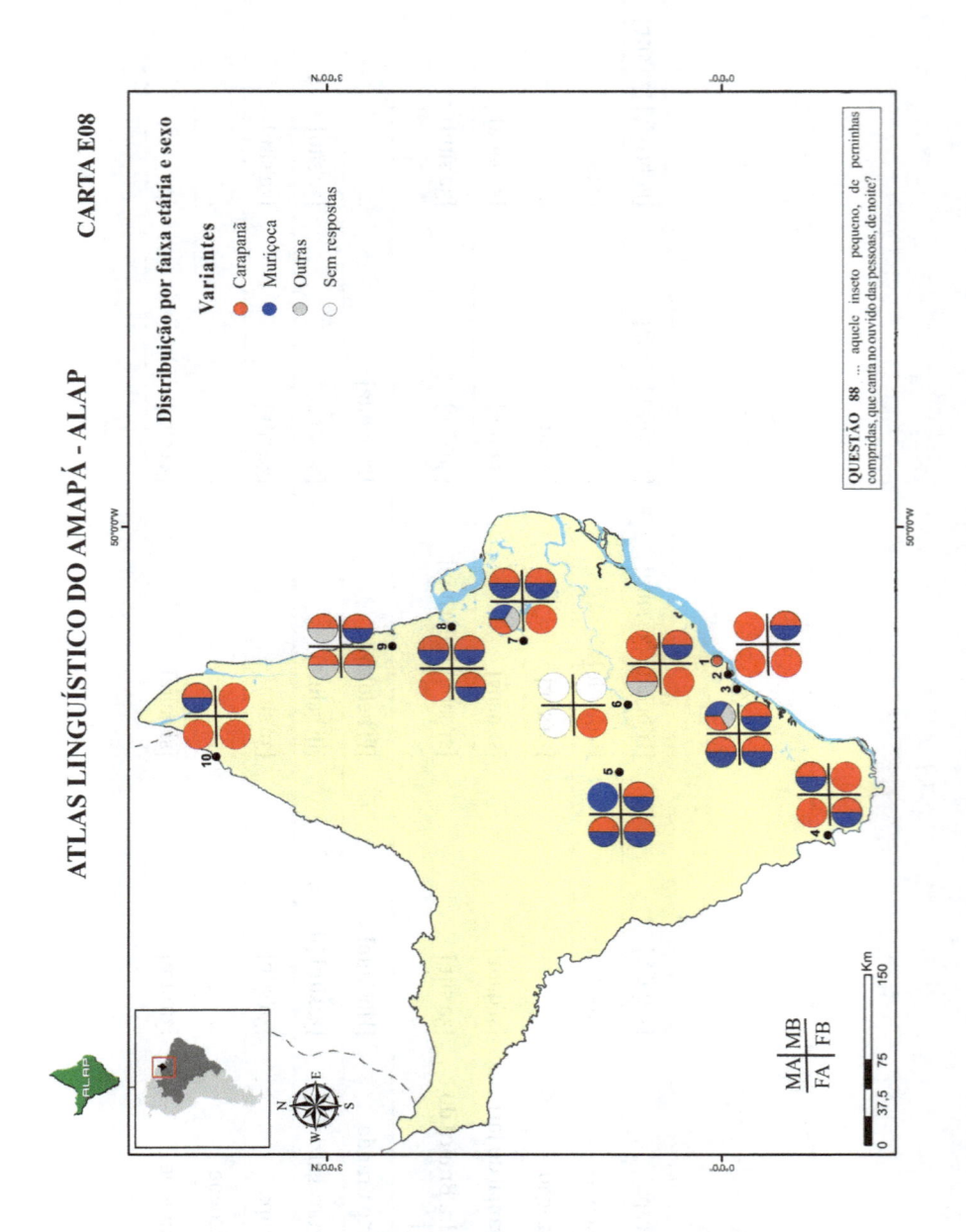

CARTA E08

Distribuição por faixa etária e sexo

Variantes
- 🔴 Carapanã
- 🔵 Muriçoca
- ⚪ (cinza) Outras
- ⚪ Sem respostas

QUESTÃO 88 ... aquele inseto pequeno, de perninhas compridas, que canta no ouvido das pessoas, de noite?

MA	MB
FA	FB

Questão 88 – PERNILONGO/CARAPANÃ/MURIÇOCA

Pontos de Inquéritos	MA	FA	MB	FB
01 – Macapá	[karapẽ'nẽ] [muʃ'kitʊ]	[karapẽ'nẽ]	[karapẽ'nẽ]	[karapẽ'nẽ] [muɾi'sɔkɐ]
02 – Santana	[karapẽ'nẽ]	[karapẽ'nẽ]	[karapẽ'nẽ]	[karapẽ'nẽ] [mɔɾɔ'sɔkɐ]
03 – Mazagão	[karapẽ'nẽ][muɾɔ'sɔ]	[karapẽ'nẽ][muɾɔ'sɔkɐ]	[karapa'nẽ][takuʔpiw] [muɾi'sɔkɐ]	[kapẽ'nẽ]
04 – Laranjal do Jarí	[karapa'nẽ]	[karapẽ'nẽ][muɾi'sɔkɐ]	[karapẽ'nẽ] [muɾi'sɔkɐ]	[karapẽ'nẽ]
05 – Pedra Branca do Amaparí	[karapẽ'nẽ] [muɾi'sɔkɐ]	[karapẽ'nẽ] [muɾi'sɔkɐ]	[muɾi'sɔkɐ]	[karapẽ'nẽ] [moɾi'sɔkɐ]
06 – Porto Grande	...	[karapã'nã]	...	...
07 – Tartarugalzinho	[muɾi'sɔkɐ] [karapẽ'nẽ] [muʃ'kitʊ]	[karapẽ'nẽ]	[karapẽ'nẽ] [moɾi'sɔkɐ]	[karapẽ'nẽ] [muɾi'sɔkɐ]
08 – Amapá	[karapẽ'nẽ]	[muɾi'sɔkɐ] [karapẽ'nẽ]	[karapẽ'nẽ] [mɔɾɔ'sɔkɐ]	[karapẽ'nẽ] [mɔɾɔ'sɔkɐ]
09 – Calçoene	[karapẽ'nẽ] [maɾuʔĩ]	[karapã'nã] [muʃ'kitʊ]	[karapẽ'nẽ] [muʃ'kitʊ]	[mɔɾi'sɔkɐ] [karapã]
10 – Oiapoque	[karapẽ'nẽ]	[karapã'nã]	[karapẽ'nẽ] [muɾɔ'sɔkɐ]	[karapẽ'nẽ]

ATLAS LINGUÍSTICO DO AMAPÁ - ALAP

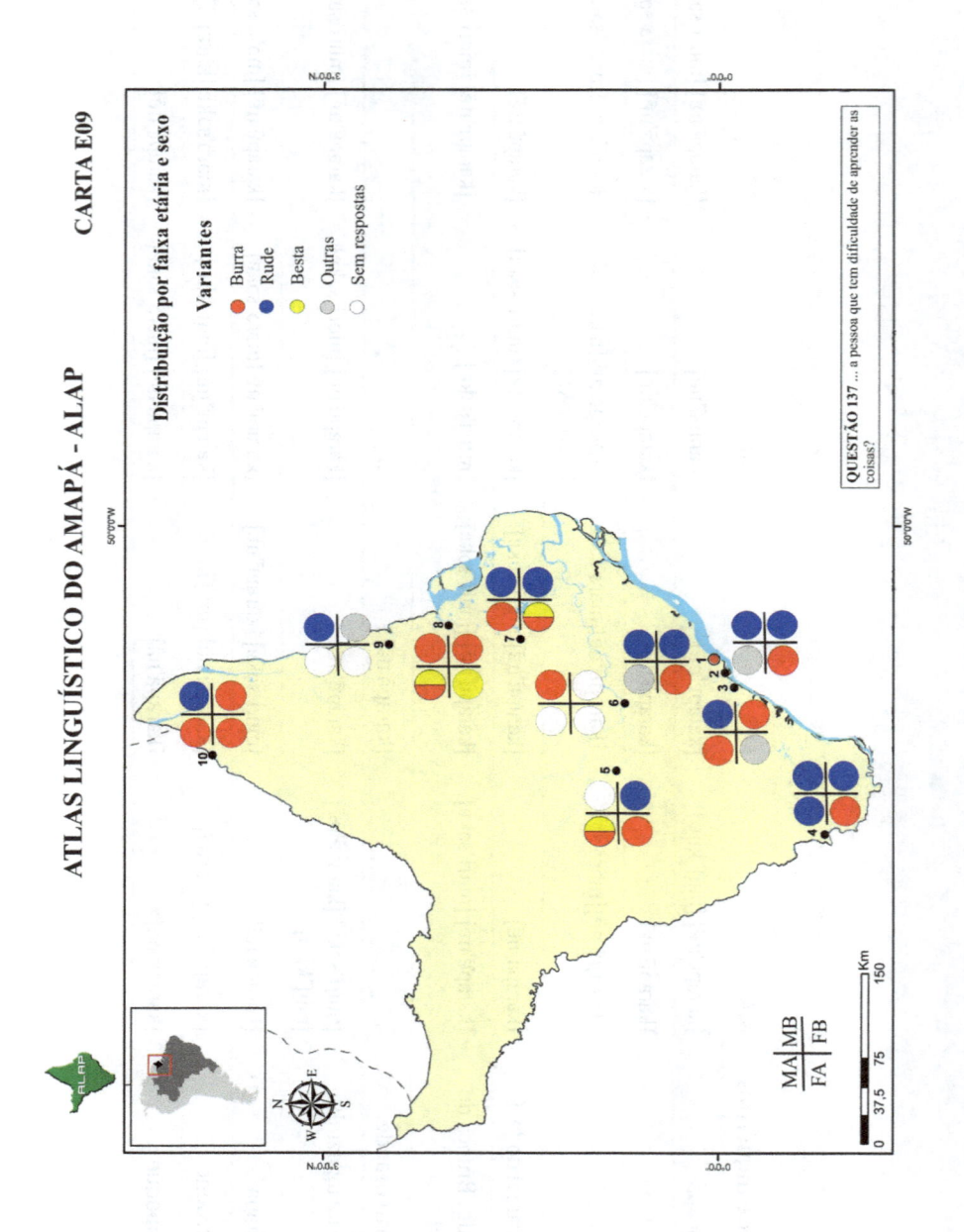

CARTA E09

Distribuição por faixa etária e sexo

Variantes
- Burra
- Rude
- Besta
- Outras
- Sem respostas

QUESTÃO 137 ... a pessoa que tem dificuldade de aprender as coisas?

Questão 137 – PESSOA POUCO INTELIGENTE

Pontos de Inquéritos	AHF	AMF	BHF	BMF
01 – Macapá	[pɾigiˈsozu] [ˈlẽtu]	[ˈbuhʊ]	[ˈhudʒɪ]	[ˈhudʒɪ]
02 – Santana	[anawfaˈbɛtu]	[ˈbuhʊ]	[ˈhudʒɪ]	[ˈhudʒɪ]
03 – Mazagão	[ˈbuhɐ]	[aˈɾu]	[ˈhudʒɪ]	[mũjtʊˈbuhʊ]
04 – Laranjal do Jarí	[ˈhudʒɪ]	[ˈbuhʊ]	[ˈhudʒɪ]	[ˈhudʒɪ]
05 – Pedra Branca do Amaparí	[ˈbeʃtɛ] ˈbuhʊ]	[ˈbuhɛ]	...	[ˈhudʒɪ]
06 – Porto Grande	...	...	[ˈbuhɐ]	...
07 – Tartarugalzinho	[ˈbuhʊ]	[ˈbuhʊ] [ˈbeʃtɛ]	[ˈhudʒɪ]	[ˈhudʒɪ]
08 – Amapá	[ˈbuhʊ] [abeʃˈtadʊ]	[ˈbeʃtɛ]	[ˈbuhʊ]	[buˈhĩɲɐ]
09 – Calçoene	...	...	[ˈhudʒɪ]	[dʒiʃpehseˈbidɐ]
10 – Oiapoque	[ˈbuhʊ]	[ˈbuhɐ]	[ˈhudʒɪ]	[ˈbuhɐ]

ATLAS LINGUÍSTICO DO AMAPÁ - ALAP

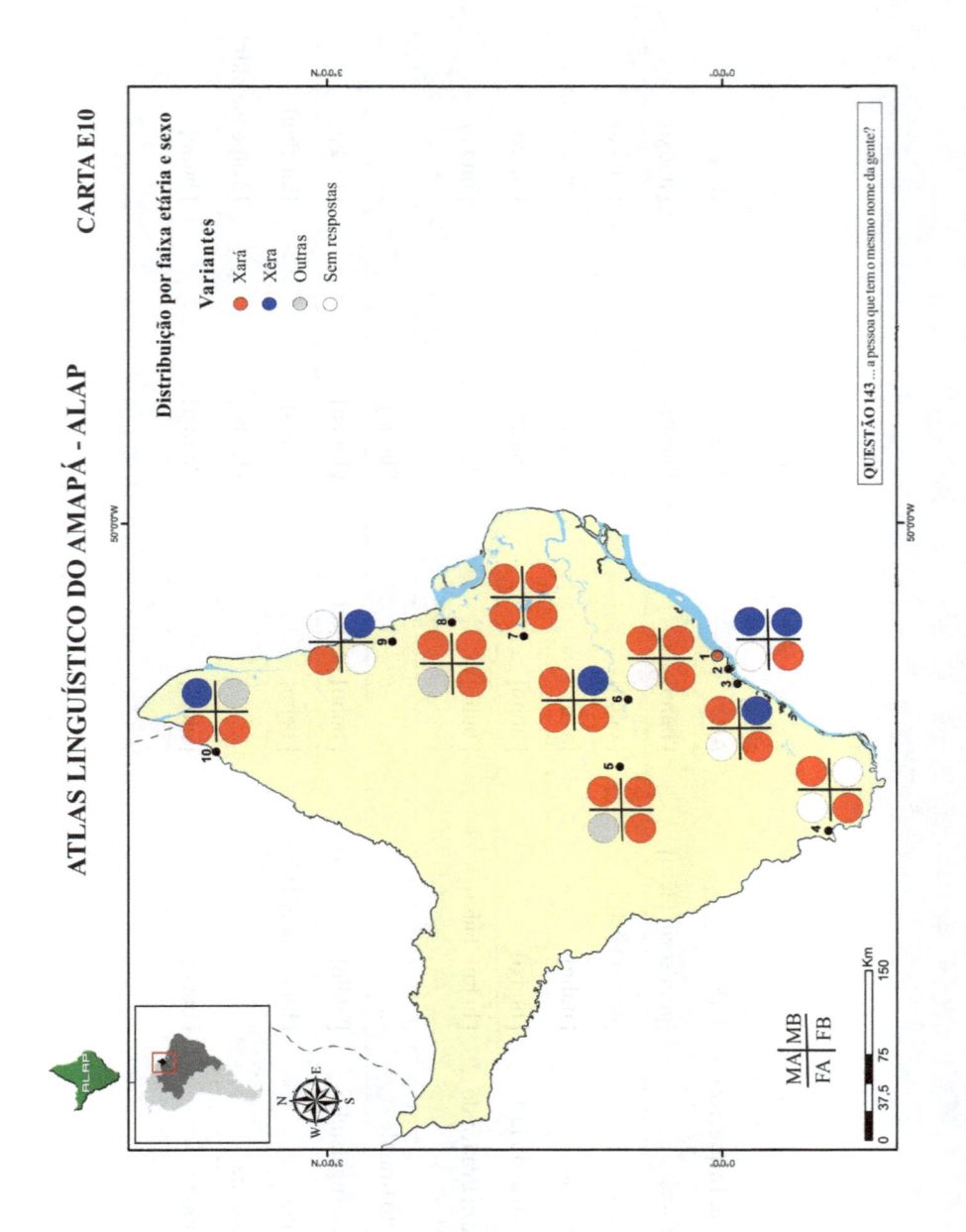

CARTA E10

Distribuição por faixa etária e sexo

Variantes
- 🔴 Xará
- 🔵 Xêra
- ⚪ (cinza) Outras
- ⚪ Sem respostas

QUESTÃO 143 ... a pessoa que tem o mesmo nome da gente?

240 Atlas Linguístico do Amapá

Questão 143 – XARÁ

Pontos de Inquéritos	AHF	AMF	BHF	BMF
01 – Macapá	...	[ʃaˈra]	[ʃaˈra]	[ʃaˈra]
02 – Santana	...	[ʃaˈra]	[ˈʃerʊ]	[ˈʃerɛ]
03 – Mazagão	...	[ˈʃara]	[ʃaˈra]	[ˈʃerɛ]
04 – Laranjal do Jarí	...	[ʃaˈra]	ʃaˈra]	...
05 – Pedra Branca do Amaparí	[ˈsɔzjɛ]	[ʃaˈra]	[ʃaˈra]	[ʃaˈra]
06 – Porto Grande	[ʃaˈra]	[ʃaˈra]	[ʃaˈra]	[ˈʃerɛ]
07 – Tartarugalzinho	[ʃaˈra]	[ʃaˈra]	[ʃaˈra]	[ʃaˈra]
08 – Calçoene	[ʃaˈra]	...	...	[ˈʃerʊ]
09 – Amapá	[ʃeˈgadʊ]	[ʃaˈra]	[ʃaˈra]	[ʃaˈra]
10 – Oiapoque	[ʃaˈra]	[ʃaˈra]	[ˈʃerɛ]	[kõteˈhãɲɛ]

ATLAS LINGUÍSTICO DO AMAPÁ - ALAP

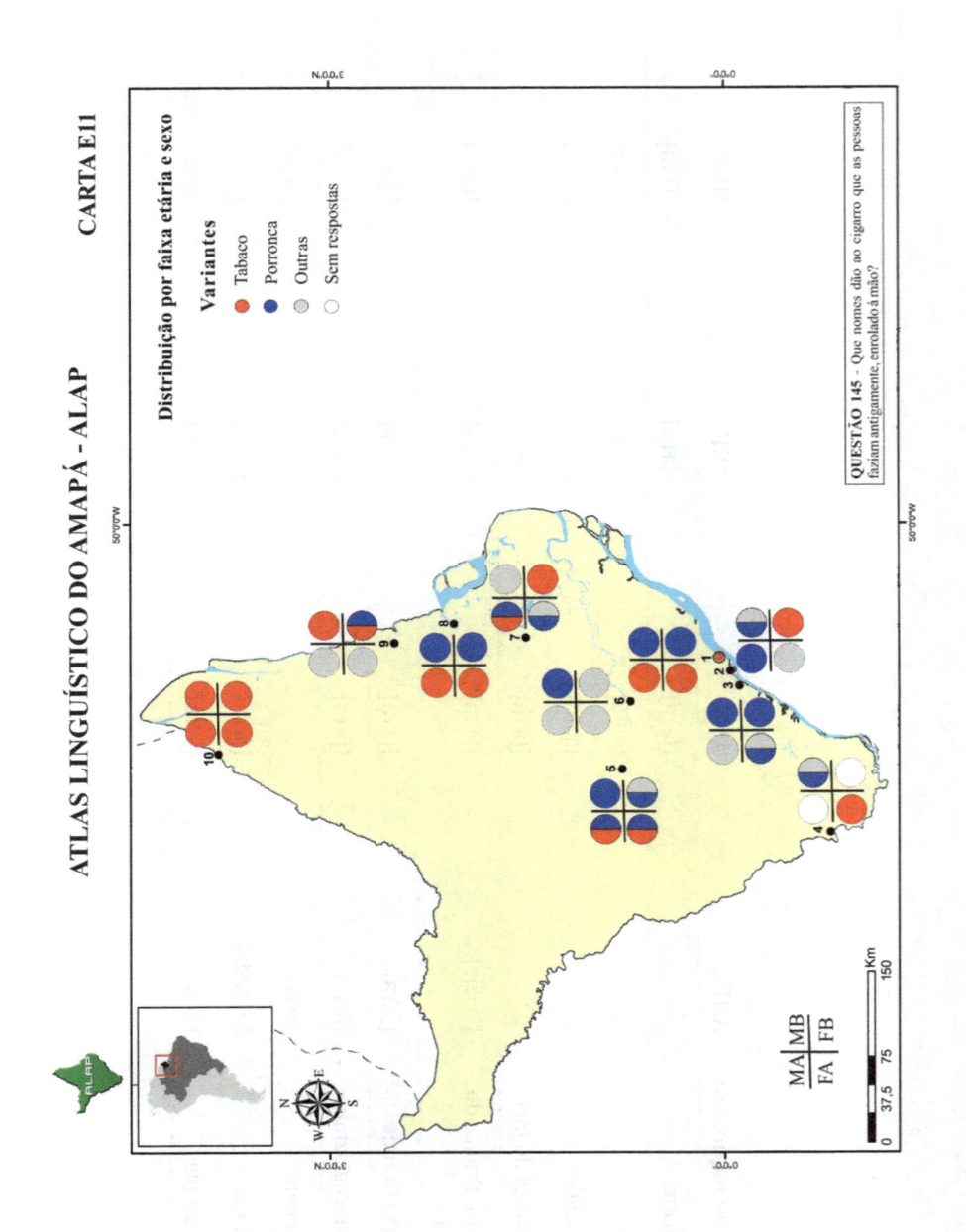

CARTA E11

Distribuição por faixa etária e sexo

Variantes
- Tabaco
- Porronca
- Outras
- Sem respostas

QUESTÃO 145 - Que nomes dão ao cigarro que as pessoas faziam antigamente, enrolado à mão?

Questão 145 – CIGARRO DE PALHA

Pontos de Inquéritos	MA	FA	MB	FB
01 – Macapá	[taˈbakʊ]	[taˈbakʊ]	[poˈhõkɛ]	[pɔˈhõkɛ]
02 – Santana	[ˈpɔhõkɛ]	[sigahudʒiˈpaʎɛ] [ʃaˈrutʊ]	[poˈhõkɛ] [põteˈdʒibuˈhaʃɛ]	[tabaˈkẽw̃]
03 – Mazagão	[ˈtrevʊ]	[ʃaˈrutʊ] [pɔˈhõkɛ]	[ta pɔˈhõkɛ]	[pɔˈhõkɛ]
04 – Laranjal do Jarí	...	[taˈbakʊ]	[pohõkɛ] [ʃaˈrutʊ]	...
05 – Pedra Branca do Amaparí	[taˈbakʊ] [poˈhõkɛ]	[taˈbakʊ] [poˈhõkɛ]	[poˈhõkɛ]	[poˈhõkɛ] [ʃaˈrutʊ]
06 – Porto Grande	[siˈgahudʒiˈpaʎɛ]	[sigaˈhĩɲʊˈdʒiˈpaʎɛ]	[poˈhõkɛ]	[ʃaˈrutʊ]
07 – Tartarugalzinho	[pɔˈhõkɛ] [tabaˈkẽw̃]	[pɔˈhõkɛ] [sigaˈhĩɲʊ]	[ʃaˈrutʊ]	[tabaˈkẽw̃]
08 – Calçoene	[ʃaˈrutʊ]	[sigaˈhĩɲʊ]	[taˈbakʊ]	[pɔˈhõkɛ] [tabaˈkẽw̃]
09 – Amapá	[taˈbakʊ]	[tabaˈkẽw̃]	[poˈhõkɛ]	[poˈhõkɛ]
10 – Oiapoque	[taˈbakʊ]	[taˈbakʊ]	[tabaˈkẽw̃] [taˈbakʊ]	[taˈbakʊ]

ATLAS LINGUÍSTICO DO AMAPÁ - ALAP

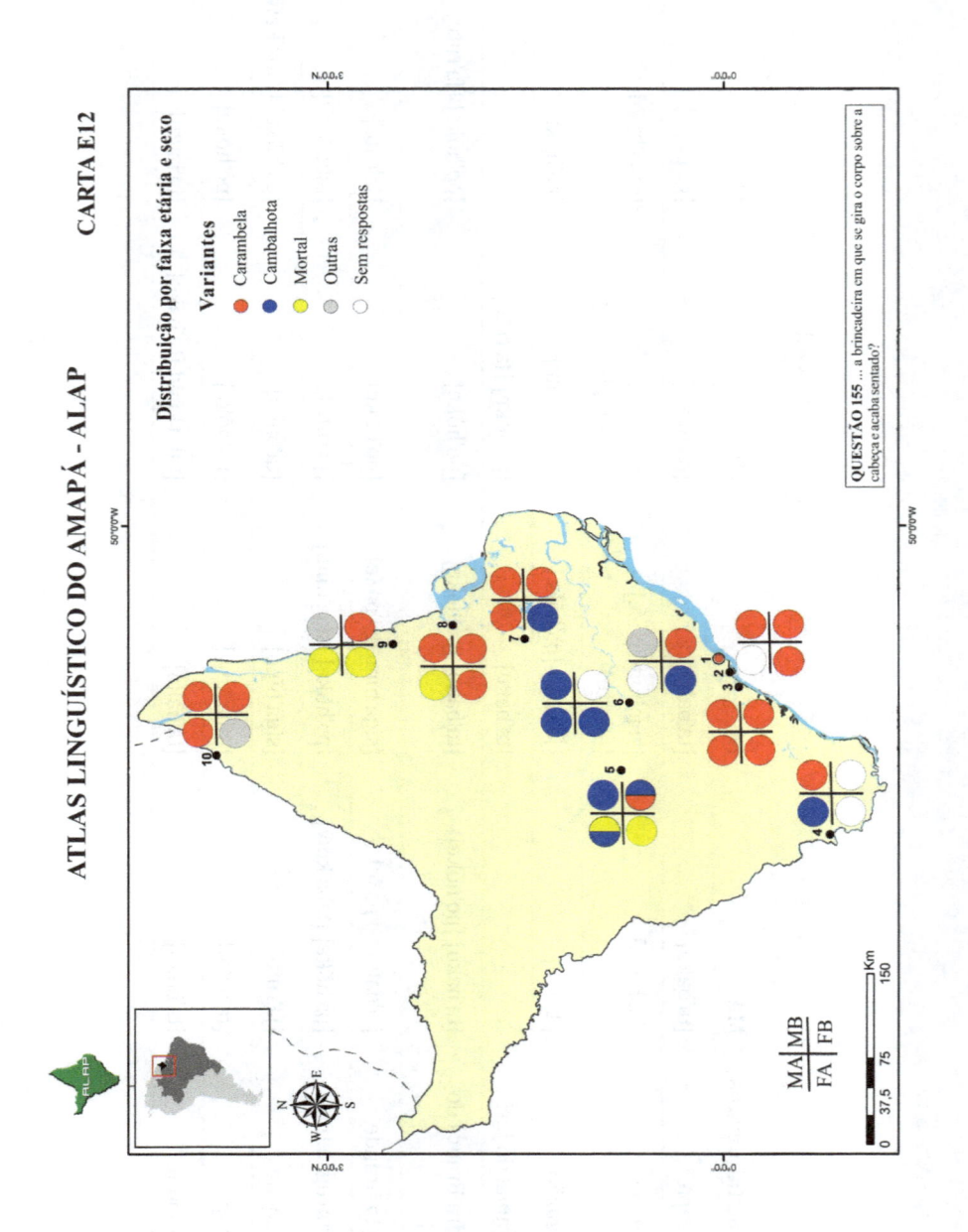

CARTA E12

Distribuição por faixa etária e sexo

Variantes
- 🔴 Carambela
- 🔵 Cambalhota
- 🟡 Mortal
- ⚪ (cinza) Outras
- ⚪ Sem respostas

QUESTÃO 155 ... a brincadeira em que se gira o corpo sobre a cabeça e acaba sentado?

MA	MB
FA	FB

Questão 155 – CAMBALHOTA

Pontos de Inquéritos	MA	FA	MB	FB
01 – Macapá	...	[kẽba'ʎɔte]	[piru'lete]	[kaɾẽ'bɛle]
02 – Santana	...	[kaɾẽ'bɛle]	[kaɾẽ'bɛle]	[kalẽ'bɛle]
03 – Mazagão	[kalẽ'bɛle]	[kalẽ'bɛle]	[kaɾẽ'bɛle]	[kaɾẽ'bɛle]
04 – Laranjal do Jarí	[kẽba'ʎɔte]	...	[kaɾẽ'bɛle]	...
05 – Pedra Branca do Amaparí	[kẽba'ʎɔte] [moh'taw]	[moh'taw]	[kẽba'ʎɔte]	[kaɾẽ'bɛle] [kẽba'ʎɔte]
06 – Porto Grande	[kẽba'ʎɔte]	[kẽba'ʎɔte]	[kẽba'ʎɔte]	...
07 – Tartarugalzinho	[kaɾẽ'bɛle]	[kẽbal'ɔte]	[kaɾẽ'bɛle]	[kaɾẽ'bɛle]
08 – Amapá	[moh'taw]	[kaɾẽ'bɛle]	[kaɾã'bɛle]	[kaɾẽ'bɛle]
09 – Calçoene	[moh'taw]	[moh'taw]	['viɾe'viɾe]	[kaɾẽ'bɛle]
10 – Oiapoque	[kaɾẽ'bɛle]	[piru'ete]	[kaɾẽ'bɛle]	[kaɾẽ'bɛle]

ATLAS LINGUÍSTICO DO AMAPÁ - ALAP

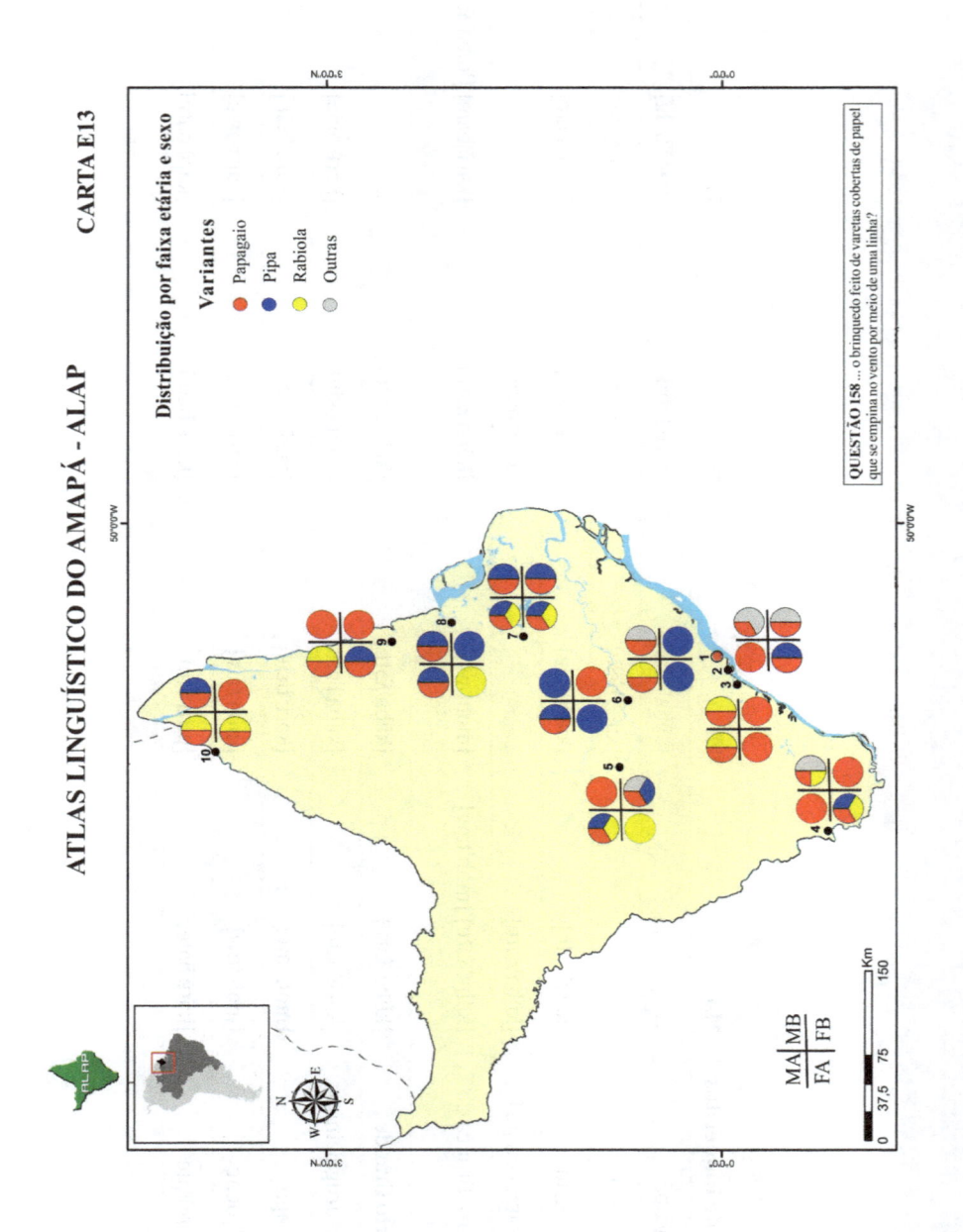

CARTA E13

Distribuição por faixa etária e sexo

Variantes
- 🔴 Papagaio
- 🔵 Pipa
- 🟡 Rabiola
- ⚪ Outras

QUESTÃO 158 ... o brinquedo feito de varetas cobertas de papel que se empina no vento por meio de uma linha?

MA	MB
FA	FB

246 Atlas Linguístico do Amapá

Questão 158 – PAPAGAIO DE PAPEL

Pontos de Inquéritos	MA	FA	MB	FB
01 – Macapá	[papaˈgaju] [habiˈɔlɛ]	[pipɐ]	[kẽˈgolɐ] [papaˈgaju]	[pipɐ]
02 – Santana	[papaˈgaju]	[papaˈgaju] [pipɐ]	[papagaju] [oɲu] [kuˈrikɛ]	[papaˈgaju] [kuˈrikɛ]
03 – Mazagão	[habiˈɔlɛ] [paˈɲu]	[papaˈgaju]	[papaˈgaju] [habiˈɔlɛ]	[papaˈgaju]
04 – Laranjal do Jarí	[papaˈgaju]	[papaˈgaju] [pipɐ] [habiˈɔlɛ]	[papaˈgaju] [habiˈɔlɛ] [kuˈrikɛ] [suɾu]	[papaˈgaju]
05 – Pedra Branca do Amaparí	[habiˈɔlɛ] [pipɐ] [papaˈgaju]	[habiˈɔlɛ]	[papaˈgaju]	[pipɐ] [papaˈgaju] [kuˈrikɛ]
06 – Porto Grande	[papaˈgaju] [pipɐ]	[pipɐ]	[pipɐ]	[papaˈgaju]
07 – Tartarugalzinho	[pipɐ] [papaˈgaju] [habiˈɔlɛ]	[papaˈgaju] [pipɐ] [habiˈɔlɛ]	[pipɐ] [papaˈgaju]	[papaˈgaju] [pipɐ]
08 – Amapá	[habiˈɔlɛ] [pipɐ]	[habiˈɔlɛ]	[pipɐ] [papaˈgaju]	[pipɐ]
09 – Calçoene	[pipɐ] [habiˈɔlɛ]	[pipɐ] [papaˈgaju]	[papaˈgaju]	[papaˈgaju]
10 – Oiapoque	[papaˈgaju] [oɲu] [habiˈɔlɛ]	[habiˈɔlɛ] [papaˈgaju]	[papaˈgaju] [pipɐ]	[papaˈgaju]

ATLAS LINGUÍSTICO DO AMAPÁ - ALAP

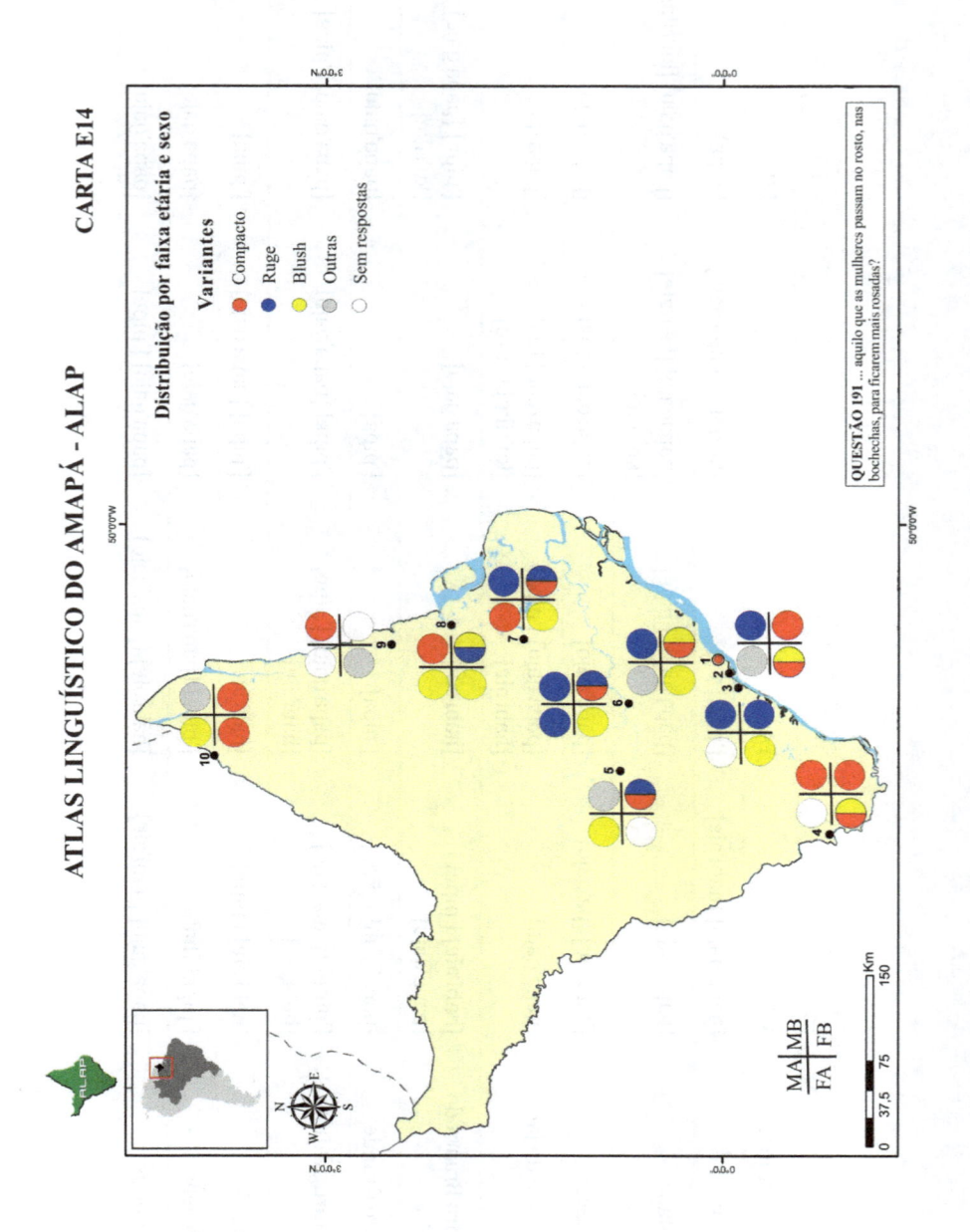

CARTA E14

Distribuição por faixa etária e sexo

Variantes
- ● Compacto
- ● Ruge
- ● Blush
- ● Outras
- ○ Sem respostas

QUESTÃO 191 ... aquilo que as mulheres passam no rosto, nas bochechas, para ficarem mais rosadas?

Questão 191 – RUGE

Pontos de Inquéritos	MA	FA	MB	FB
01 – Macapá	[makia'do]	['blaʃɪ]	['hoʒɪ]	[kõ'pakitʊ] ['blẽʃɪ]
02 – Santana	[maki'aʒẽ]	[blẽ'ʃi] [kõ'pakitʊ]	['huʒɪ]	[kõ'pakisi]
03 – Mazagão	...	['blaʃʃ] [maki'aʒɪ]	['huʒɪ nɛ]	['huʃɪ]
04 – Laranjal do Jarí	...	['bloʃɪ] [kõ'pakitʊ]	[kõ'pakitʊ]	[kõ'pakitʊ]
05 – Pedra Branca do Amaparí	['blẽʃɪ]	...	['krẽmɪ]	[kõ'pakitʊ] ['huʒɪ]
06 – Porto Grande	['huʒɪ]	['blẽʃɪ]	['huʒɪ]	[kõ'pakitʊ] ['huʒɪ]
07 – Tartarugalzinho	[kõ'pakitʊ]	['blẽʃɪ]	['hoʒʊ]	koĩ'pakitʊ ['huʒɪ]
08 – Amapá	['blẽʃɪ]	['blẽʃɪ]	[kõ'pakitʊ]	['huʒɪ] ['brẽʃɪ]
09 – Calçoene	...	[to'pazjʊ]	[kõ'pakɪ]	...
10 – Oiapoque	['blẽʃɪ]	[kõ'pakitʊ]	['krẽmɪ]	[kõ'pakitʊ]

ATLAS LINGUÍSTICO DO AMAPÁ - ALAP

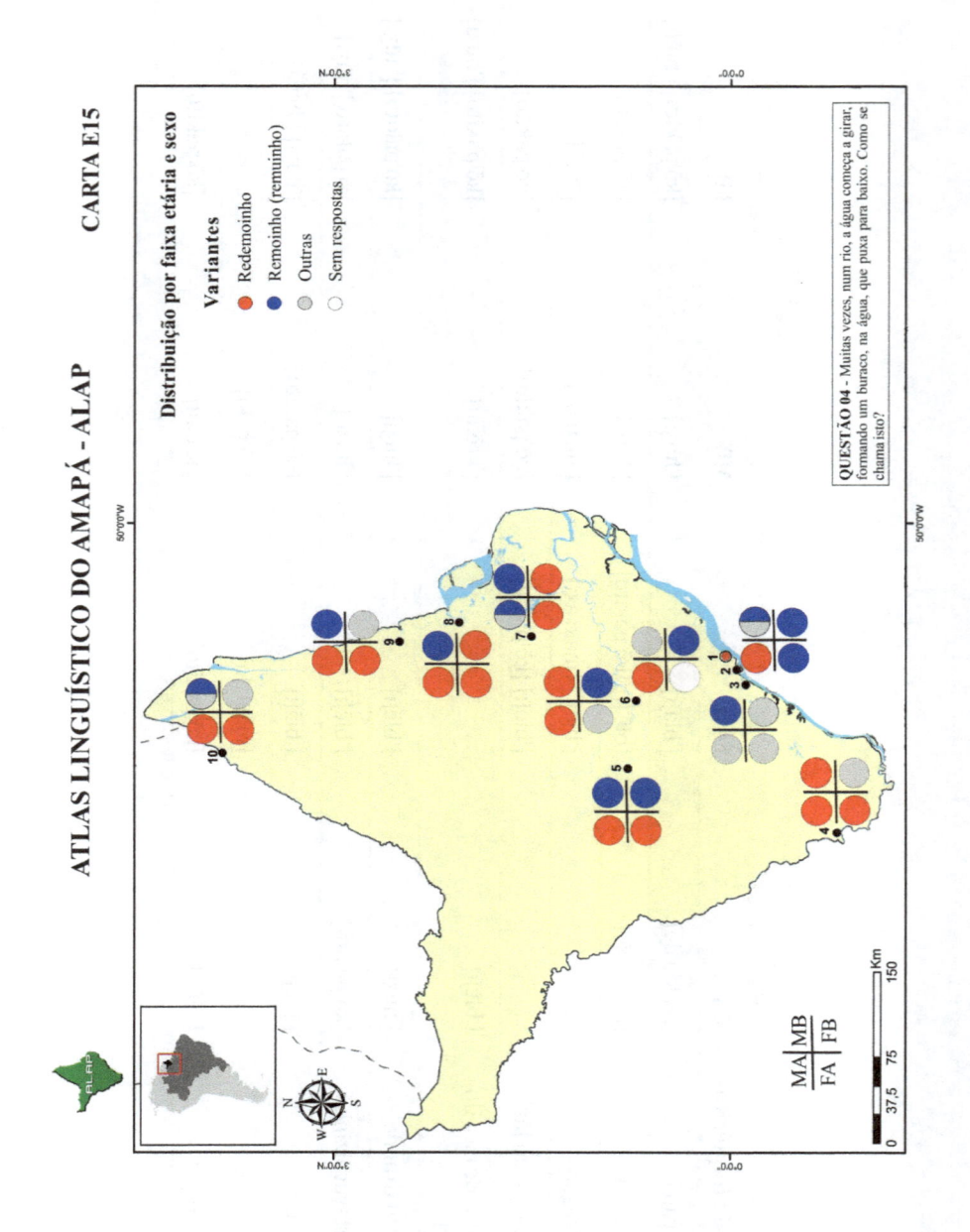

CARTA E15

Distribuição por faixa etária e sexo

Variantes
- 🔴 Redemoinho
- 🔵 Remoinho (remuinho)
- ⚪ (cinza) Outras
- ⚪ Sem respostas

QUESTÃO 04 - Muitas vezes, num rio, a água começa a girar, formando um buraco, na água, que puxa para baixo. Como se chama isto?

MA	MB
FA	FB

Questão 4 – REDEMOINHO (DE ÁGUA)

Pontos de Inquéritos	MA	FA	MB	FB
01 – Macapá	[hedemuˈɲʊ]	...	[heˈmẽsʊ]	[hemũˈɲʊ]
02 – Santana	[hɔdamuˈɲʊ]	[hemuˈɲʊ]	[heˈbuʒʊ hemuˈɲʊ]	[hemuˈɲʊ]
03 – Mazagão	[heˈmẽsʊ]	[kɔɦẽˈtezɐ]	[hemuˈɲʊ]	[mariˈzie fũˈɲiw]
04 – Laranjal do Jarí	[hedemuɲʊ]	[hedemuɲʊ]	[hedemuˈɲʊ]	[heˈmẽsʊ]
05 – Pedra Branca do Amaparí	[hedemuˈɲʊ]	[hedemuˈɲʊ]	[hemuˈɲʊ]	[hemuˈɲʊ]
06 – Porto Grande	[hedemuˈɲʊ]	[heˈbuʒʊ]	[hedemuˈɲʊ]	[hemuˈɲʊ]
07 – Tartarugalzinho	[fũˈɲiw [hemuˈɲʊ]	[hedemuˈɲʊ]	[hemuˈɲʊ]	[hedemuˈɲʊ]
08 – Amapá	[hedemuˈɲʊ]	[hedemuˈɲʊ]	[hemuˈɲʊ]	[hedemuˈɲʊ]
09 – Calçoene	[hedemuˈɲʊ]	[hedemuˈɲʊ]	[hemuˈɲʊ]	[fũˈɲiw]
10 – Oiapoque	[hedemuˈɲʊ]	[hedemuˈɲʊ]	[oʎʊˈdagwe] [hemuˈɲʊˈdagwe]	[kɔɦẽˈtezɐ]

ATLAS LINGUÍSTICO DO AMAPÁ - ALAP

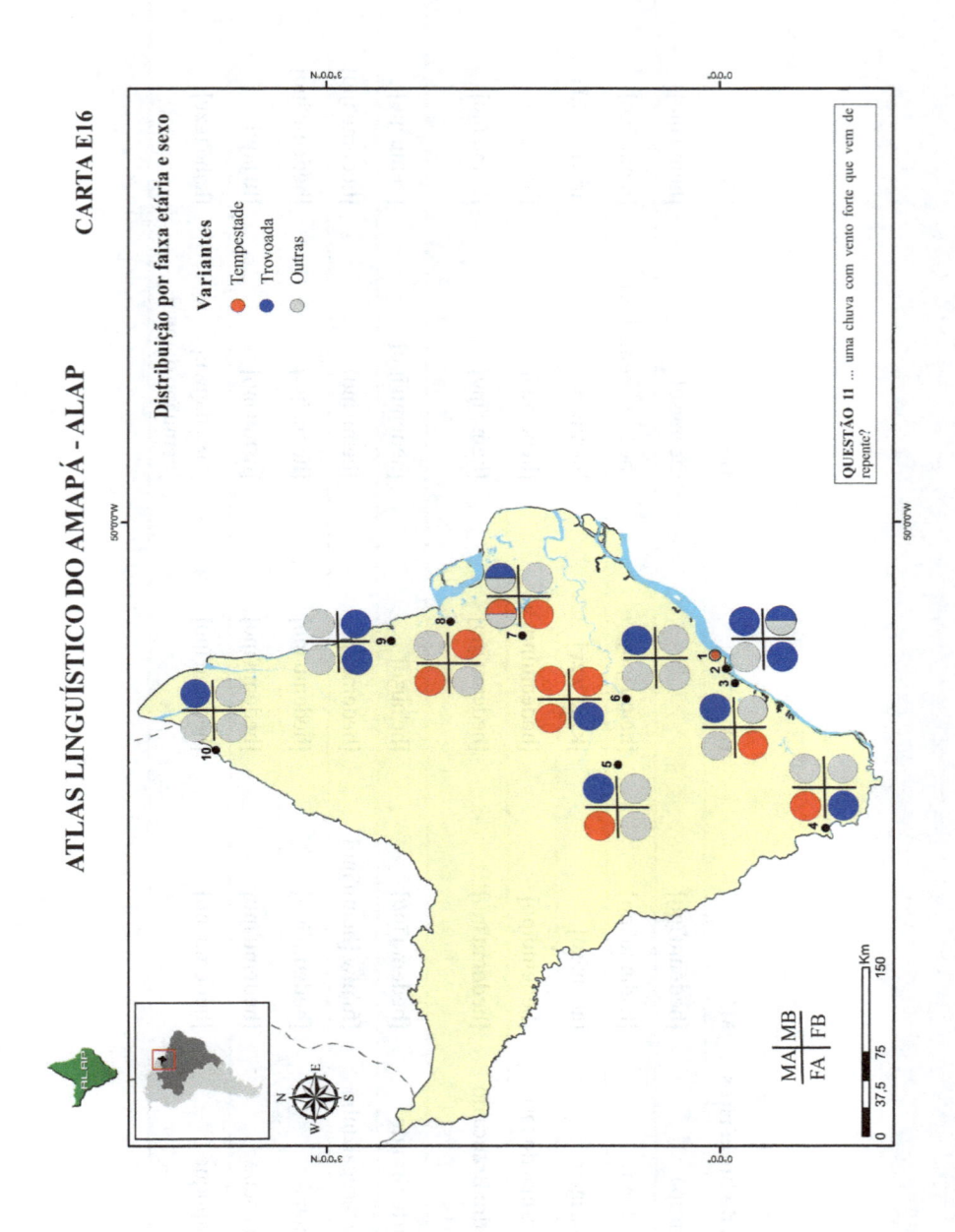

CARTA E16

Distribuição por faixa etária e sexo

Variantes
- 🔴 Tempestade
- 🔵 Trovoada
- ⚪ Outras

QUESTÃO 11 ... uma chuva com vento forte que vem de repente?

MA	MB
FA	FB

252   Atlas Linguístico do Amapá

Questão 11 – TEMPORAL/TEMPESTADE/VENDAVAL

Pontos de Inquéritos	MA	FA	MB	FB
01 – Macapá	[tẽpɛʃˈtadʒɪ]	[tẽpeʃˈtadʒɪ]	[trevuˈadɛ]	[tẽpɛʃˈtadʒɪ]
02 – Santana	[ʃuvemuʃtu fohtʃɪ]	[trevuˈadɛ]	[trevuˈadɛ]	[ʃuveˈfohtʃɪ] [trevuˈadɛ]
03 – Mazagão	[tẽpɔˈraw]	[tẽpɛʃˈtadʒɪ]	[trevuˈadɛ]	[trovuˈadɛ]
04 – Laranjal do Jarí	[trevuˈadɛ]	[tẽpeʃˈtadʒɪ]	[trovuˈadɛ]	[ʃuveˈgrẽdʒɪ]
05 – Pedra Branca do Amaparí	[peʃʃˈtadʒɪ]	[tẽpɔˈraw]	[trevuˈadɛ]	[tẽpɔˈraw]
06 – Porto Grande	[tẽpeʃˈtaɦdʒɪ]	[trevuˈadɛ]	[tẽpeʃˈtaɦdʒɪ]	[tẽpeʃˈtaɦdʒɪ]
07 – Tartarugalzinho	[tẽpɛʃˈtadʒɪ] [trovoˈadɛ]	[tẽpɛʃtaˈdʒɪ]	[trevuˈadɛ] [tẽpoˈraw]	[tẽpɔˈraw]
08 – Amapá	[tẽpeʃˈtadʒɪ]	[ʃuˈpdɔɹ,ɔɹˈʃɔdʒɪ,ˈʃuvɛ]	[ʃuve pasaˈʒerɛ]	[tẽpeʃˈtadʒɪ]
09 – Calçoene	[ʃuve]	[trevoˈadɛ]	[tẽpɔˈraw]	[trevoˈadɛ]
10 – Oiapoque	[ʃuvepasaˈʒerɛ] [ˈhapidɛ]	[ʃuve]	[trevuˈadɛ]	[tẽpoˈraw]

ATLAS LINGUÍSTICO DO AMAPÁ - ALAP
CARTA E17

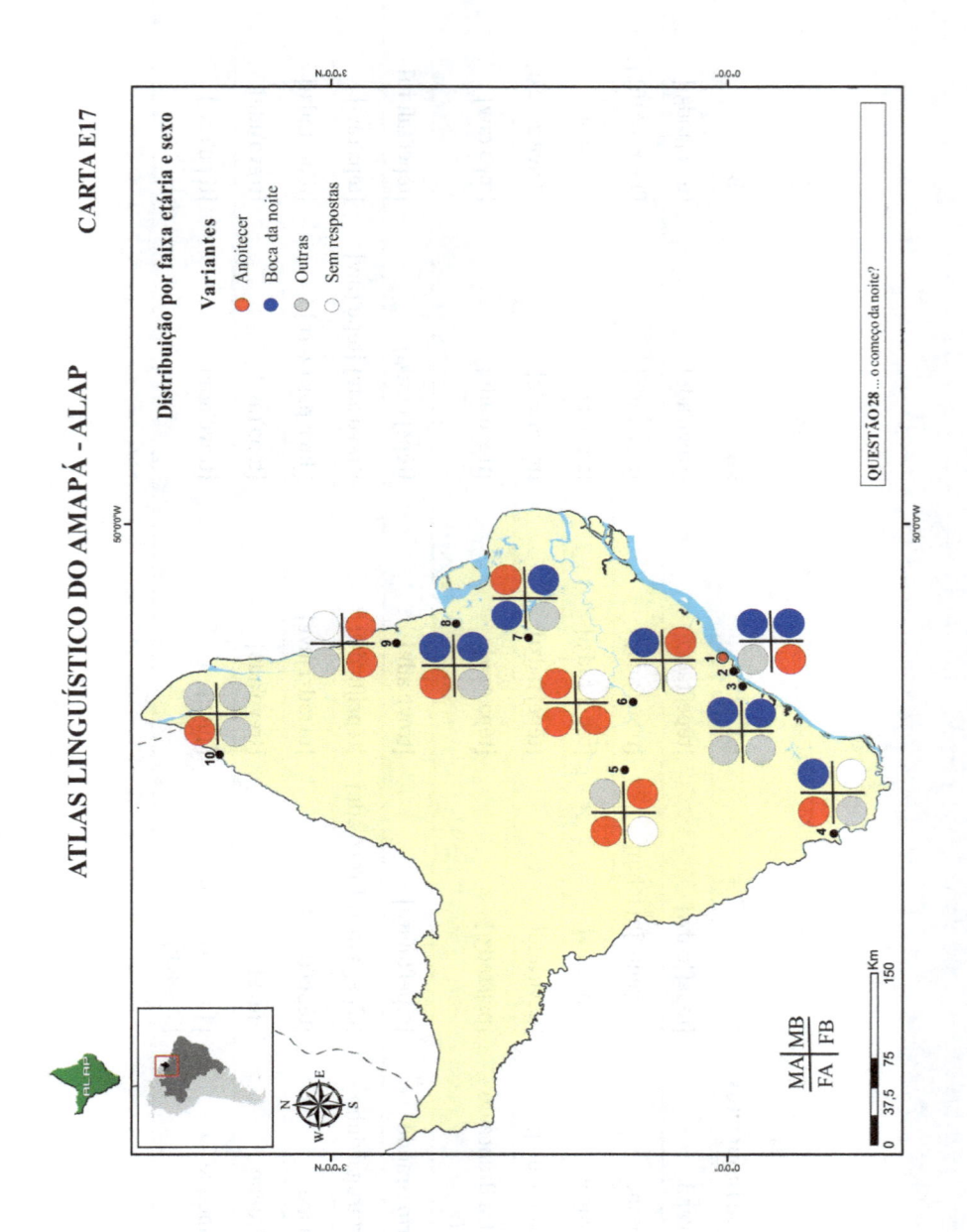

Distribuição por faixa etária e sexo

Variantes:
- Anoitecer (vermelho)
- Boca da noite (azul)
- Outras (cinza)
- Sem respostas (branco)

QUESTÃO 28 .... o começo da noite?

Questão 28 – ANOITECER

Pontos de Inquéritos	MA	FA	MB	FB
01 – Macapá	...	...	['bokede'nojtʃɪ]	[anojte'sẽdu]
02 – Santana	[eʃkuɾɛ'seh]	[anoite'seh]	[a'bokeda'nojtʃɪ]	[a'bokeda'nojtʃɪ]
03 – Mazagão	[iʃkuɾe'sew]	[iʃkuɾɛ'sẽdu]	[bokade'nojtɪ]	[bokede'nojtʃɪ]
04 – Laranjal do Jarí	[ẽnoite'sẽdʊ]	[iʃkuɾɛ'sẽdʊ]	['bokeda'nojtʃɪ]	...
05 – Pedra Branca do Amaparí	[nojtɛ'sew]	...	['nojtʃɪ]	[anojte'sẽdu]
06 – Porto Grande	[nojte'seh]	[anojte'seh]	[anojte'seh]	...
07 – Tartarugalzinho	['bokede'nojtʃɪ]	[komesʊde'nojtʃɪ]	[anojtɛ'sẽdu]	['bokede'nojtʃɪ]
08 – Amapá	[ẽnoite'sẽdu]	[iʃkuɾɛ'sẽdu]	['bokeda'nojtʃɪ]	['bokeda'nojtʃɪ]
09 – Calçoene	[kome'sẽdu a 'nojtʒɪ]	[anoj'tesi]	...	['tanoijte'sẽdu]
10 – Oiapoque	[anojtɛ'sẽdu]	[tafɪdʒi'zĩɲe]	['vẽjʃkuɾɛ'sẽdu]	[vajʃegɨdwa'nojtʃɪ] [vajʃkuɾɛ'sẽdu]

ATLAS LINGUÍSTICO DO AMAPÁ - ALAP

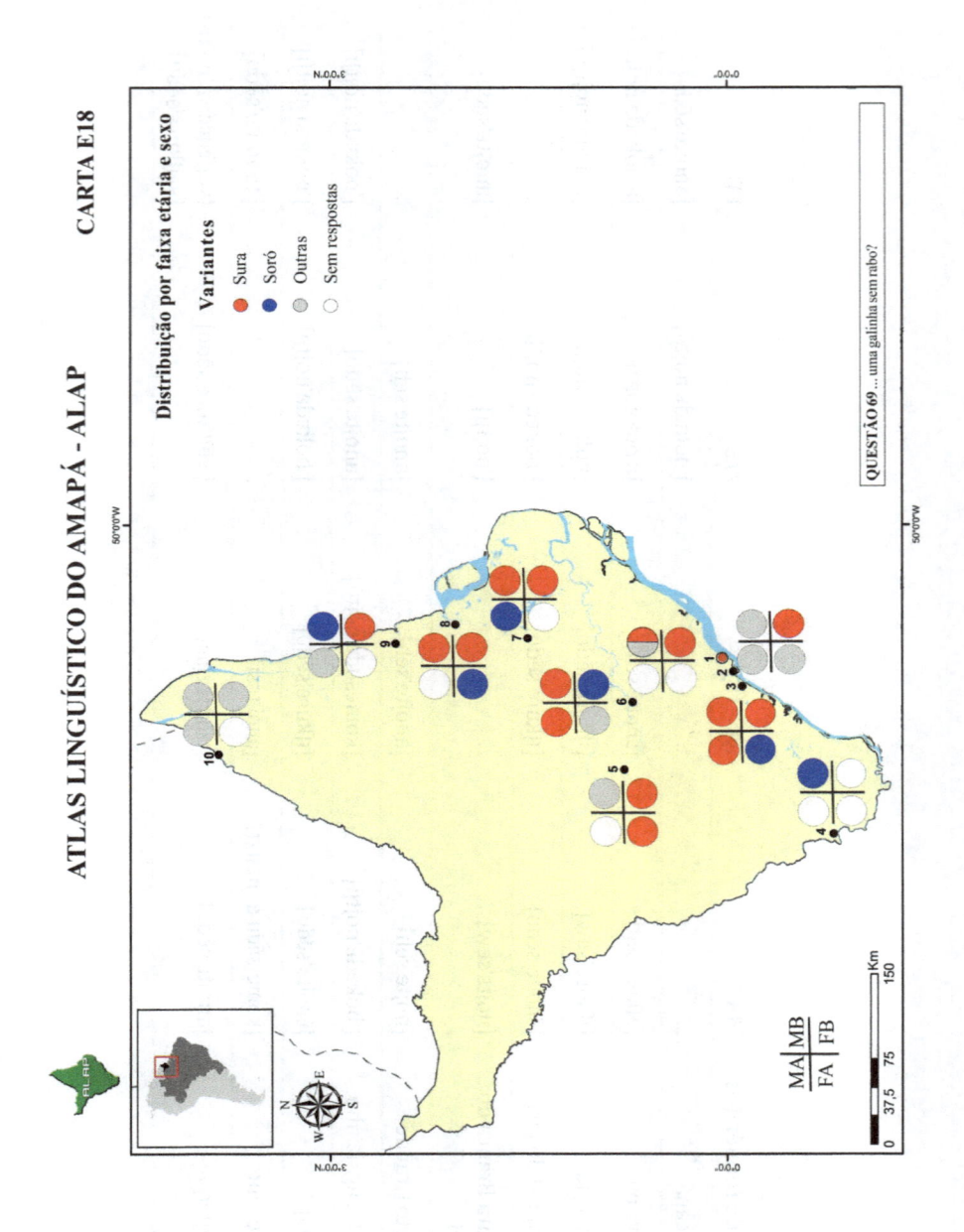

CARTA E18

Distribuição por faixa etária e sexo

Variantes
- 🔴 Sura
- 🔵 Soró
- ⚪ (cinza) Outras
- ⚪ Sem respostas

QUESTÃO 69 ... uma galinha sem rabo?

MA	MB
FA	FB

Questão 69 – SURA

Pontos de Inquéritos	MA	FA	MB	FB
01 – Macapá	...	...	[ˈsure][hõˈbudʊ]	[ˈsore]
02 – Santana	[gaˈʎɲesẽˈhabʊ]	[gaˈʎɲahabiˈkɔ]	[gaˈʎɲaˈɦorɐ]	[ˈsore]
03 – Mazagão	[ˈsure]	[ˈsɔˌɾɔ]	[ˈsurɐ]	[gaʎɲjaˈsure]
04 – Laranjal do Jarí	...	...	[ˈsɔˌɾɔ]	...
05 – Pedra Branca do Amaparí	...	[ˈsurɪ]	[biˈkɔ]	[ˈsure]
06 – Porto Grande	[ˈsure]	[habiˈkɔ]	[ˈsure]	[ˈsɔˌɾɔ]
07 – Tartarugalzinho	[ˈsɔˌɾɔ]	...	[ˈsore]	[ˈsure]
08 – Amapá	...	[ˈsɔˌɾɔ]	[ˈsohɐ]	[ˈsore]
09 – Calçoene	[piˈkɔtʃɪ]	...	[ˈsɔˌɾɔ]	[ˈsore]
10 – Oiapoque	[gaˈʎɲesẽˈhabʊ]	...	[biˈkɔ]	[piˈkɔtʊ]

ATLAS LINGUÍSTICO DO AMAPÁ - ALAP

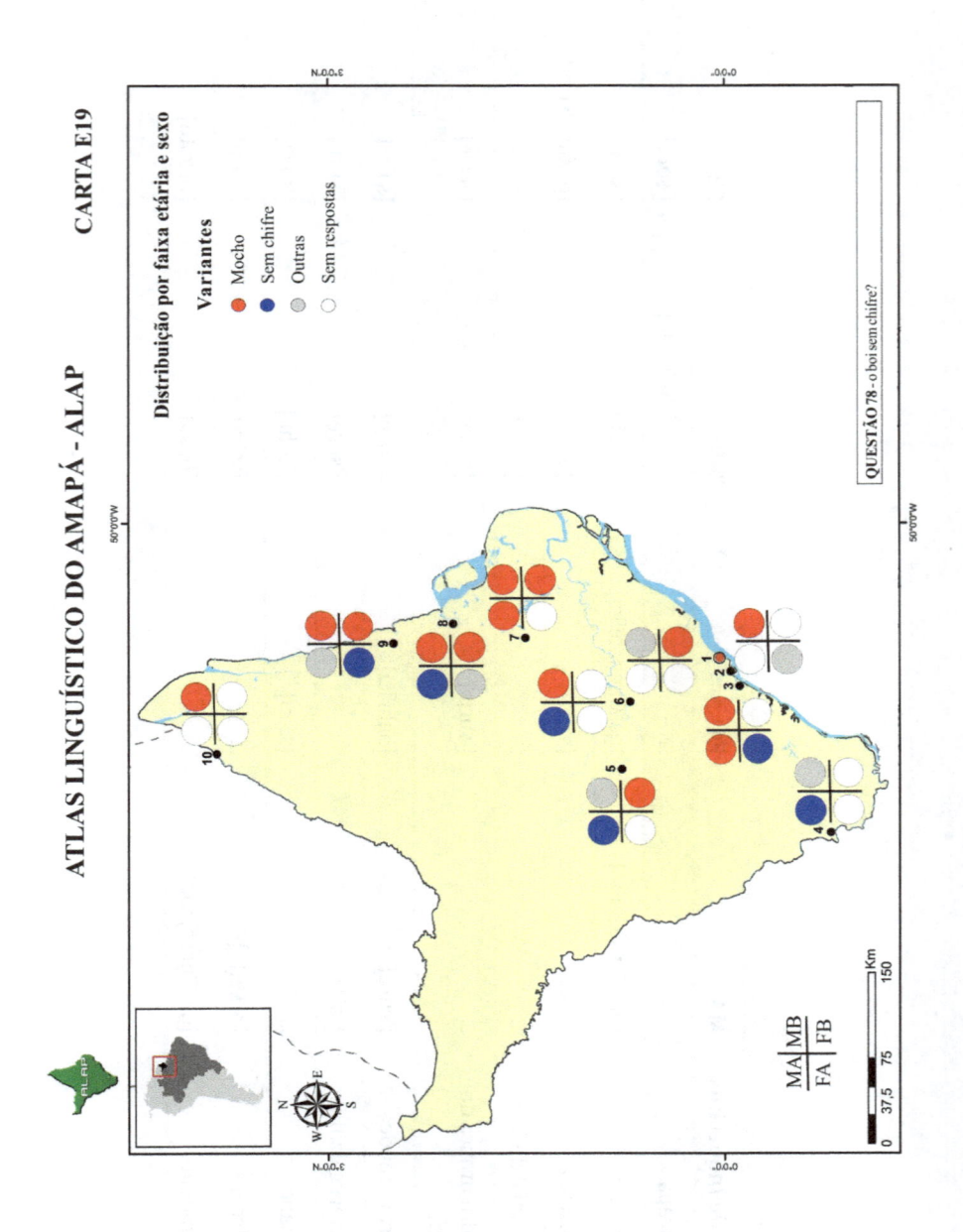

CARTA E19

Distribuição por faixa etária e sexo

Variantes
- 🔴 Mocho
- 🔵 Sem chifre
- ⚪ (cinza) Outras
- ⚪ Sem respostas

QUESTÃO 78 - o boi sem chifre?

Questão 78 – BOI SEM CHIFRE

Pontos de Inquéritos	MA	FA	MB	FB
01 – Macapá	...	...	[ˈmuʃʊ]	[ˈkokʊ]
02 – Santana	...	[ˈbojaleˈʒadʊ]	[ˈmuʃʊ]	...
03 – Mazagão	[ˈmuʃʊ]	[sẽjˈʃifrɪ]	[ˈmuʃu]	...
04 – Laranjal do Jarí	[biˈkɔ] [ˈsẽjˈʃifrɪ]	...	[gaˈhotʃɪ]	...
05 – Pedra Branca do Amaparí	[ˈbojsẽjˈʃifrɪ]	...	[mɛˈlɔriw]	[ˈmuʃʊ]
06 – Porto Grande	[bojsẽjˈʃifrɪ]	...	[ˈmuʃʊ]	...
07 – Tartarugalzinho	[ˈmuʃʊ]	...	[ˈmuʃʊ]	[ˈmuʃʊ]
08 – Amapá	[ˈboj]	[ˈsẽjˈʃifrɪ]	[ˈmuʃʊ]	[ˈmoʃʊ]
09 – Calçoene	[ˈboj] [ˈbojsẽˈʃifrɪ]	[maˈmɔtʒɪ]	[ˈmuʃʊ]	[ˈmoʃʊ]
10 – Oiapoque	...	...	[ˈmuʃʊ]	...

ATLAS LINGUÍSTICO DO AMAPÁ - ALAP

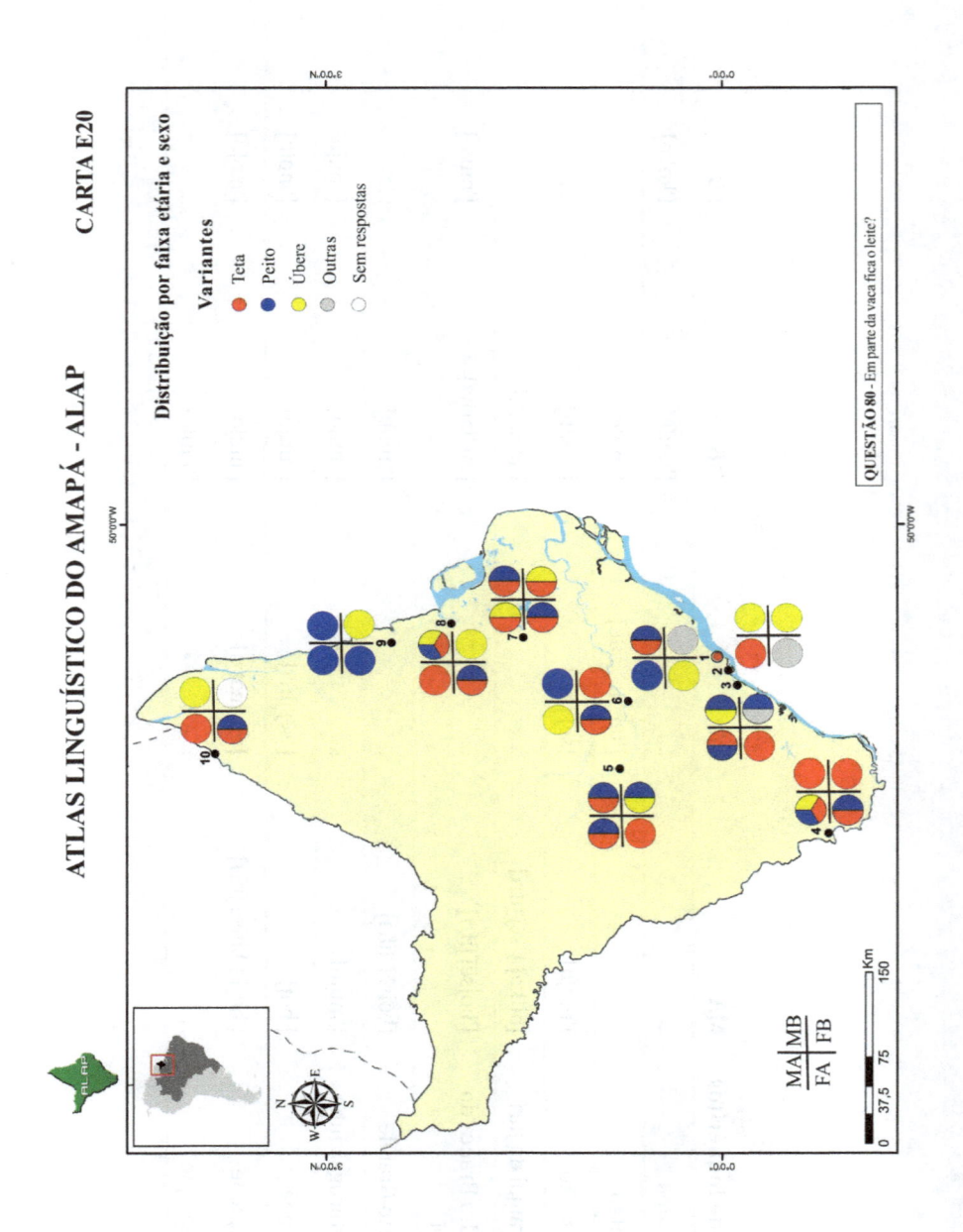

CARTA E20

Distribuição por faixa etária e sexo

Variantes:
- 🔴 Teta
- 🔵 Peito
- 🟡 Úbere
- ⚪ (cinza) Outras
- ⚪ Sem respostas

QUESTÃO 80 - Em parte da vaca fica o leite?

MA	MB
FA	FB

Questão 80 – ÚBERE

Pontos de Inquéritos	MA	FA	MB	FB
01 – Macapá	[ˈpejtʊ]	[ˈubɾɪ]	[ˈpejtʊ] [ˈtete]	[ˈmoʒʊ]
02 – Santana	[ˈteteʃ]	[maˈmĩnemamĩˈɲa]	[ˈubɾɪ]	[ˈubɾɪ]
03 – Mazagão	[ˈpejtʊ] [ˈtete]	[ˈtete]	[ˈubɾɪ] [ˈpejtʊ]	[ˈpejtʊ] [ˈsejw]
04 – Laranjal do Jarí	[ˈtete] [ˈpejtʊ] [ˈubɾɪ]	[ˈtete] [ˈpejtʊ]	[ˈtete]	[ˈtete]
05 – Pedra Branca do Amaparí	[ˈtete] [ˈpejtʊ]	[ˈpejtʊ]	[ˈpejtʊ] [ˈtete]	[ˈpejtʊ] [ˈubɾɪ]
06 – Porto Grande	[ˈubere]	[ˈpejtʊ] [ˈtete]	[ˈpejtʊ]	[ˈtete]
07 – Tartarugalzinho	[ˈteteʃ] [uˈbɾɪ]	[ˈpejtʊʃ] [ˈteteʃ]	[ˈpejtʊ] [ˈtete]	[ˈubɾɪ] [ˈtete]
08 – Amapá	[ˈtete]	[ˈtete] [ˈpejtʊ]	[ˈubɾɪ] [ˈtete] [ˈpejtʊ]	[ˈubɾɪ]
09 – Calçoene	[ˈpejtʊ]	[ˈpejtʊ]	[ˈpejtʊ]	[ˈubɾɪ]
10 – Oiapoque	[ˈtete]	[ˈpejtʊ] [naˈtete]	[ˈubɾɪ]	...

ATLAS LINGUÍSTICO DO AMAPÁ - ALAP

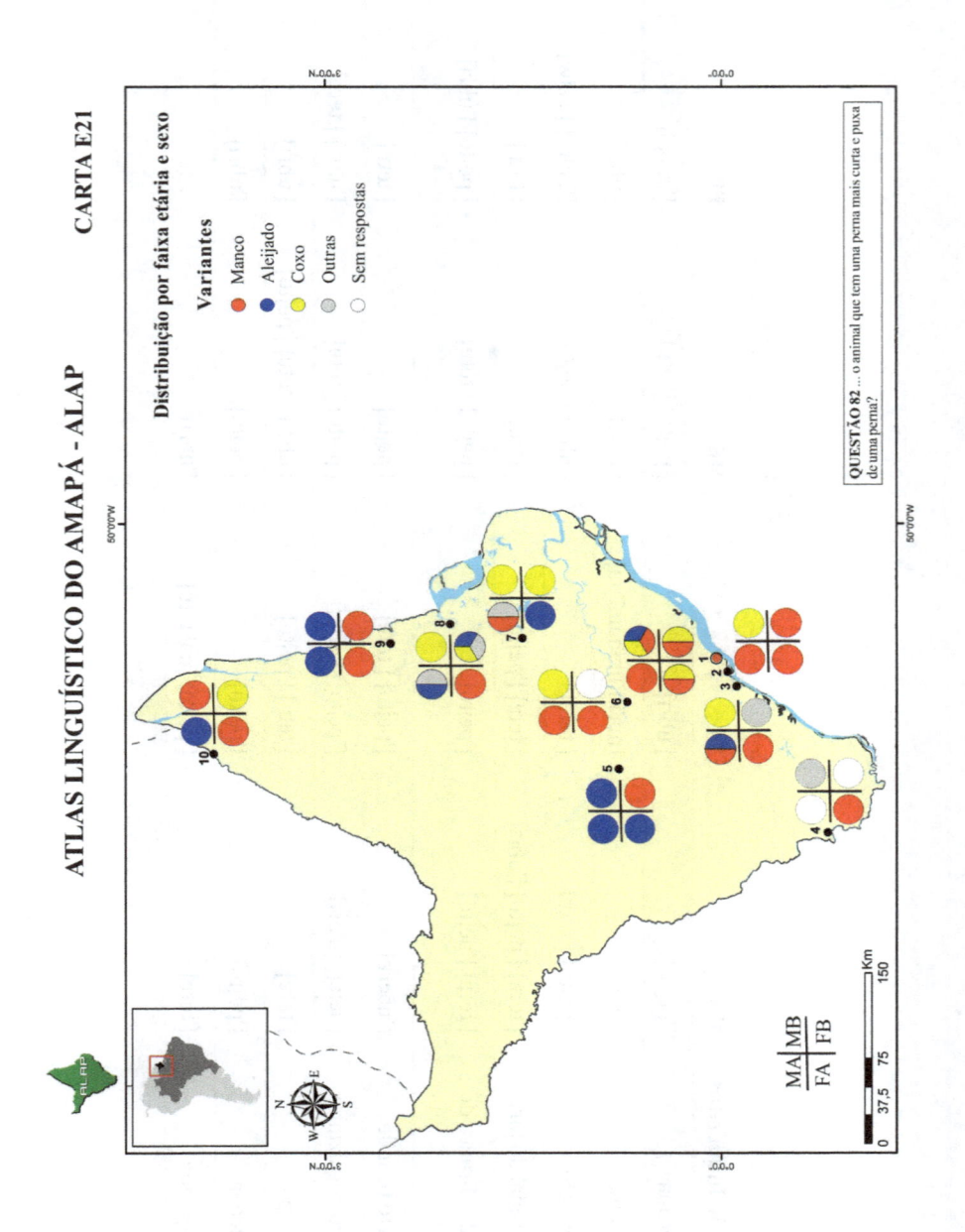

CARTA E21

Distribuição por faixa etária e sexo

Variantes
- 🔴 Manco
- 🔵 Aleijado
- 🟡 Coxo
- ⚪ Outras (cinza)
- ⚪ Sem respostas

QUESTÃO 82: ... o animal que tem uma perna mais curta e puxa de uma perna?

Questão 82 – MANCO

Pontos de Inquéritos	MA	FA	MB	FB
01 – Macapá	[ˈmɛ̃kʊ]	[ˈmɛ̃kʊ] [ˈkoʃʊ]	[ˈmɛ̃kʊ] [ˈkoʃʊ] [aleˈʒadʊ]	[ˈkoʃʊ] [ˈmɛ̃kʊ]
02 – Santana	[mɛ̃ˈkẽdʊ]	[ˈmɛ̃kɔ]	[ˈkoʃʊ]	[ˈmɛ̃kɔ]
03 – Mazagão	[alejˈʒadʊ] [ˈmɛ̃kʊ]	[ˈmɛ̃kʊ]	[ˈkoʃʊ]	[defejtuˈozʊ] [defisiˈêtʃ]
04 – Laranjal do Jari	...	[ˈmɛ̃kʊ]	[koˈtɔ]	...
05 – Pedra Branca do Amaparí	[leˈʒadʊ]	[aleˈʒadʊ]	[alejˈʒadʊ]	[ˈmɛ̃kʊ]
06 – Porto Grande	[ˈmɛ̃kʊ]	[ˈmɛ̃kʊ]	[ˈkoʃʊ]	...
07 – Tartarugalzinho	[ˈmɛ̃kʊ] [kaˈpẽge]	[aleˈʒadʊ]	[ˈkoʃʊ]	[ˈkoʃʊ]
08 – Amapá	[aleˈʒadʊ] [ˈpɛhnɐ keˈbradɛ]	[ˈmɛ̃kʊ]	[ˈkoʃʊ]	[ˈkuʃʊ] [aleˈʒadʊ] [kõˈjɔ]
09 – Calçoene	[alɛˈʒadʊ]	[ˈmɛ̃kʊ]	[aleˈʒadʊ]	[ˈmɛ̃kʊ]
10 – Oiapoque	[aleˈʒadʊ]	[ˈmɛ̃kʊ]	[ˈmɛ̃kʊ]	[cjˈcɔ]

ATLAS LINGUÍSTICO DO AMAPÁ - ALAP

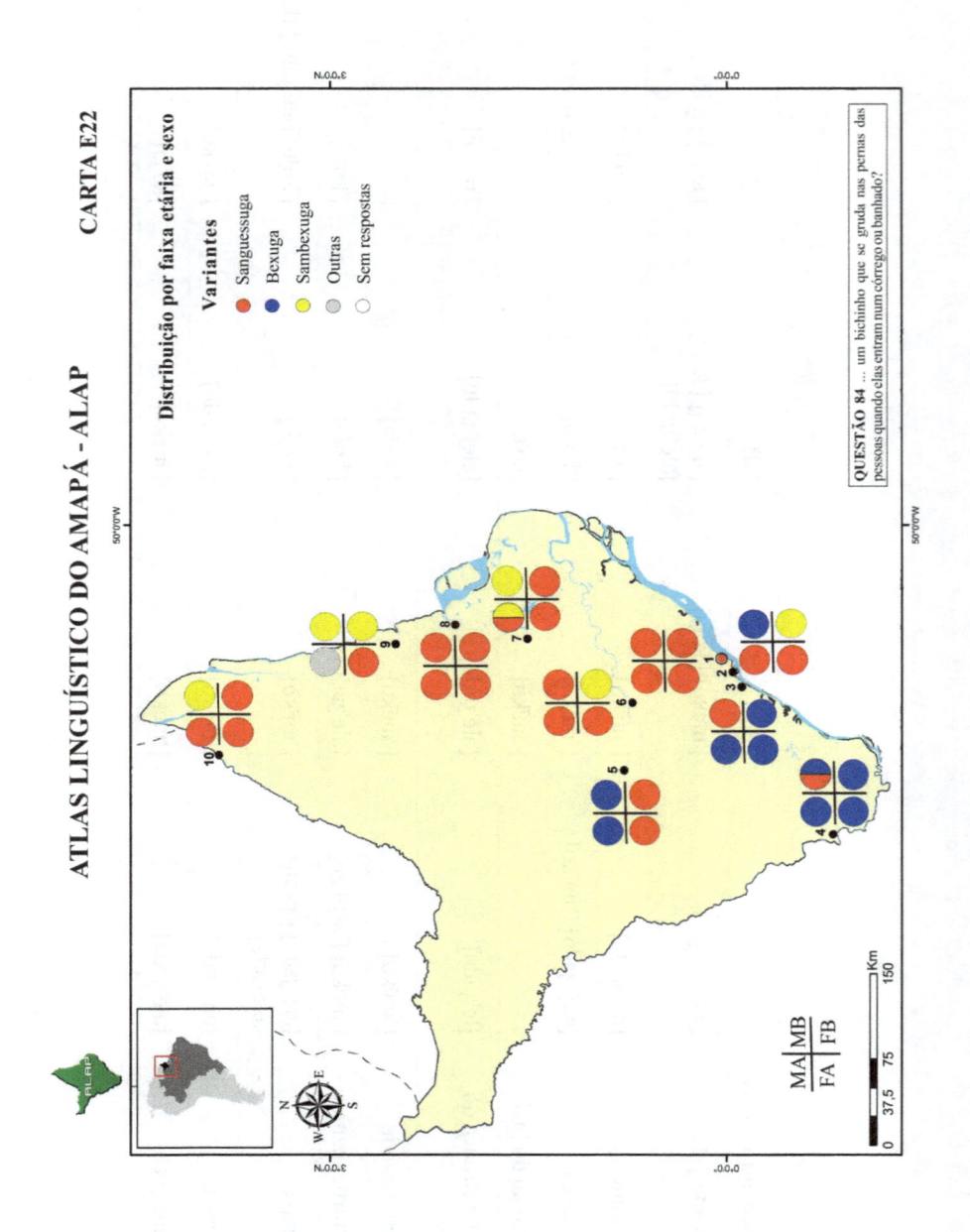

CARTA E22

Distribuição por faixa etária e sexo

Variantes:
- 🔴 Sanguessuga
- 🔵 Bexuga
- 🟡 Sambexuga
- ⚪ (cinza) Outras
- ⚪ Sem respostas

QUESTÃO 84 ... um bichinho que se gruda nas pernas das pessoas quando elas entram num córrego ou banhado?

MA	MB
FA	FB

Questão 84 – SANGUESSUGA

Pontos de Inquéritos	MA	FA	MB	FB
01 – Macapá	[sẽgiˈsuga]	[sẽgiˈsas]	[sẽgiˈsuga]	[sẽgiˈsuga]
02 – Santana	[sẽgiˈsuga]	[sẽgiˈsas]	[biˈɟu]	[sẽbiˈʃuga]
03 – Mazagão	[biˈʃuga]	[biˈʃuga]	[biˈʃiɟas]	[biˈɟu]
04 – Laranjal do Jarí	[biˈʃuga]	[biˈʃu]	[biˈɟu] [biˈʃuga] [sũˈʃuga]	[biˈʃu]
05 – Pedra Branca do Amaparí	[biˈʃuga]	[sẽgiˈsuga]	[biˈʃuga]	[sẽgiˈsas]
06 – Porto Grande	[sẽgiˈsuga]	[sẽgiˈsas]	[sẽgiˈsas]	[sẽbiˈʃuga]
07 – Tartarugalzinho	[sẽbiˈʃuga] [sẽgiˈsuga]	[sẽgiˈsuga]	[sẽbiˈʃas]	[sẽgiˈsas]
08 – Amapá	[sẽgiˈsuga]	[sẽgiˈsuga]	[sẽgiˈʃiɟas]	[sẽgiˈsas]
09 – Calçoene	[ˈsaʒɛ]	[sũgiˈsas]	[sẽgiˈɟaɟ]	[sẽgiˈsas]
10 – Oiapoque	[sẽgiˈsuga]	[sũgiˈsas]	[sũgiˈɟaɟ]	[sũgiˈsas]

ATLAS LINGUÍSTICO DO AMAPÁ - ALAP

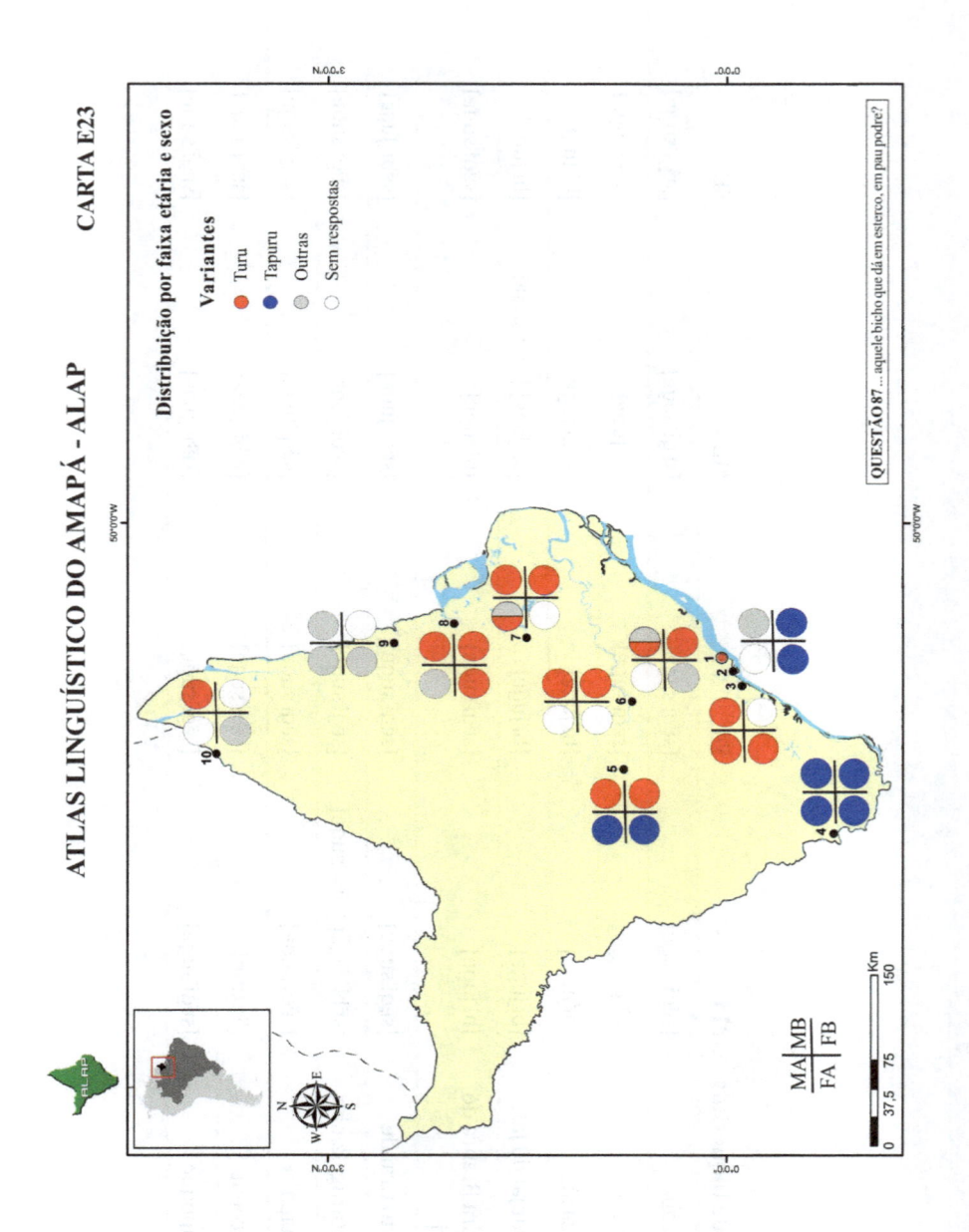

CARTA E23

Distribuição por faixa etária e sexo

Variantes:
- 🔴 Turu
- 🔵 Tapuru
- ⚪ (cinza) Outras
- ⚪ Sem respostas

QUESTÃO 87 ..... aquele bicho que dá em esterco, em pau podre?

MA	MB
FA	FB

Questão 87 – CORÓ/TAPURU

Pontos de Inquéritos	MA	FA	MB	FB
01 – Macapá	...	[ˈlaɦvɛ]	[tuˈru]	[bɪʃʊdʊˈpaw]	[tuˈru]
02 – Santana	...	[tapuˈru]	[ˈbrɔke]	[tapuˈru]
03 – Mazagão	[tuˈru]	[tuˈru]	[tuˈru]	...
04 – Laranjal do Jarí	[tapuˈru]	[tapuˈru]	[tapuˈru]	[tapuˈru]
05 – Pedra Branca do Amaparí	[tapuˈru]	[tapuˈru]	[tuˈrʊ]	[tuˈrʊ]
06 – Porto Grande	...	...	[tuˈrʊ]	[tuˈrʊ]
07 – Tartarugalzinho	[tuˈrʊ] [ˈlaɦvɛ]	...	[tuˈrʊ]	[tuˈrʊ]
08 – Amapá	[ˈbiʃʊ]	[tuˈrʊ]	[tuˈrʊ]	[tuˈrʊ]
09 – Calçoene	[kuˈpĩ]	[kuˈpĩ]	[ˈbiʃʊ]	...
10 – Oiapoque	...	[kuˈpĩ]	[tuˈrʊ]	...

ATLAS LINGUÍSTICO DO AMAPÁ - ALAP

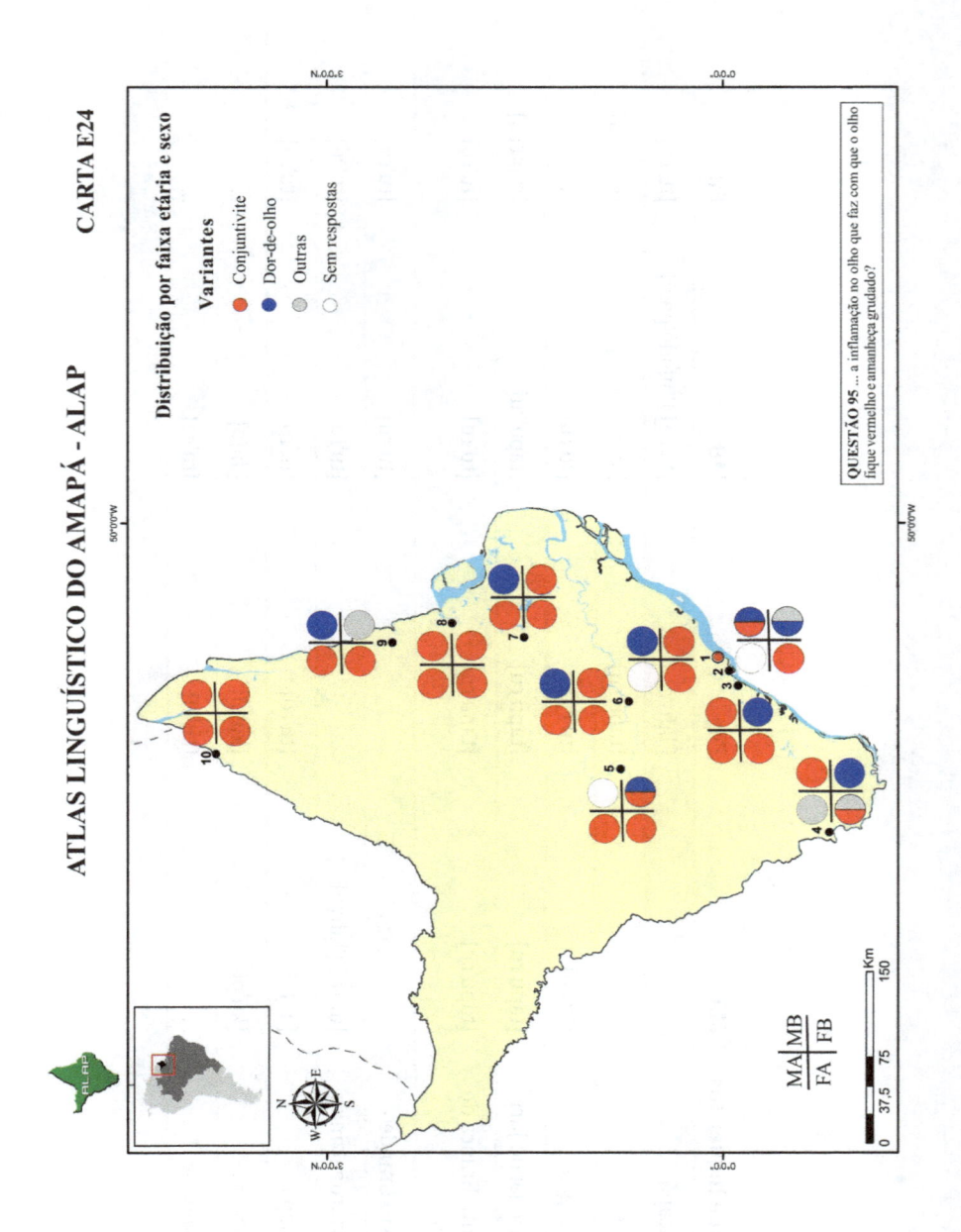

CARTA E24

Distribuição por faixa etária e sexo

Variantes
- 🔴 Conjuntivite
- 🔵 Dor-de-olho
- ⚪ (cinza) Outras
- ⚪ Sem respostas

QUESTÃO 95 ... a inflamação no olho que faz com que o olho fique vermelho e amanheça grudado?

MA	MB
FA	FB

Questão 95 – CONJUNTIVITE

Pontos de Inquéritos	MA	FA	MB	FB
01 – Macapá	...	[kõʒũtʃiˈvitʃɪ]	[ˈdohdʒɪˈoʎjʊ]	[kõʒũtʃiˈvitʃɪ]
02 – Santana	...	[kõʒũtʃiˈvitʃɪ]	[ˈdohˈdʒɪˈoʎʊ] [bukiˈvitʃɪ]	[ˈdohˈdʒɪˈɔʎʊ] [sapaˈtẽw̃]
03 – Mazagão	[kõvitʃiˈvitʃɪ]	[kõvitʃiˈvitʃɪ]	[kõʒũtʃiˈvitʃɪ]	[dohdʒɪˈoljʊ]
04 – Laranjal do Jarí	[ˈkahɲɪkreˈsidɛ]	[kõʒũtʃiˈvitʃɪ] [sapaˈtẽw̃]	[koʒutʃiˈvitʃɪ]	[ˈdoˈdʒɪˈɔʎʊ]
05 – Pedra Branca do Amaparí	[kõʒũtʃiˈvitʃɪ]	[kõʒũtʃiˈvitʃɪ]	...	[kõʒũtʃiˈvitʃɪ] [dohdʒɪˈoljʊ]
06 – Porto Grande	[kõʒuʧiˈvitʃɪ]	[kõʒuʧiˈvitʃɪ]	[ˈdohdʒɪˈoʎʊ]	[kõvitʃiˈvitʃɪ]
07 – Tartarugalzinho	[kõʒũtʒɪˈvitʃɪ]	[kõhutʒiˈvitʃɪ]	[dodʒɪˈoljʊ]	[kõʒuʧiˈvitʃɪ]
08 – Amapá	[koʒitʃiˈvitʃɪ]	[kõvitʃiˈvitʃɪ]	[kovitʃiˈvitʃɪ]	[koʒitʃiˈvitʃɪ]
09 – Calçoene	[ˈvitʃiˈvitʃɪ]	[ˈvitʃiˈvitʃɪ]	[ˈdonuˈoʎʊ]	[tewoʎuˈtaiflaˈmadu]
10 – Oiapoque	[kõʒũtʃiˈvitʃɪ]	[kõʒutʃiˈvitʃɪ]	[kõvitʃiˈvitʃɪ]	[kõhutʃiˈvitʃɪ]

ATLAS LINGUÍSTICO DO AMAPÁ - ALAP

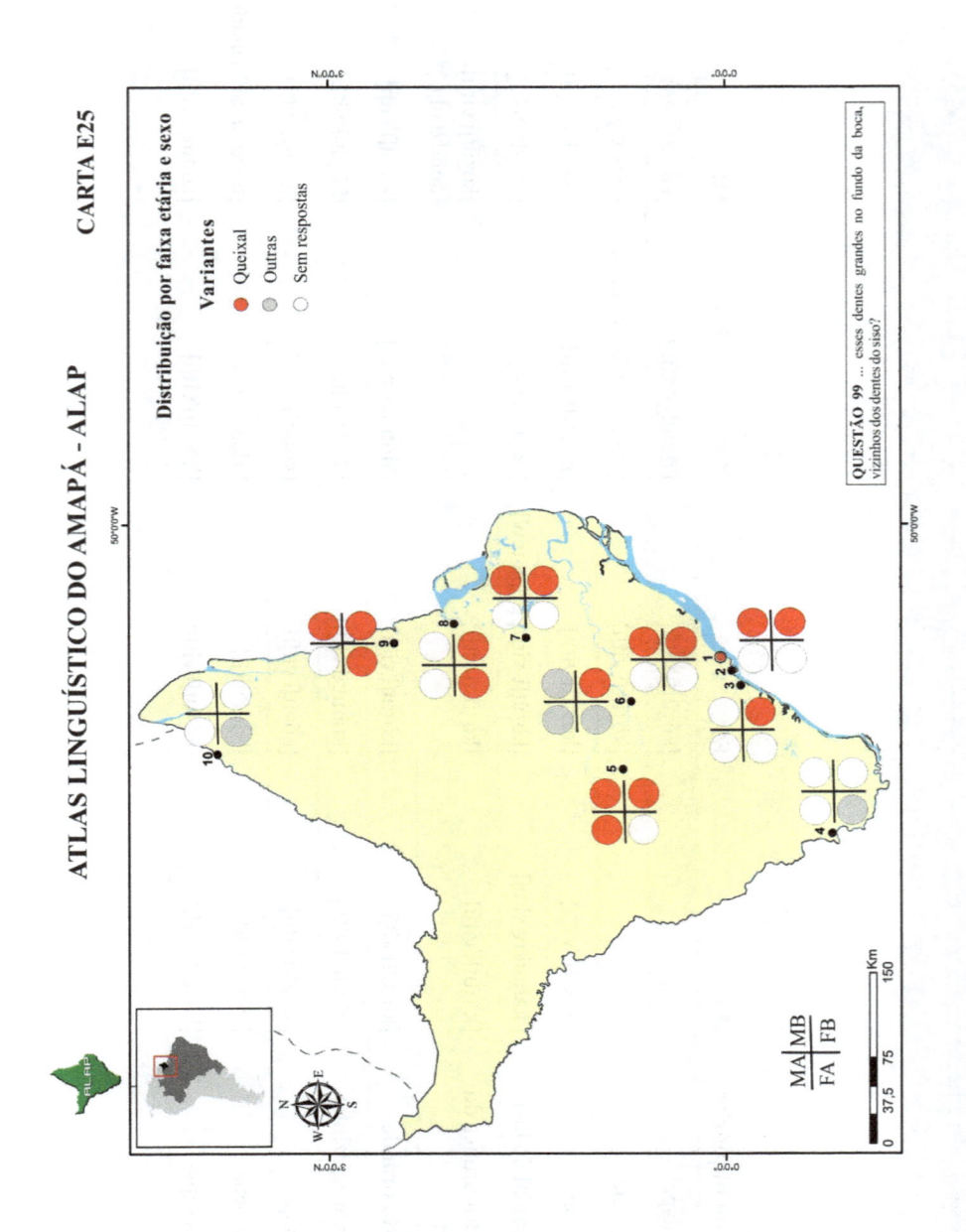

CARTA E25

Distribuição por faixa etária e sexo

Variantes:
- ● Queixal
- ● Outras
- ○ Sem respostas

QUESTÃO 99 ... esses dentes grandes no fundo da boca, vizinhos dos dentes do siso?

MA | MB
FA | FB

Questão 99 – DENTES MOLARES

Pontos de Inquéritos	MA	FA	MB	FB
01 – Macapá	...	...	[ke'ʃa]	[ke'ʃaw]
02 – Santana	...	...	[dẽtʃiduke'ʃaw]	[ke'ʃaw]
03 – Mazagão	...	...	...	[kɛh'ʃaw]
04 – Laranjal do Jarí	...	[ka'narʊʃ]	...	...
05 – Pedra Branca do Amaparí	[dẽtʃiduke'ʃaw]	...	[ke'ʃaw]	[kɛ'ʃaw]
06 – Porto Grande	[dẽtʃi mɔ'larɪʃ]	[dẽtʃɪsmo'larɪʃ]	[dẽtʃɪʃmo'larɪʃ]	[kɛ'ʃaw]
07 – Tartarugalzinho	...	...	[kɛ'ʃew]	[kɛ'ʃew]
08 – Amapá	...	[ke'ʃaw]	...	[ke'ʃaw]
09 – Calçoene	...	[ke'ʃaw]	[e'ʃaw]	[ke'ʃaw]
10 – Oiapoque	...	[dẽtʃi]	...	...

ATLAS LINGUÍSTICO DO AMAPÁ - ALAP

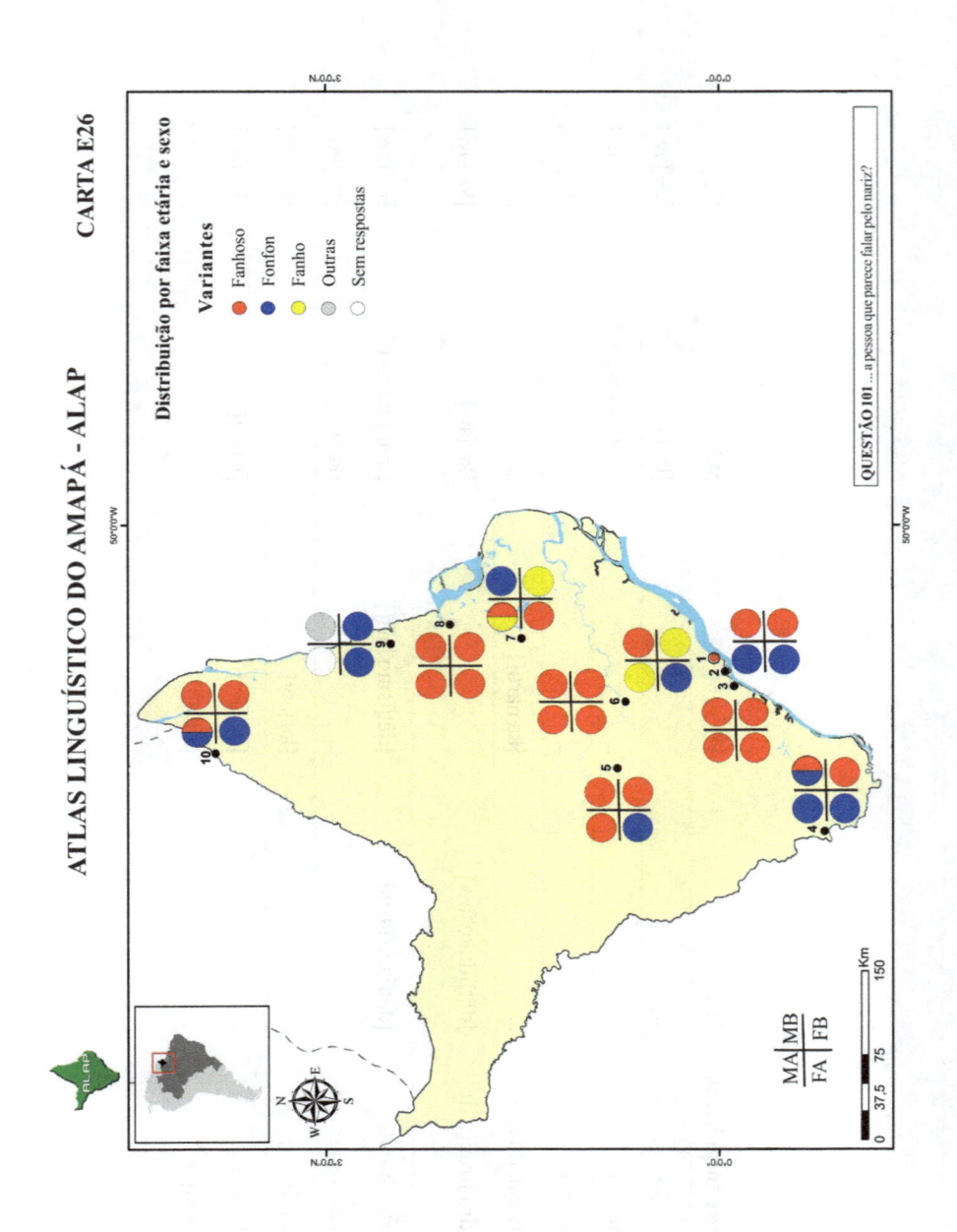

CARTA E26

Distribuição por faixa etária e sexo

Variantes
- 🔴 Fanhoso
- 🔵 Fonfon
- 🟡 Fanho
- ⚪ (cinza) Outras
- ⚪ Sem respostas

QUESTÃO 101 ... a pessoa que parece falar pelo nariz?

MA | MB
FA | FB

Questão 101 – FANHOSO

Pontos de Inquéritos	MA	FA	MB	FB
01 – Macapá	['fõnjʊ]	[fõ'fõ]	[fa'ɲozʊ]	['fẽɲʊ]
02 – Santana	[fõ'fõ]	[fõtõ'tõ]	[fẽ'ɲozʊ]	[fẽ'ɲozʊ]
03 – Mazagão	[fẽ'ɲozʊ]	[fẽ'ɲozʊ]	[fẽ'ɲozʊ]	[fẽ'njozʊ]
04 – Laranjal do Jarí	[fo'fẽw̃]	[fõ'fõ]	[fa'ɲozʊ] [fõ'fõ]	[fẽ'ɲozʊ]
05 – Pedra Branca do Amaparí	[fẽ'njozʊ]	[fõ'fõ]	[fẽ'njozʊ]	[fẽ'njozʊ]
06 – Porto Grande	[fẽ'ɲosʊ]	[fẽ'ɲozʊ]	[fẽ'ɲosʊ]	[fẽ'ɲozʊ]
07 – Tartarugalzinho	['fẽɲʊ][fẽ'ɲozʊ]	[fẽ'ɲozʊ]	[fõ'fõ]	['fẽɲʊ]
08 – Amapá	[fẽ'ɲozʊ]	[fẽ'ɲozʊ]	[fa'ɲozʊ]	[fẽ'ɲozʊ]
09 – Calçoene	...	[fẽ'fã]	['fala 'pelʊ na'riʃ]	[fõ'fõ]
10 – Oiapoque	[fõ'fõ][fẽ'njozʊ]	[fõ'fõ]	[fẽ'ɲozʊ]	[azɔ'u̯a]

ATLAS LINGUÍSTICO DO AMAPÁ - ALAP

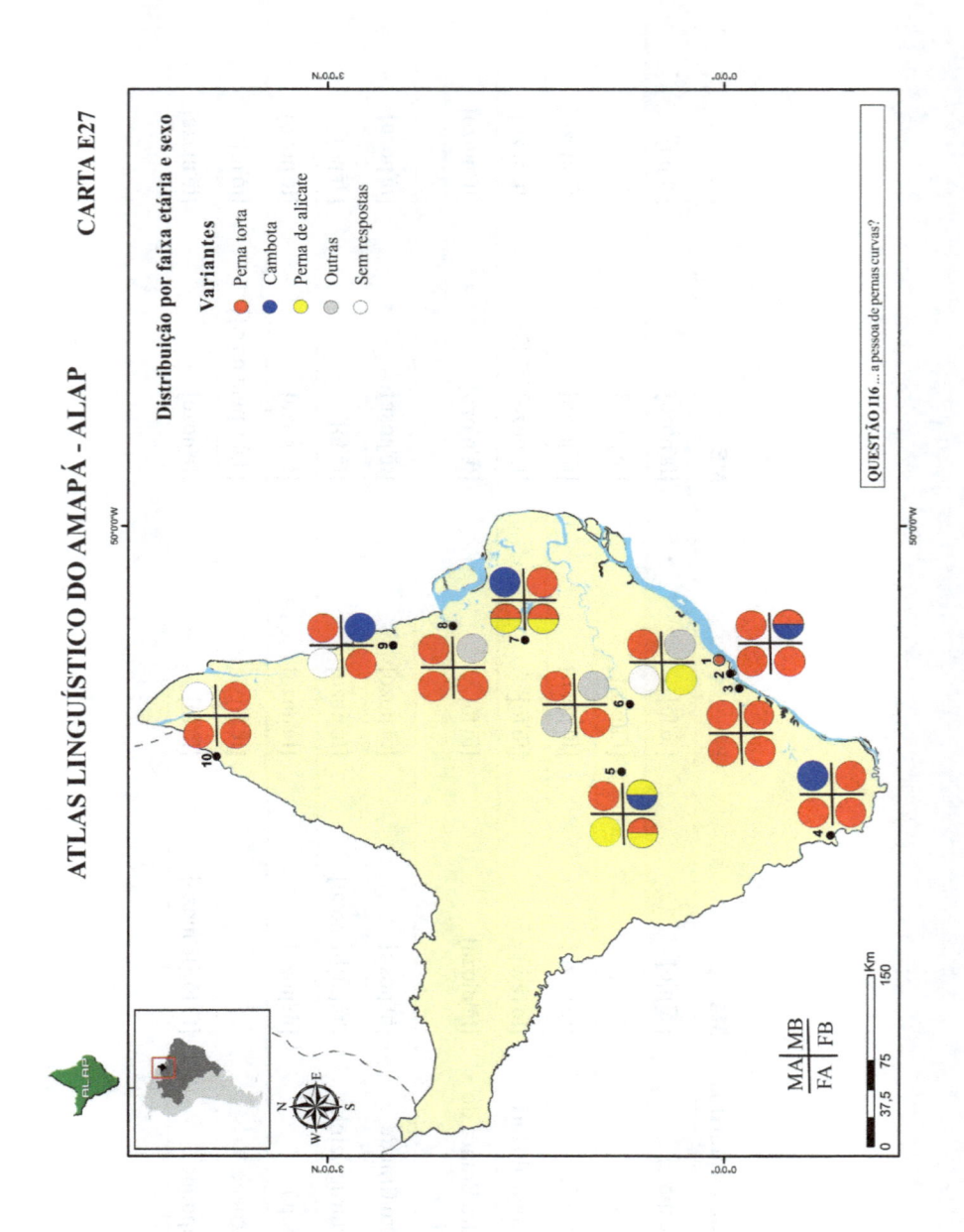

CARTA E27

Distribuição por faixa etária e sexo

Variantes
- 🔴 Perna torta
- 🔵 Cambota
- 🟡 Perna de alicate
- ⚪ (cinza) Outras
- ⚪ Sem respostas

QUESTÃO 116 ... a pessoa de pernas curvas?

MA	MB
FA	FB

Questão 116 – PESSOA DE PERNAS ARQUEADAS

Pontos de Inquéritos	MA	FA	MB	FB
01 – Macapá	...	[pɛɦnedʒɪaʎi'katʃɪ]	[pɛɦne'tɔhte]	[ʒũ'terʊ]
02 – Santana	[pɛɦ'na['tohte]	[pɛɦna'tohte]	[pɛɦne'tɔhte]	[kẽbɔte] [pɛɦne'tɔhte]
03 – Mazagão	['tɔhte]	[ɔhte]	[kẽ'bɔte]	[pɛɦne'tɔhte]
04 – Laranjal do Jarí	[kẽ'bɔte]	[kẽ'bɔte] [pɛɦne'tɔhte]	[kẽ'bɔte]	[pɛɦne'tɔhte]
05 – Pedra Branca do Amaparí	[pɛɦnedʒɪaʎi'katʃɪ]	[pɛɦnedʒɪaʎi'katʃɪ] [pɛɦne'tɔhte]	[pɛɦne'tɔhte]	[kẽ'bɔte] [pɛɦnedʒɪaʎi'katʃɪ]
06 – Porto Grande	[pe'soedʒɪʎpeɦnes ahˈkiades]	[pɛɦne 'tohte]	[pɛɦne 'tohte]	[eku'vaɦde]
07 – Tartarugalzinho	[pɛɦne' tohte] [pɛɦnedʒɪa'i'katʃɪ]	[pɛɦne'tohte] [dʒɪaʎi'katʃɪ]	[kẽ'bɔte]	[pɛɦne'tohte]
08 – Amapá	[pɛɦne,a'tohte]	[pɛɦne,a'tohte]	[pɛɦne,a'tohte]	[pɛɦne'dʒi'ahkʊ]
09 – Calçoene	...	['tɔhte]	[pɛɦne,a'tohte]	[kẽ'bɔte]
10 – Oiapoque	[pɛɦna'tohte]	[aɦˈtʃɪ]	...	[pɛɦne,a'tohte]

ATLAS LINGUÍSTICO DO AMAPÁ - ALAP

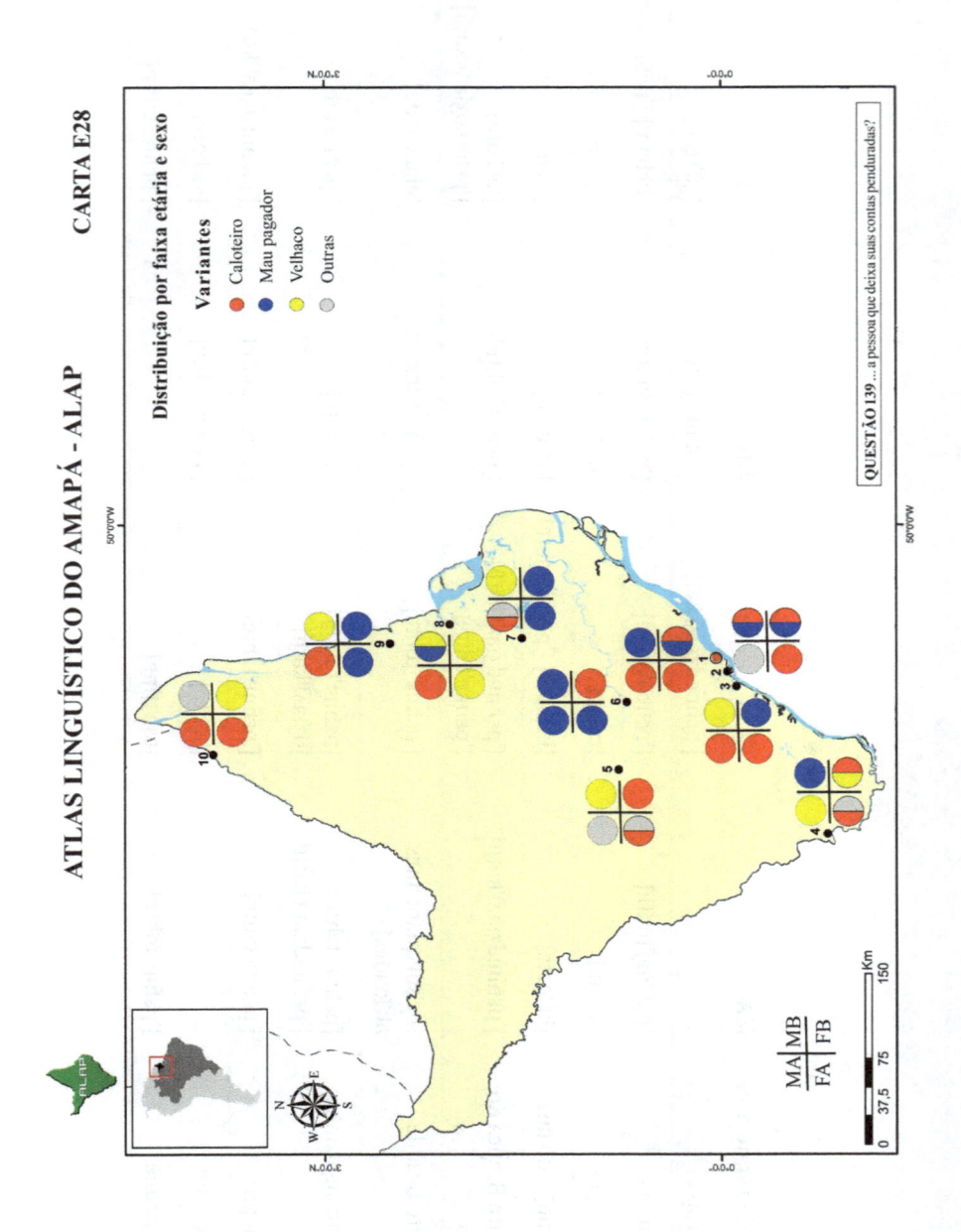

CARTA E28

Distribuição por faixa etária e sexo

Variantes
- Caloteiro
- Mau pagador
- Velhaco
- Outras

QUESTÃO 139 ... a pessoa que deixa suas contas penduradas?

276 Atlas Linguístico do Amapá

Questão 139 – MAU PAGADOR

Pontos de Inquéritos	MA	FA	MB	FB
01 – Macapá	[kaloˈterʊ]	[kaloˈterʊ]	[mawpagaˈdo]	[mawpagaˈdo] [kaloˈterʊ]
02 – Santana	[deveˈdoh]	[kaloˈterʊ]	[kaluˈterʊ] [mawpagaˈdoh]	[kaluˈterʊ] [mawpagaˈdoh]
03 – Mazagão	[kaloˈtere]	[kaloˈtere]	[veˈjakʊ]	[mawpagaˈdo]
04 – Laranjal do Jarí	[viˈʎakʊ]	[kaloˈterʊ ĩhoˈlẽw̃]	[kaloˈterʊ] [viˈʎakʊ]	[mawpagaˈdo]
05 – Pedra Branca do Amaparí	[ĩhɔˈlẽw̃]	[kaloˈterʊ ĩhoˈlãw̃]	[vɛˈʎakʊ]	[kaloˈteʲrʊ]
06 – Porto Grande	[mawpagaˈdo]	[mawpagaˈdoh]	[mawpagaˈdo]	[kaloˈterʊ]
07 – Tartarugalzinho	[kalotejrʊ] [huĩdʒineˈgɔsiw]	[mawpagaˈdo]	[viˈljakʊ]	[mawpagaˈdoh]
08 – Amapá	[kaloˈterʊ]	[vɛˈljakʊ]	[mawpagaˈdo] [vɛˈljakʊ]	[viˈʎakʊ]
09 – Calçoene	[kaloˈterʊ]	[mawpagaˈdo]	[vɛˈʎakʊ]	[mawpagaˈdoh]
10 – Oiapoque	[kaloˈterʊ]	[kaloˈterʊ]	[saˈfadʊ]	[vɛˈljakʊ]

ATLAS LINGUÍSTICO DO AMAPÁ - ALAP

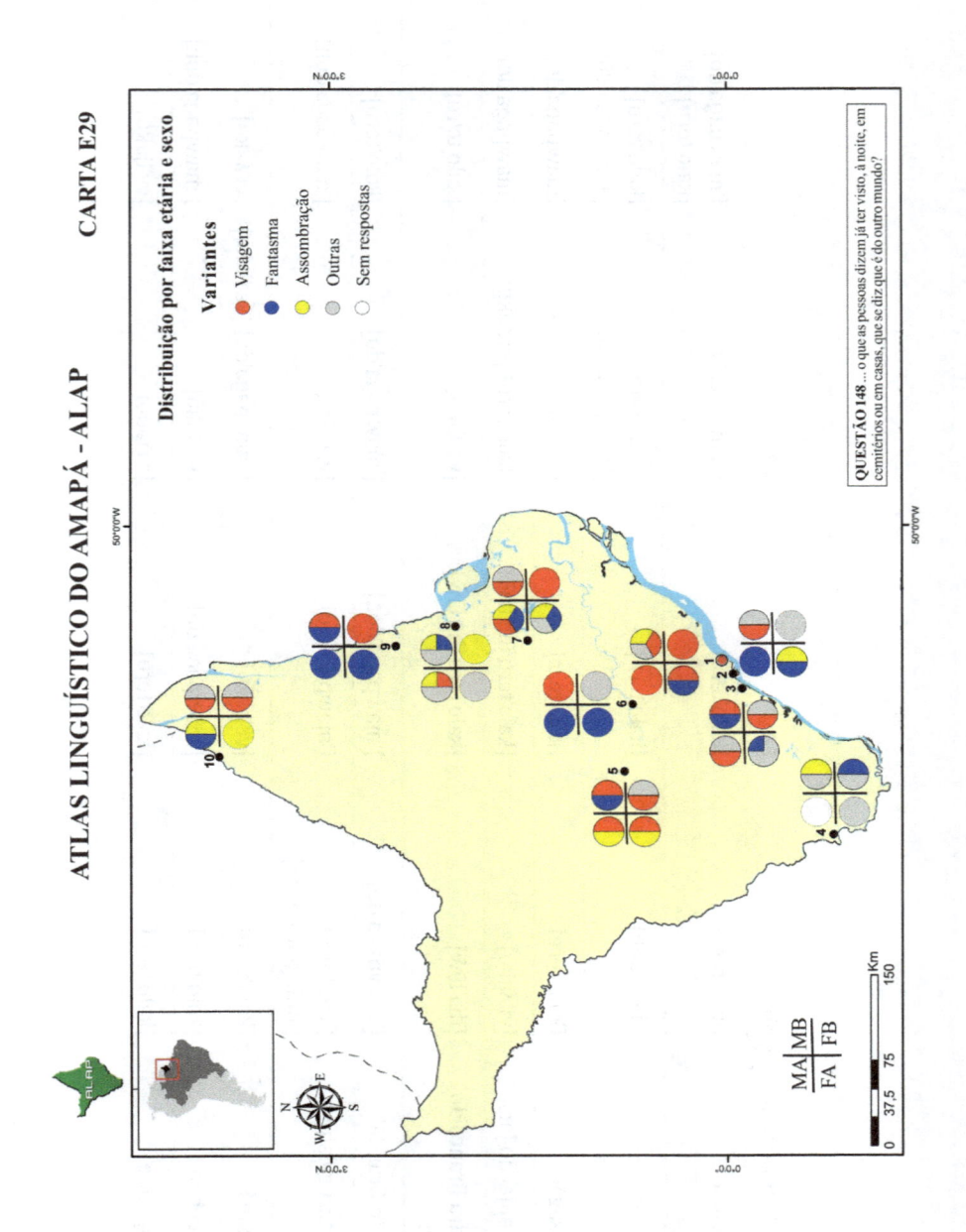

CARTA E29

Distribuição por faixa etária e sexo

Variantes
- ● Visagem
- ● Fantasma
- ● Assombração
- ● Outras
- ○ Sem respostas

QUESTÃO 148 - ... o que as pessoas dizem já ter visto, à noite, em cemitérios ou em casas, que se diz que é do outro mundo?

Questão 148 – FANTASMA

Pontos de Inquéritos	MA	FA	MB	FB
01 – Macapá	[vi'zaʒɪ]	[fẽ'taʒme] [vi'zaʒɪ]	[vi'zẽw̃] [asõbra'sẽw̃] [fẽ'taʒme]	[fẽ'taʃme]
02 – Santana	[fẽ'taʒme]	[fẽ'taʃme] [asõbra'sẽw̃]	[vi'zaʒɪ] [labi'zõmɪ]	[iʃ'pritu'maw]
03 – Mazagão	[lẽdɐ] [vi'zaʒɪ]	['awme] [iʃ'piritu] [fẽ'taʃme] ['sõbrɛ]	[ũmaẽfẽ'taʃme] [vi'zaʒẽj̃]	[vi'zaʒɪ] [vi'zẽw̃]
04 – Laranjal do Jarí	...	[mi'zure] ['awmepẽ'nade]	[asõbrasẽw̃] ['vutʊ]	[fẽ'taʃme] ['awme]
05 – Pedra Branca do Amaparí	[asõbra'sẽw̃] vi'saʒɪ]	[vi'zaʒɪ] [asõbra'sẽw̃]	[vi'saʒɪ] [fẽ'taʒme]	[mi'zure] [vi'zaʒɪ]
06 – Porto Grande	[fẽ'taʒme]	[fẽ'taʃme]	[vi'zaʒɪ]	['awmaʃ]
07 – Tartarugalzinho	[fẽ'taʒme [asõbra'sẽw̃] [vi'zaʒɪ]	[fã'taʒme] [ʃ]aʃ [asõbra'sẽw̃] [iʃpi'ritʊʃ]	[vi'zaʒɪ] [vizẽw̃]	[vi'zaʒɪ]
08 – Amapá	[asõbra'sẽw̃] [vi'zaʒɪ] [iʃ'piritʊ] ['awme]	['awme] ['vutʊ]	[fẽ'taʒme] [asõbra'sẽw̃] ['awme] [iʃ'pritʊ]	[asõbra'sẽw̃]
09 – Calçoene	[fẽ'tahme]	[fẽ'taʒme]	[fẽ'tame] [vi'zaʒɪ]	[vi'zaʒɪ]
10 – Oiapoque	[asõbra'sẽw̃] [fẽ'taʒme]	[asõbra'sẽw̃]	[vi'zẽw̃] [vi'zaʒɪ]	[vi'zaʒɪ] ['vutʊ]

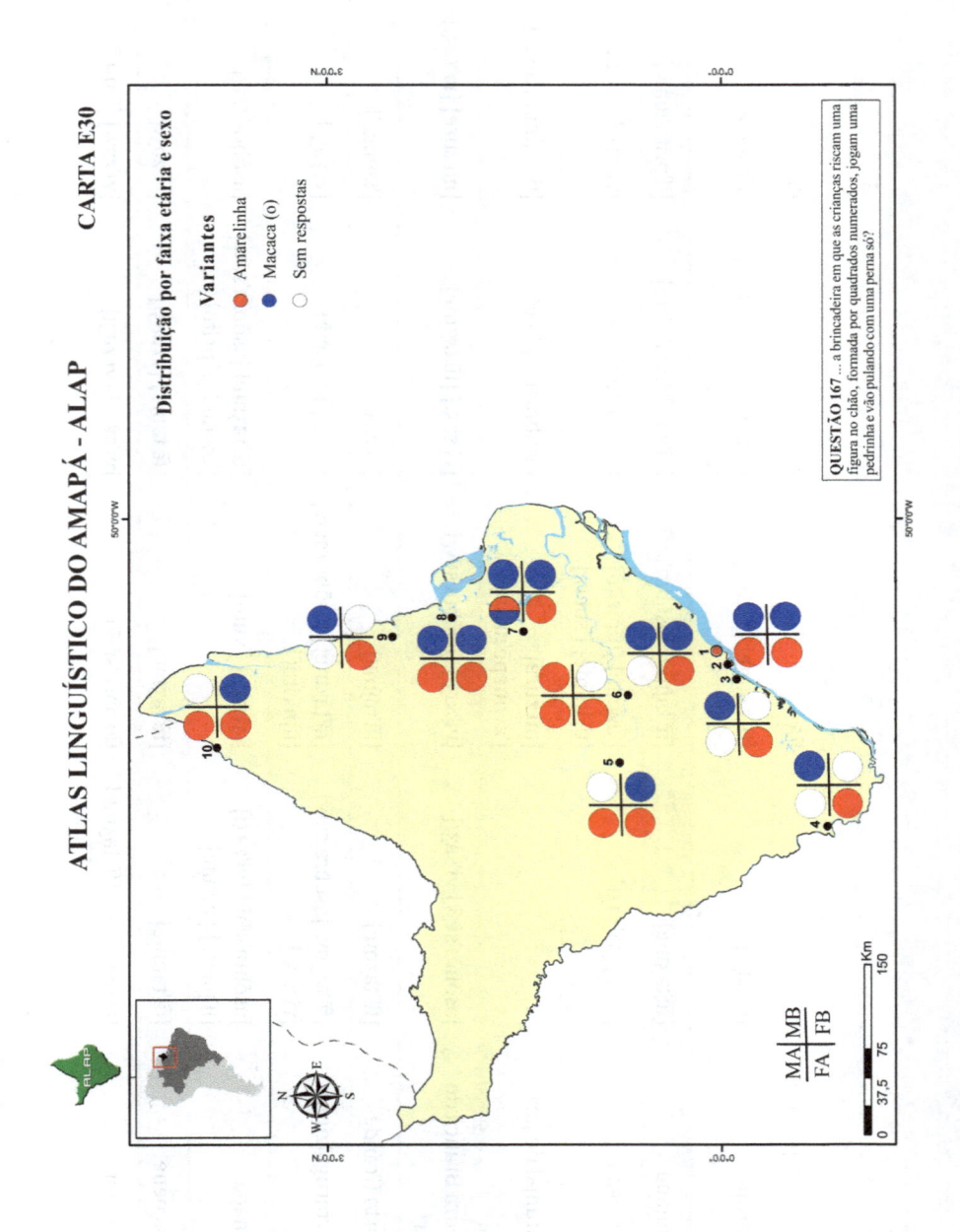

ATLAS LINGUÍSTICO DO AMAPÁ - ALAP

CARTA E30

Distribuição por faixa etária e sexo

Variantes
- 🔴 Amarelinha
- 🔵 Macaca (o)
- ⚪ Sem respostas

QUESTÃO 167 ... a brincadeira em que as crianças riscam uma figura no chão, formada por quadrados numerados, jogam uma pedrinha e vão pulando com uma perna só?

MA	MB
FA	FB

280   Atlas Linguístico do Amapá

Questão 167 – AMARELINHA

Pontos de Inquéritos	MA	FA	MB	FB
01 – Macapá	...	[amaɾɛˈʎiɲɐ]	[maˈkake]	[maˈkake]
02 – Santana	[amaɾɛˈʎiɲɐ]	[amaɾɛˈʎiɲɐ]	[maˈkake]	[maˈkake]
03 – Mazagão	...	[amaɾɛˈʎiɲɐ]	[maˈkake]	...
04 – Laranjal do Jarí	...	[amaɾɛˈʎiɲɐ]	[maˈkake]	...
05 – Pedra Branca do Amaparí	[amaɾɛˈʎiɲɐ]	[amaɾɛˈʎiɲɐ]	...	[maˈkake]
06 – Porto Grande	[amaɾɛˈʎiɲɐ]	[amaɾɛˈʎiɲɐ]	[amaʎɛˈʎiɲɐ]	...
07 – Tartarugalzinho	[amaɾɛˈʎiɲɐ] [maˈkake]	[amaɾɛˈʎiɲɐ]	[maˈkaku]	[maˈkake]
08 – Amapá	[amaɾɛˈʎiɲɐ]	[amaɾɛˈʎiɲɐ]	[maˈkake]	[maˈkake]
09 – Calçoene	...	[maɾɛˈʎiɲɐ]	[maˈkake]	...
10 – Oiapoque	[amaɾɛˈʎiɲɐ]	[amaɾɛˈʎiɲɐ]	...	[maˈkake]

Referências

AGUILERA, V. A. A metodologia e sua aplicação no campo. In: CARDOSO, S. A. M. S. *et al*. **Atlas linguístico do Brasil**. Londrina: Eduel, 2014, v. 1.

____. **Atlas lingüístico do Paraná – ALPR**. Curitiba: Imprensa Oficial do Estado, 1994.

AMAPÁ DIGITAL. **Déficit habitacional em Macapá reduzido com entrega de novas casas**. Disponível em: <http://www.amapadigital.net>. Publicado em 21 de abril de 2012. Acesso em: 20 abr. 2016.

ANDRADE, R. F. **Migração no Amapá**: projeção espacial num contexto de crescimento populacional. Belém: NAEA, 2005.

CARDOSO, S. A. M. S. (*et al*.). **Atlas linguístico do Brasil**. Londrina: Eduel, 2014, v. 1.

____. **Geolinguística**: tradição e modernidade. São Paulo: Parábola, 2010.

COMITÊ NACIONAL DO PROJETO ALiB (Brasil). **Atlas linguístico do Brasil**: questionários. Londrina: UEL, 2001.

CRUZ, M. L. C. **Atlas linguístico do Amazonas**. 2004. Tese (Doutorado em Letras) - Universidade Federal do Rio de Janeiro, Rio de Janeiro, 2004. V. I e II.

DAY, K. C. N. **A situação sociolinguística da fronteira franco-brasileira**: Oiapoque e Saint Georges. Dissertação. PUC-RJ, 2005.

ESTIMATIVAS DA POPULAÇÃO RESIDENTE NO BRASIL. Disponível em: <ftp://ftp.ibge.gov.br/Estimativas_de_Populacao/Estimativas_2016/estimativa_2016_TCU.pdf>. Acesso em: 15 abril 2017.

IBGE – Censo Demográfico 2010, Instituto Brasileiro de Geográfia e Estatística. **Estado do Amapá**. Disponível em: <http://www.ibge.gov.br/estadosat/perfil>. Acesso em: 20 fev. 2017.

IDEB 2015. Disponível em: <http://ideb.inep.gov.br>. Acesso em: 4 jun. 2017.

NASCIMENTO, O.; TOSTES, J. A. **Oiapoque – aqui começa o Brasil**: as perspectivas de desenvolvimento a partir da construção da BR-156 e da Ponte Binacional entre o Amapá e a Guiana Francesa. In: IV Encontro da Associação Nacional de Pós-Graduação Pesquisa em Ambiente e Sociedade (ANPPAS), Brasília. GT13 – Relações internacionais e ambiente, 2008.

NUNES FILHO, E. Formação histórica, econômica, social, política e cultural do Amapá: descrição e análise do processo de formação histórica do Amapá. In: OLIVEIRA, A.; RODRIGUES, R. (orgs.). **Amazônia, Amapá**: escritos de História. Belém: Paka-Tatu, 2009.

PORTAL AMAZÔNIA. **Mais de 11 mil moradias do Amapá não possuem serviços básicos, apontam dados do IBGE**. Disponível em: <http://portalamazonia.globo.com/new-structure/view/scripts/noticias/noticia.php?id=45093>. Publicado em 22 de novembro de 2006. Acesso em: 20 abr. 2016.

ROSSI, N. *(et. al.)*. **Atlas prévio dos falares baianos**. Ministério da Educação e Cultura/Instituto Nacional do Livro: Rio de Janeiro, 1963.

SANCHES, R. **Variação lexical nos dados do projeto Atlas geossociolinguístico do Amapá**. Dissertação (Mestrado em Letras) – Programa de Pós-Graduação em Letras – PPGL, Universidade Federal do Pará, Belém, 2015.

ZÁGARI, M. *(et al)*. **Esboço de um atlas linguístico de Minas Gerais**. Rio de Janeiro: Fundação Casa de Rui Barbosa, 1977. V. 1.

Agradecimentos

A toda a equipe do Projeto ALAP que acreditou no sonho de construir o atlas linguístico do Amapá – ALAP e segue desde 2011 engajada nesse trabalho, sempre de cabeça erguida diante dos obstáculos enfrentados.

À Universidade Federal do Amapá, por meio da PROPESPG, Departamento de Pesquisa – DPQ/UNIFAP, pelos espaços e instrumentos de pesquisa cedidos à equipe do Projeto ALAP.

Às Coordenações dos Cursos de Letras Português-francês e Letras Português-inglês da UNIFAP, principalmente ao coordenador, professor Olaci Carvalho, pela cooperação em vários momentos.

Ao CNPq pelo apoio e ajuda financeira concedida pelo Edital 476225/2011-6, sem os quais teríamos muitas dificuldades para realizar a pesquisa de campo.

Aos inquiridores, sobretudo, aos que se deslocaram ao interior do estado, que enfrentaram viagens longas e cansativas, além do desgaste na busca de informantes.

A todos que confiaram no Projeto e colaboraram direta ou indiretamente para a publicação do ALAP, em especial aos professores e acadêmicos dos cursos de Letras Português-francês e Letras Português-inglês, turmas 2008, 2009 e 2010 da UNIFAP.

Por fim, um agradecimento muito especial a todos os nossos 40 informantes, sem os quais esse projeto não teria se concretizado. Muito obrigado aos moradores, nossos informantes, de:

- **Amapá:** A. P. do N.; A. T. C.; M. das N. V. do N.; W. P. A.
- **Calçoene:** A. F. G. S.; D. F. B.; M. R. P. G.; R. A. V.
- **Laranjal do Jarí:** A. V. de O.; C. O. S. M.; M. da C. T. G.; V. de S. P.
- **Macapá:** M. C. S. S.; M. R. S. dos S.; J. R. P. S. B.; J. S. C.
- **Mazagão:** A. P. de S.; W. D. de S.; G. F. V.; M. de N.
- **Oiapoque:** A. O. N. M.; M. B. M.; S. B. M.; Y. N. C.
- **Pedra Branca do Amaparí:** E. N. da S.; J. G. P.; J. C. da C.; M. R. da L. dos S.
- **Porto Grande:** A. E. C. S.; M. H. P. M.; S. V. da S.
- **Santana:** A. L. S.; M. B. G. da S.; R. S. R. B.; J. T. P. P.
- **Tartarugalzinho:** A. S. da S.; M. S.; M. de J. S. da S.; M. da C. C.

AGRADECIMENTOS

Impresso por:

META SOLUTIONS
www.metaslt.com.br